A Escolha do Coração

AMANDA BROOKE

A Escolha do Coração

Tradução
Ana Lúcia Rodrigues

Novo Conceito

1ª Impressão — 2014

Produção editorial:
Equipe Novo Conceito
Impressão e Acabamento Arvato Print 070314

Este livro segue as regras da Nova Ortografia da Língua Portuguesa.

Dados Internacionais de Catalogação na Publicação (CIP)
(Câmara Brasileira do Livro, SP, Brasil)

Brooke, Amanda
A escolha do coração / Amanda Brooke ; tradução Ana Lúcia Rodrigues. -- 1. ed. -- Ribeirão Preto, SP : Novo Conceito Editora, 2014.

Título original: Yesterday's sun.
ISBN 978-85-8163-316-9

1. Ficção inglesa I. Título.

14-00990 CDD-823

Índices para catálogo sistemático:
1. Ficção : Literatura inglesa 823

Novo Conceito

Rua Dr. Hugo Fortes, 1885 — Parque Industrial Lagoinha
14095-260 — Ribeirão Preto — SP
www.grupoeditorialnovoconceito.com.br

Para Jessica e Nathan,

Por fazerem de mim o que sou:

uma mãe.

PRÓLOGO

Um dos ponteiros do relógio passou por cima do outro, marcando aquele breve e irreversível instante em que um dia termina e outro começa. Holly estava deitada na cama, acariciando a barriga alta e acalmando seu bebê ainda não nascido do tremor de medo que atravessou seu corpo, tão irrefreável quanto os ponteiros do relógio.

Ela estava deitada de costas e teve que fazer um esforço considerável para se virar de lado. Precisou manobrar seu volume cuidadosamente enquanto abafava os incontáveis gemidos, pois temia acordar Tom, que estava virado para o outro lado, roncando baixinho. Holly se aconchegou a ele até sentir os cachos desalinhados roçarem em seu nariz. Ela inspirou profundamente, deliciando-se com o cheiro quente e doce.

— Amo você — murmurou Holly.

O som da voz dela foi quase inaudível, mas a verdade era que Holly já se tornara uma especialista em manter as coisas só para si. Passara muitas noites insones, deitada ao lado dele, lutando contra a ânsia de quebrar o silêncio e contar a Tom que o dia em que ela teria que deixá-lo se aproximava cada vez mais.

— Hoje é o dia — disse Holly a ele. — Você vai se tornar pai. E que pai incrível vai ser. Mas não será fácil. Vai pensar que não é capaz de lidar com a situação, mas isso não é verdade. Vai ficar furioso comigo por deixar vocês dois, mas acabará entendendo. Um dia, você olhará para a nossa filha e saberá o que eu sei. Saberá que ela valeu o sacrifício.

Tom se mexeu, inquieto, ainda adormecido, e Holly prendeu a respiração. Não queria acordá-lo… ainda não. Mas precisava se desculpar em voz alta, mesmo não querendo que ele escutasse. Aquele era um dos últimos itens em sua "lista de coisas a fazer". Isso e dar à luz, é claro.

Holly passara os últimos meses se preparando para a chegada da filha e, tão importante quanto isso, se preparando para partir da vida do bebê e do marido. Tom amava Holly por sua obsessão em fazer planos, algo que beirava a neurose, mas até ele ficaria chocado ao descobrir como ela se preparara bem para este dia. E de que outra forma Holly poderia morrer em paz?

— Eu te amo — repetiu Holly. Uma lágrima solitária rolou por seu rosto, e ela sentiu que o que sabia pesava mais do que o bebê que carregava. — Sinto muito por não ter lhe contado, por não ter podido lhe contar. Mas é que, por mais apavorante que tudo isso seja para mim, teria sido insuportável para você. Tive que tomar algumas decisões duras e aprendi do modo mais difícil que as melhores decisões nunca são as mais óbvias. Também aprendi outra coisa. Que o amor permanece, às vezes das formas mais impressionantes. Eu prometo que estarei ao seu lado nas horas mais difíceis.

Holly deixou escapar um soluço e, dessa vez, foi alto o bastante para despertar Tom. Ele se virou sonolento na direção dela.

— Você está bem? — murmurou Tom, ainda tonto de sono, mas logo acordou de vez, assustado. — Está na hora?

— Na hora? Não, ainda não — assegurou Holly, sem conseguir disfarçar um sorriso triste. O tempo havia sido um inimigo desde o momento em que eles haviam se mudado para a antiga casa da guarda, que agora chamavam de lar. Isso fora apenas 18 meses atrás, e os pensamentos de Holly voltaram ao momento crucial, quando o tempo começou a se esgotar.

1

Holly fechou a porta da frente e se apoiou contra ela, deixando escapar um enorme suspiro de alívio. A equipe que fizera a mudança fora milagrosa e transformara a concha vazia onde haviam chegado naquela manhã em algo que Holly agora podia chamar de lar. A casa já fora uma imponente casa da guarda, localizada na entrada da majestosa Hardmonton Hall. Mas agora a mansão não passava de ruínas, e a casa da guarda, localizada bem próximo à cidadezinha de Fincross, fora completamente esquecida. Apesar das paredes de pedra cinza e da pintura em mal estado, Holly se apaixonara pela casa. Ela suportara o teste do tempo muito melhor do que o prédio principal e parecia o lugar ideal para construir um lar e se acomodar, talvez para sempre.

Ainda encostada na porta, Holly deu uma olhada furtiva para seu reflexo de corpo inteiro no espelho que fora deixado encostado na parede, esperando para ser pendurado. A casa, ou melhor, o lar dela, podia ter melhorado de aparência ao longo do dia, mas ela mesma estava parecendo um lixo. Seus cabelos longos e louros costumavam ser seu grande trunfo para compensar o resto de uma aparência que Holly considerava bastante comum, mas os cabelos agora estavam presos em um rabo de cavalo malfeito. A pouca maquiagem que ela aplicara no início do dia já não passava de uma lembrança, e agora eram visíveis as rugas minúsculas no canto dos olhos azuis amendoados.

Holly torcia para que estivesse parecendo apenas cansada, não velha. Afinal, tinha 29 anos e sentia que sua vida estava só começando. Estava casada havia apenas dois anos, aquela era a primeira casa de que ela e Tom eram realmente proprietários e a primeira chance que tinham de fincar raízes.

Holly ignorou seu reflexo no espelho e olhou ao redor, para o novo cenário. O hall de entrada seguia por um corredor até o centro da casa e tinha uma porta à esquerda que levava a uma pequena sala de visitas, onde eles montariam o escritório de Tom. A porta à direita levava a um cômodo maior, que seria a sala de estar. Ali, através da porta entreaberta, era possível ver as bem conhecidas peças de mobília em seu novo ambiente. A mobília tipicamente urbana fazia um forte contraste com as paredes revestidas de papel florido e com o piso de madeira, mas Holly tinha um gosto bastante inusitado e apreciava a mistura de estilos.

— Já chequei a lista, e acho que está tudo feito — disse Tom, aparecendo na porta mais distante, no fim do corredor, que levava à cozinha.

Tom parecia ainda mais desarrumado do que Holly, com seus jeans e camiseta muito desbotados. Aquele visual não destacava em nada o corpo alto, magro e musculoso que Holly sabia estar escondido ali embaixo. A diferença entre eles dois era que o visual desleixado era normal para Tom. Ele estava sempre interessado demais no mundo ao redor para prestar atenção em si mesmo. Aquilo provavelmente era o que fazia dele um jornalista tão bom. Tom era caloroso e próximo, jamais bajulador ou intimidador, e as pessoas costumavam se abrir facilmente com ele.

Holly resistira ao impulso de arrumá-lo, principalmente porque adorava o contraste entre seu próprio estilo e o do marido. Holly era uma artista e, quando não estava enfiada até os joelhos em gesso e tinta, gostava de se vestir com capricho em combinações contrastantes de roupas vintage e contemporâneas, um estilo que também se via refletido em seu trabalho. O outro motivo por que ela aceitava o estilo desarrumado de Tom era puramente egoísta. Ele passava tempo demais fora de casa, trabalhando, e Holly não queria que o marido impressionasse demais outras mulheres.

— Que lista? — perguntou Holly, desconfiada. — Ainda há toneladas de trabalho a fazer. Vamos levar semanas para conseguir tirar tudo das caixas e arrumar devidamente. E depois ainda teremos que pensar em redecorar.

— Não a lista de "mudança de casa" — corrigiu-a Tom. — "A LISTA". — Ele vinha caminhando lentamente na direção de Holly, com a mão esquerda aberta diante do rosto, checando um pedaço de papel imaginário na palma da mão. Tom parou diante dela.

— Você tem noção de que está olhando para uma mão vazia?

Tom ignorou-a.

— Encontrar um namorado. Feito! Encontrar uma galeria de arte para exibir seu trabalho. Feito! Casar-se. Feito! Conseguir uma clientela seleta para comprar seu já mencionado trabalho artístico. Feito! Juntar dinheiro suficiente para poder deixar o emprego. Feito! — A cada vez que dizia "Feito!", Tom usava o indicador da outra mão como uma caneta para fazer uma marca imaginária ao lado de cada conquista.

— E, por fim? — perguntou Holly, já sabendo a resposta.

Tom se aproximou mais.

— Mudar-se para o campo e viver feliz para sempre.

— Feito — sussurrou Holly segundos antes de Tom beijá-la.

Depois de um espaço de tempo indecente, Tom se afastou para recuperar o fôlego.

— E acredito, Senhora Corrigan, que tenha completado sua lista uns seis meses antes do prazo previsto.

— Acredito que esteja certo, Senhor Corrigan — respondeu Holly com ar presunçoso.

Talvez *presunção* fosse a palavra errada. *Eternamente grata* era melhor. Holly trabalhara duro em seu plano de vida de cinco anos, mas, na verdade, seu sucesso ao encontrar o marido perfeito e uma carreira que vinha desabrochando fora mais obra da sorte do que de planejamento. Na verdade, ela devia aquilo tudo a um contador bêbado.

Quando Holly tinha 25 anos, formou-se na escola de arte com um monte de elogios, mas nenhuma ideia de como iria se sustentar somente com seu talento. A partir de então, viu-se fazendo malabarismos em inúmeros empregos de meio-período para dar conta das despesas. Esses empregos foram se acumulando conforme ela atravessava os anos de faculdade e, quando se formou, continuou com eles, até que passaram a consumir tanto de sua rotina que a arte se tornou um luxo que ela não podia mais se permitir, pois sequer conseguia encontrar tempo ou energia para trabalhar em suas próprias obras.

Sua epifania aconteceu em uma noite, na forma de um homem de meia-idade que entrou cambaleando, já bêbado, no bar em que Holly trabalhava na época. O homem — que viria a ser o herói dela —, depois de várias tentativas, conseguiu se sentar diante do balcão do bar e logo fez Holly refém de seu interminável monólogo sobre a vida maravilhosa que levava e a recente promoção que recebera em uma importante firma de contabilidade. Foi só quando o bêbado contou a Holly sobre como a promoção era parte do seu "plano de cinco anos" que ela, uma fanática por listas, começou a prestar atenção. De repente, Holly percebeu quanto a sua própria vida era sem objetivos. Então ela se perguntou por que não poderia ter sucesso se aquele bêbado inútil havia conseguido. Naquela noite, Holly foi para casa e não conseguiu dormir até ter colocado no papel os objetivos que queria alcançar nos próximos cinco anos.

Um ano depois, já estava em um novo rumo. Havia trocado sua coleção de empregos de meio expediente por um trabalho de período integral em uma emissora de TV, na produção, onde finalmente estava fazendo bom uso de seu talento. Isso também significava que Holly tinha tempo livre suficiente para desenvolver seus trabalhos artísticos e até para receber ocasionais encomendas através do contato com uma galeria de arte local.

O próximo item da lista era a vida amorosa. A princípio, Holly não esperava que algo acontecesse até o terceiro ano, mas Tom chegou antes do tempo. Ele fora à emissora de TV para fazer uma entrevista de emprego, e saíra de lá algumas horas mais tarde, não apenas com um novo emprego, mas também com uma namorada.

Holly o vira vagando entre os adereços de palco, obviamente perdido. Tom saíra da entrevista inebriado por ter sido contratado como correspondente especial de assuntos relacionados ao meio ambiente, mas o que começara como uma expedição para bisbilhotar o estúdio rapidamente se transformou em uma jornada sem fim por um labirinto.

Tom Corrigan não era exatamente o que Holly havia imaginado como marido. Na verdade, os dois não poderiam ser mais diferentes. Para começar, havia o óbvio contraste entre a aparência de ambos. A figura alta, bela e morena de Tom parecia evidenciar ainda mais a compleição pálida e miúda de Holly. E também havia outras diferenças fundamentais. Ela era organizada, ele não. Ela antecipava e se preparava para o fracasso, enquanto Tom via cada contratempo como uma oportunidade. Holly admitia quando precisava de ajuda; Tom, o homem que acabara de ser contratado para viajar por todo o país, não era capaz de admitir que não conseguia encontrar o caminho para sair do estúdio de TV. Depois de esbarrar com Holly naquele passeio decisivo pelo estúdio, ele nem pensou em mencionar que estava perdido, e se ofereceu para ficar por ali e ajudá-la até que ela terminasse o trabalho do dia. Então, ele a acompanharia até a saída e a levaria para jantar.

— Posso ver as engrenagens girando em sua mente — avisou Tom, arrancando-a de seu devaneio. — Já está começando o novo plano de cinco anos?

— Estou bem satisfeita trabalhando nas minhas listas atuais, obrigada — retrucou Holly. — Tirar tudo das caixas, redecorar, montar meu novo ateliê, isso sem mencionar a nova encomenda para a Senhora Bronson.

— Plenamente feliz? — perguntou Tom, entre surpreso e debochado.

Holly sorriu.

— Muito feliz. Possivelmente muito, muito feliz.

— Muito possivelmente? — disse ele, erguendo uma sobrancelha com uma expressão travessa nos olhos.

— Pode desistir! — Holly encarou-o com severidade. — Vamos ficar parados aqui no corredor o dia todo discutindo sobre o meu nível de felicidade ou vamos fazer algum uso dos outros cômodos?

— Que boa ideia… Que tal eu pegar o champanhe e me encontrar com você no quarto em precisamente dois minutos?

— Acho que temos um plano... — respondeu Holly, mas Tom já estava indo para a cozinha.

NA MANHÃ SEGUINTE, Tom e Holly relutavam em sair da cama com a mesma intensidade com que haviam desejado se jogar nela na noite anterior. Tom estava de licença do trabalho por duas semanas, portanto não havia despertador exigindo a atenção de ambos, nenhuma rotina predeterminada a cumprir, nada a fazer a não ser terminar de esvaziar as caixas da mudança e explorar os arredores. Eles só precisavam sair da cama.

A cama ficava de frente para uma enorme janela, que mostrava um amplo jardim, vizinho a um amplo pomar e, mais além, a ampla área rural inglesa. Era uma linda manhã de primavera, e o sol estava fazendo o melhor possível para tirar os novos moradores do seu sono profundo. Os insistentes raios de sol brincavam de fazer desenhos nas cortinas brancas de linho, desciam pelas paredes de um azul pálido, escorregavam pelo piso de madeira polida e se aproximavam furtivamente do rosto adormecido de Holly, provocando-a para que acordasse.

Os primeiros pensamentos dela rapidamente tomaram a forma de uma lista de todas as coisas que precisavam ser feitas, providências urgentes que disputavam sua atenção. Holly silenciou esses pensamentos, dobrou e guardou mentalmente a nova lista. Essas tarefas podiam esperar. Queria saborear ao menos um dia com o marido na casa nova, sem nenhuma expectativa a atender senão as de ambos. O tempo para aproveitar a casa com Tom seria escasso nos próximos meses.

Logo depois que negociaram a compra da casa da guarda — que haviam escolhido especificamente porque ficava a uma pequena distância de Londres —, Tom recebeu o convite para um novo cargo. Era uma oferta irrecusável, principalmente porque a emissora de TV estava passando por um doloroso processo de reorganização, e Tom era um dos poucos sortudos. Ao menos ele conseguiria manter o emprego, embora passasse a ter mais responsabilidades diante das câmeras, cobrindo política e meio ambiente. E ele também sabia que viajaria com mais frequência. A cláusula que previa viagens longas e constantes em seu contrato foi posta em prática mais cedo do que Tom esperava, e a primeira missão dele era passar um período de seis semanas na Bélgica — mais do que Tom ou Holly haviam imaginado.

— Está acordada? — perguntou Tom.

— Ahã — respondeu Holly, virando-se para ele, de modo que os dois ficaram com os narizes colados.

— Nossa, que hálito matinal! — implicou Tom.

— Olha quem fala, você está cheirando como um homem...

— Obrigado.

— Eu não terminei — corrigiu-o Holly. — Você está cheirando como um homem que passou a noite lambendo o tapete de um desses pubs bem velhos, onde os sapatos grudam no chão. Na verdade, até posso ver parte do tapete colado em sua língua.

— Então você não quer um beijo?

— Tem certeza de que consegue suportar meu hálito matinal? — desafiou ela, deixando o ar escapar de propósito depois de cada palavra.

— Estou disposto a arriscar se você não se incomodar com uma boca cheia de tapete de pub velho. — Tom estendeu a língua e lambeu a ponta do nariz de Holly.

— Já tive coisas piores na boca.

— Isso agora é um desafio. — Ele sorriu.

— Não apenas você tem uma língua que cheira a esgoto como sua mente é o próprio esgoto.

Tom aproximou o corpo, deixando sua mão escorregar pelas costas de Holly enquanto encaixava as pernas entre as dela. Foi um movimento conhecido e bem ensaiado que o colocou sobre ela e deixou-a ofegante.

— Posso dizer coisas sujas se você quiser... — ofereceu Tom.

Holly passou os braços ao redor do pescoço do marido e deixou os dedos descerem pelas costas dele. Escondida na sombra do corpo de Tom, ela podia sentir a luz da manhã que brincava nas costas dele.

— Muito sujas?

— Bem... — disse Tom. Ele disse a palavra em um longo e provocante sussurro, então sorriu. Ou foi uma careta? — Não estou falando de um plano de cinco anos.

— Espero que não — retrucou Holly. Ela estava observando fixamente as curvas da boca do marido, a umidade dos lábios dele, a língua que via de relance. Holly pressionou mais o corpo contra o dele, encorajando-o.

— Ah, não — falou Tom, ignorando o desejo flagrante da esposa. — Não estou nem falando de sete anos. — Ele beijou o nariz dela. — Nem de dez.

Holly enfiou os dedos nas ondas fartas dos cabelos dele. Ela esticou o corpo para beijá-lo, mas Tom afastou a cabeça. Ainda não havia acabado de provocá-la.

— Eu devo estar falando de uns vinte anos... Maldição, não, sou pervertido o bastante para chegar a quarenta anos.

— Você tem uma mente doentia, Tom Corrigan — afirmou Holly. O corpo dela vibrava em antecipação, e ela se contorceu sob o peso do marido. Também podia provocá-lo.

— Quero um plano que nos acompanhe até estarmos velhos e senis, nesta casa, cercados pela nossa família, nossos filhos, os filhos de nossos filhos e, talvez até, os filhos dos filhos dos nossos filhos.

Por uma fração de segundo, o corpo de Holly ficou rígido. Então ela fechou os olhos com força e tornou a abri-los, na tentativa de afastar um lampejo de medo em seu olhar. Holly forçou um sorriso, na esperança de que Tom não houvesse percebido sua reação, na esperança de conseguir recapturar a magia do momento, mas, sem dúvida, o balão de paixão que antes estava cheio de ar agora se esvaziara.

— O que foi? — perguntou Tom, com uma expressão confusa que deixou o coração de Holly apertado. — A ideia de termos filhos a assusta tanto assim?

— Não — mentiu Holly.

— Assusta, sim — insistiu Tom. Ele deslizou o corpo para a cama, ao lado da esposa, e se apoiou nos braços. O momento de paixão sem dúvida havia se perdido.

— Quero filhos — insistiu Holly. — O que me incomoda é a parte de ser mãe.

— Você quer me dar filhos. Isso é diferente de você mesma querê-los — corrigiu-a Tom, e seu tom de voz era uma mistura de preocupação e frustração. — E você pode ser e será uma boa mãe. Sabe que essa não é uma característica hereditária.

Tom estava, é claro, referindo-se à infância de Holly. Ela era o fruto de um lar despedaçado — desfeito muito antes do amargo divórcio que se seguiu. A mãe de Holly fora embora de casa quando a filha tinha apenas oito anos, mas em vez de se sentir abandonada, a menina na verdade se sentiu aliviada. A mãe tivera até então um comportamento perverso em relação à filha e dera apenas crueldade no lugar de amor, desprezo em vez de proteção. Depois do divórcio, Holly vira pouco a mãe, e, quando chegou à adolescência, a mãe já havia sucumbido a uma morte prematura graças ao abuso de álcool.

O pai, por sua vez, era um homem distante e completamente desinteressado da filha, e de certo modo isso o tornava tão cruel quanto a mãe. Ele deixara Holly de lado, e ela se criara sozinha. Por isso, depois que Holly se mudou para o alojamento da universidade, aos 18 anos, ela nunca mais voltou ao lar de sua infância. Nem mesmo para o funeral do pai.

— Sei que não é hereditário, mas as pessoas aprendem pelo exemplo. Você não tem ideia do quanto é sortudo pela família que tem. Sua família é tão... tão... — Holly não conseguiu encontrar as palavras. Tom sabia tudo sobre a infância dela, mas jamais poderia entender realmente o que era crescer sem a segurança de uma família amorosa. — É tão linear — disse ela, por fim.

— Linear? — Tom riu da escolha da palavra. — O que isso significa?

— Você tem uma mãe e um pai que o amam e o apoiam, e eles tiveram pais que os amaram e os apoiaram. Seus avós provavelmente tiveram pais fantásticos também, e assim deve ter sido, geração após geração.

Os pais de Tom eram maravilhosos aos olhos de Holly e às vezes ela ainda se pegava surpresa por eles a terem aceitado na família e por a amarem como se fosse um deles. Ser parte de uma clássica família fora um aprendizado emocionante e intenso para Holly. Quando, recentemente, a avó de Tom, Edith, faleceu, Holly testemunhou em primeira mão como a família se apoiou mutuamente em busca de forças para suportar o momento. Ela viu como o amor de todos por Edith de algum modo ergueu uma ponte sobre o vazio que a morte dela deixara em suas vidas.

— Não somos assim tão perfeitos — retrucou Tom. — Temos ovelhas negras na família.

— Ah, vocês são perfeitos, sim. Comparados com a minha família, são. — Holly tocou com carinho a lateral do rosto de Tom. — E se eu for o elo fraco que acabará rompendo a corrente perfeita que é a sua família? E se eu não conseguir aprender a ser o tipo de mãe que sua família vem construindo ao longo de gerações?

— Não ouse pensar em si própria como uma pessoa fraca! Sim, seus pais foram fracos, e isso teve efeito sobre você. Mas foi o efeito oposto. Você é a pessoa mais forte que eu conheço. Seus pais foram péssimos, mas isso só significa que você fará de tudo para ser a melhor mãe possível. Precisa acreditar nisso, Holly.

O corpo de Tom havia ficado tenso, e Holly podia sentir a raiva crescendo dentro dele. E ela sabia que essa raiva era dirigida tanto aos pais dela quanto a ele mesmo, por não ser capaz de curá-la, de destruir os demônios de seu passado.

— Sei que preciso acreditar em mim mesma — cedeu Holly, embora não acreditasse realmente que conseguiria fazer isso. Mas Tom não descansaria enquanto ela não tivesse seu próximo plano organizado. Não que ele precisasse de um plano para seguir adiante. Tom era um espírito livre que preferia resolver as coisas conforme elas surgiam em sua vida. Mas ele estava com 32 anos e desesperado para ser pai ou ao menos para saber que um dia seria.

As lágrimas se acumulavam nos olhos de Holly, transformando a luz do sol em torno da cabeça de Tom em um halo enevoado. A única coisa que ela conseguia ver claramente eram os olhos verdes e suaves dele.

— Ei, você está chorando! — disse Tom, parecendo chocado.

Holly piscou, em uma tentativa de afastar as lágrimas.

— Não estou, não — mentiu ela, desafiadora.

— Ah, esqueci… Você nunca chora.

— Choro, sim. Não estou fazendo isso agora, mas choro.

— Quando?

Holly parou para pensar, lutando para encontrar um exemplo recente que provasse a Tom que ele estava errado.

— Quando vimos aquele filme, aquele em que o cachorro morria.

Tom franziu o cenho, como se estivesse tentando se lembrar. Então disfarçou uma gargalhada.

— Isso deve ter sido há uns dois anos, acho que nem éramos casados ainda.

— Mas eu chorei. Está provado.

— Está certo, está provado — concedeu Tom. — Mas não quero forçá-la a fazer nada que você não queira. Tive esperanças de que quando Lisa tivesse o bebê dela, e depois Penny, você quisesse seguir o mesmo caminho. Mas vejo que não vai ser assim tão simples. Se você ainda não está pronta para começar a falar de bebês, eu compreendo.

Lisa e Penny eram o mais próximo que Holly podia chamar de amigas, em Londres, e elas haviam tido bebês com um intervalo de um ano de uma para a outra. Holly sabia que Tom ficara desapontado quando ela não se tornara milagrosamente interessada diante da visão de um recém-nascido. Mal sabia ele que o entusiasmo dela para se mudar para o campo fora em parte alimentado pelo desejo de colocar a maior distância possível entre sua vida e as intermináveis conversas sobre bebês.

— Assim que eu colocar a casa em ordem, vamos começar o próximo plano de cinco anos. Um plano conjunto dessa vez. E fazer um bebê com certeza estará na lista — disse Holly.

— Um bebê? No singular? — perguntou Tom. O corpo dele voltara a relaxar, e ele a estava provocando novamente. — Já olhou para este corpo? É a máquina mais competente de fazer bebês que já se viu. Você não será capaz de olhar para mim sem ficar grávida.

— Espere um pouquinho, garanhão. — Holly sorriu, relaxando também. — Acho que essa sua máquina de fazer bebês se beneficiaria muito de um pouco mais de prática.

— Seu desejo é uma ordem — retrucou Tom.

Já estava na hora do almoço quando eles finalmente conseguiram se levantar para explorar o restante da casa.

OS DIAS PARECIAM PASSAR em um borrão, e a partida de Tom parecia estar cada vez mais perto, aproximando-se dolorosamente rápido. Eles arrumaram todas as caixas da mudança, limparam tudo o que precisava ser limpo e renovaram o máximo de coisas que podiam com o orçamento que tinham. As economias que restaram já haviam sido separadas para pagar a reforma da casinha anexa, que seria transformada em um ateliê para Holly.

Os pais de Tom já haviam feito uma visita — eles levaram presentes e até ajudaram com trabalho braçal para transformar a antiga casa da guarda em um lar. Como era típico de Diane e Jack, eles haviam ficado tempo o bastante para ajudar, mas não estenderam a visita. Sabiam, sem que fosse necessário lhes dizer, que Holly e Tom tinham apenas duas semanas para aproveitar um ao outro antes que ele viajasse.

Antes de partir, Diane se certificara de que a cozinha estava organizada e que a despensa estava cheia com o que era essencial. Ela também se entusiasmou com a ideia de ajudar a nora em um de seus novos projetos. Holly queria aprender a cozinhar. O pai dela lhe ensinara o básico, para garantir que ela o mantivesse bem alimentado, mas o básico se limitava a abrir latas de feijão em conserva, colocar refeições prontas no micro-ondas, fazer macarrão instantâneo, esse tipo de coisa. Agora que estavam vivendo longe das entregas de fast-food e não havia mais um restaurante em cada esquina, Holly estava pronta para ampliar seus talentos. A partida para o campo era mais do que uma mudança de endereço. Holly queria que fosse também uma mudança de hábitos.

— A casa é linda, Holly. Jack e eu estamos tão felizes por vocês dois! — dissera Diane, enquanto arrumava com a nora uma quantidade impressionante de utensílios de cozinha. — E mamãe também ficaria. Saber que o legado dela ajudou você e Tom a começarem uma nova vida alivia um pouco a dor da perda.

— Lamento tanto que Vovó Edith não esteja aqui para ver como seu dinheiro foi bem utilizado. É muito importante para mim e para Tom que vocês estejam satisfeitos com o modo como usamos a herança que ela deixou.

— É um investimento no futuro de vocês. É aqui que tudo começa para você e Tom. Aqui irão construir uma família.

Diane deu um abraço em Holly e não percebeu o lampejo de dúvida que nublou a expressão da nora. Holly só desejava ter o mesmo tipo de autoconfiança que toda a família Corrigan parecia ter.

Três dias antes da data marcada para a viagem de Tom, a lista de pendências de Holly estava toda checada e a casa estava oficialmente arrumada. Os operários já haviam começado a trabalhar no anexo e, enquanto Holly ficava satisfeita por sentar e deixar a obra por conta deles, Tom obviamente sentiu-se de algum modo ameaçado em sua masculinidade e encarou seu próprio desafio físico limpando o jardim, que estava bastante necessitado.

Holly resolveu deixar os homens com suas atividades e ficou dentro de casa, trabalhando nos esboços de sua nova encomenda. A Sra. Bronson era a jovem esposa de um homem muito rico e muito mais velho do que ela. Para celebrar o nascimento do primeiro filho de ambos — que veio se somar aos vários filhos que o marido tivera em muitos outros casamentos e relacionamentos amorosos —, a Sra. Bronson queria marcar a ocasião com uma escultura. Teria que ser uma peça marcante, que se tornaria uma presença permanente, em destaque no hall de entrada da mansão do casal.

Naturalmente, o tema da escultura era mãe e filho. E, exatamente por causa do tema, Holly relutara em pegar o trabalho, que levaria pelo menos seis meses para ser terminado. Mas o pagamento era bom demais para ser recusado.

Naquela manhã, ela arrumara os blocos de esboço à sua frente, no ateliê improvisado em casa, cheia de boas intenções, mas com uma óbvia falta de inspiração. Dinheiro apenas não era incentivo bastante para fazer sua criatividade fluir. Ela simplesmente não conseguia alcançar a mesma profundidade de sentimento que costumava ter quando esquematizava um projeto. Não sabia nada sobre o vínculo milagroso entre mãe e filho de que todos falavam sem parar.

Holly não conseguia se lembrar de um único instante de sua infância em que houvesse sentido esse tipo de vínculo. Quando criança, ela passara a maior parte do tempo se sentindo solitária ou amedrontada. Holly fora concebida quando a mãe era adolescente. Um casamento precipitado e uma filha indesejada haviam sido um choque terrível para a garota, que não estava preparada e não tinha a menor vontade de abrir mão de sua liberdade.

Com uma criança pequena para cuidar, a vida social da mãe de Holly fora muito prejudicada, por isso ela costumava levar para dentro de casa o estilo de vida pelo qual tanto ansiava. Holly tinha lembranças vívidas de uma casa sempre cheia de gente — ou se recuperando da última festa, ou esperando pela próxima. A mãe era sempre o centro das atenções, dançando descalça pela casa, houvesse música ou não. Ela sempre parecia mais feliz quando estava dançando, e todos eram atraídos em sua direção — inclusive Holly, como uma mariposa atraída pela luz —, ansiosos por compartilhar daquela empolgação. Holly se lembrava de uma vez em que a mãe a pegara no colo e girara com ela pela sala, fazendo com que a filha gargalhasse de prazer... Mas Holly nunca teve certeza de fato de isso realmente ter acontecido ou não. Ela desconfiava que fosse apenas uma falsa lembrança, um sonho que ela ansiara muito ver transformado em realidade. As lembranças em que Holly realmente podia confiar eram da mãe parando de dançar e apontando um dedo acusador na direção da filha antes de proclamar para todos ouvirem que aquela era a criatura que arruinara sua vida. A expressão no rosto da mãe era do mais puro ódio, e era essa a imagem que vinha à mente de Holly toda vez que ela pensava na maternidade.

Até conhecer Tom, Holly não tivera oportunidade de conhecer pais amorosos e responsáveis. Quando era pequena, vivia isolada das outras crianças, cujos pais já a tinham rotulado de criança-problema, por causa de sua vida familiar. Quando adolescente, ela fora naturalmente atraída para outros jovens órfãos que haviam sido expulsos do ninho cedo demais.

A arte de Holly fora sua tábua de salvação de vários modos. Fora uma forma de escapismo, uma parte da vida de Holly que ela conseguia controlar e na qual obtinha sucesso. Além disso, pensando em retrospecto, fora também uma forma efetiva de terapia. Ela colocara muito da raiva que sentia em seus primeiros trabalhos, e foi só após conhecer Tom que Holly descobriu que também poderia expressar emoções positivas em sua arte. O amor entre um homem e uma mulher ela agora entendia; o amor entre uma mãe e um filho, ainda não. Em relação a isso, Holly estava diante de uma folha em branco.

Ela passara duas horas esboçando imagens, mas ainda não chegara a nenhuma ideia que fosse suficientemente original ou instigante. Rascunhara algumas imagens óbvias de uma mãe abraçando o filho, da mãe amamentando a criança ou ainda da mãe beijando o filho. Angustiada com a necessidade de conseguir uma nova perspectiva, Holly chegara a rascunhar uma imagem do momento do nascimento. Provavelmente aquele não era o tipo de escultura que a Sra. Bronson gostaria que recepcionasse seus convidados na entrada de casa.

Holly teria uma reunião com a cliente em menos de uma semana, e estava começando a se questionar se deveria ou não desistir de vez do trabalho. Se fosse adiante e acabasse produzindo uma peça abaixo do seu padrão, isso poderia prejudicar sua reputação, que ainda estava em estágio embrionário. Por outro lado, voltar atrás em um acordo também prejudicaria sua carreira.

Ela deixou o bloco de esboços de lado e foi para a cozinha. O cômodo era grande, com espaço suficiente para uma mesa de jantar no centro. Talvez tivesse sido o anexo que fizera Holly se sentir atraída pela propriedade, mas fora a cozinha a responsável por ela e Tom comprarem o lugar. Os móveis de madeira eram pintados de branco, as paredes eram verdes, e o chão de terracota se estendia além da porta dos fundos, até um pequeno terraço que levava a um jardim imenso — embora um tanto indomado — e ao campo aberto mais além.

Holly espiou pela janela da cozinha, procurando por Tom. Ela não conseguiu vê-lo em meio ao emaranhado de árvores e arbustos, mas sabia onde ele estava pelos sons de galhos se quebrando e de alguns xingamentos ocasionais. Ela ignorou a vontade de sair para investigar o que ele estava fazendo e começou a picar legumes — cultivados por produtores da região, é claro — para fazer uma grande panela de sopa que alimentasse Tom e os operários.

— O que você pensa que está fazendo?

Holly deu um pulo, por pouco não cortando o dedo, em vez de um pedaço de cenoura. Logo dois braços envolveram sua cintura. Tom a vira do jardim e entrara sorrateiramente em casa.

— Sabia que não deve assustar uma mulher armada e perigosa? — avisou Holly, brandindo a faca de cozinha.

— Você é sempre perigosa. É capaz de fazer picadinho de mim, com ou sem faca. — Tom se inclinou e beijou a nuca da esposa.

— Não fique aí me enrolando. Quero aquele jardim novo em folha antes que você desapareça de novo.

— Olhe aquilo, mulher! — disse Tom, com ar de puro deslumbramento, apontando para o jardim. — Já consegue ver a transformação?

Holly deu uma olhada na direção em que ele apontava e protegeu os olhos com a mão, para dar um efeito mais dramático.

— Não, nada — Ela riu.

— Eu fiz praticamente uma montanha com todas as folhas e galhos que limpei. Até dei um trato no seu arbusto...

— Um homem de reconhecido talento literário baixando o nível da conversa com insinuações bobas... — comentou Holly. — E o jardim está me parecendo uma bagunça.

— Bem, ele vai parecer melhor quando todo o entulho for levado embora — retrucou Tom, emburrado. — Só preciso que alguém use seu charme feminino para convencer os operários a me ajudarem a recolher o lixo.

— Bem, estou ocupada, caso você não tenha percebido. Vá usar seu próprio charme feminino com eles. Tenho certeza de que ficarão impressionados.

Holly deixou Tom implorar um pouco mais antes de ceder. Ela estava secretamente feliz por ter uma desculpa para checar a obra. O anexo ficava mais para trás, na lateral da casa, e parecia ter sido usado como oficina em algum momento no passado. Era uma construção de apenas um andar com cerca do dobro do tamanho de uma garagem para dois carros. Graças a Billy, o contramestre, eles haviam conseguido adiantar bastante a obra na semana anterior e já haviam tirado duas caçambas grandes de entulho lá de dentro. Por sorte, o telhado não precisaria ser todo trocado, mas estavam instalando claraboias para aumentar a claridade. As paredes internas haviam sido derrubadas, e nas paredes externas novas janelas seriam instaladas. Cada vez que Holly aparecia por lá para checar o progresso da obra, o ateliê parecia estar ficando mais iluminado.

O lugar estava em um frenesi de atividade, e Holly encontrou Billy empilhando entulho em um carrinho de mão. O contramestre devia estar próximo da idade de se aposentar, mas não mostrava sinais disso enquanto erguia enormes blocos de cimento com facilidade. Ele tinha um rosto redondo que disfarçava as rugas e ainda tinha bastante cabelo — que devia ser grisalho, embora Holly não pudesse ter certeza, já que o homem parecia ter uma camada permanente de pó nos cabelos, que os tornava quase brancos.

— Como está indo a obra, Billy? — gritou Holly acima do barulho das ferramentas.

— O eletricista virá amanhã, então acredito que na próxima semana vamos passar massa nas paredes e dar os últimos retoques.

— Você é um contramestre incrível, de verdade!

Billy abriu um sorriso.

— Fico feliz em ser útil. Pode contar comigo sempre que precisar — falou ele. — Não sou como aquele seu marido. Já disse antes e vou voltar a dizer: ele não deveria deixá-la aqui sozinha, indefesa.

— Sim, Billy, você já disse isso, várias vezes. E, como eu também já lhe disse, posso cuidar muito bem de mim mesma — repreendeu-o Holly. Àquela altura ela já estava acostumada às opiniões antiquadas de Billy e, em vez de tomá-las como ofensa, até gostava de ser tratada como o sexo frágil, principalmente se isso fazia com que ela o tivesse na palma da mão.

— Se precisar de alguma coisa, é só pedir — disse ele, com uma piscadela gentil.

— Bem, há uma coisa... — começou a dizer. — Mas é aquele meu marido quem precisa de ajuda.

— Estávamos observando enquanto ele limpava aquela selva de vocês — falou Billy. — Nos divertimos muito com isso durante toda a manhã, com certeza.

— Alguma chance de uns dois rapazes darem uma mão para levar o entulho embora? Tenho uma panela de sopa no fogo e, para acompanhar, uma tonelada de pão crocante esperando por vocês — disse Holly, batendo as pestanas para aumentar o charme.

— Seu desejo é uma ordem — concordou Billy. — Mas, já que está aqui, talvez queira dar uma olhada em algo que descobrimos enquanto limpávamos o lugar.

Billy pegou uma caixa de madeira que estava em um canto, junto a uma pilha de material de construção. Tinha o tamanho de uma caixa de sapatos e, embora fosse difícil ter certeza, pois estava coberta por camadas de pó, parecia ser feita de carvalho, com dobradiças de latão e um fecho simples. Havia entalhes nas laterais da caixa, mas eles também estavam cobertos de poeira, e era impossível distinguir os detalhes.

— Você a abriu? — perguntou Holly, sentindo uma empolgação crescente. A caixa não parecia conter um punhado de joias, mas era enfeitada o bastante para sugerir que guardava algo de valor.

Billy levantou o fecho e abriu a tampa. A empolgação de Holly sumiu em uma nuvem de poeira antiga quando ela espiou o conjunto de objetos mecânicos que havia lá dentro. A caixa era dividida em duas partes e continha uma esfera de vidro em um dos lados e várias engrenagens e suportes do outro.

— O que é isso? — perguntou ela.

— Não tenho a menor ideia — respondeu Billy. — Considere um presente meu para você. — Ele deu outra piscadela.

— Obrigada, Billy, você sabe mesmo mimar uma garota.

Holly levou a caixa para dentro da casa e deixou-a de lado para terminar de preparar o almoço.

A sopa foi um sucesso, a julgar pela velocidade com que foi devorada pelos operários, e logo depois os homens foram ajudar Tom a limpar o jardim. Holly não estava com pressa para voltar aos seus esboços, e então decidiu se ocupar da misteriosa caixa de madeira. Ela abriu alguns jornais velhos sobre a mesa e começou a limpar delicadamente a caixa e seu conteúdo com água e sabão, usando uma escova de dentes velha. Tecnicamente falando, a escova de dentes não estava velha naquela manhã, quando Tom a usara, mas agora estava.

A caixa não dava nenhuma pista de seu propósito, a não ser por alguns belos entalhes de sol, lua, estrelas e o que pareciam faces de um relógio. A esfera foi o item mais fácil de limpar. Tinha cerca de cinco centímetros de diâmetro, e, depois de tirar o pó, Holly viu que era feita de vidro transparente. Tinha uma superfície absolutamente lisa, mas no centro havia um pequeno prisma prateado que refletia a luz. O prisma cintilava suavemente sob a luz quente do sol. Holly deixou a esfera de lado e concentrou seus esforços nas engrenagens. Livre do pó e da sujeira, o metal cintilou, e foi então que ela percebeu as inscrições feitas na extremidade de cada uma das engrenagens maiores. Elas estavam desbotadas e ilegíveis em alguns pontos, mas Holly conseguiu decifrar algumas palavras. *Reflexo*, *Chave*, e ela desconfiava que a outra era *Tempo*.

— Descobriu outra coisa que fazer para evitar a temida Senhora Bronson? — perguntou-lhe Tom. Ele estava coberto de arranhões por causa do trabalho pesado, mas, quando Holly espiou pela janela, teve que admitir que o jardim estava começando a tomar forma.

— Billy descobriu isso no anexo. Eu estava limpando, mas ainda não tenho a menor ideia do que seja — Holly mostrou ao marido a inscrição na engrenagem.

— "No tempo, o reflexo é a chave para a viagem" — leu Tom.

O queixo de Holly quase caiu.

— Como diabos você conseguiu ler isso? Algumas palavras estão completamente apagadas.

Tom deu um sorrisinho de superioridade.

— Como eu já disse várias vezes, tenho talentos ocultos.

— É uma frase conhecida? Nunca a escutei antes... O que significa? — quis saber Holly.

— Não tenho a mais remota ideia. — Tom deu de ombros.

— Tom...? — falou Holly, agora desconfiada.

— Sabe aquela coluna de pedra no meio do jardim que não parece ter nenhuma serventia? Pois bem, encontrei o que parece ser a parte de cima dela escondida sob o mato crescido. Se encaixa perfeitamente. E essa parte que encontrei tem a mesma inscrição.

— Mostre-me — insistiu Holly, deixando o conjunto de engrenagens de metal recém-polidas cintilando sobre a mesa da cozinha.

A placa de pedra estava virada para baixo na terra, meio escondida por anos de folhas caídas. Era de um cinza profundo, com reflexos de quartzo cintilando aqui e ali. Apesar de trabalhar com uma ampla gama de materiais em suas esculturas, Holly não conseguiu reconhecer o tipo de pedra. A placa era perfeitamente redonda e, como Tom havia descrito, tinha uma inscrição, que naquele momento estava de cabeça para baixo, circundando a parte externa. Também havia um buraco grande no centro da placa que, ao que parecia, se encaixava perfeitamente no topo da coluna.

— Considerando que ela estava enterrada debaixo desse monte de folhas velhas, é impressionante que esteja tão limpa — disse Tom, balançando a cabeça, impressionado.

Holly passou os dedos pela superfície fria e lisa. E logo sentiu um formigamento, como se a pedra emitisse uma corrente elétrica suave. Ela afastou a mão.

— Veja se sente alguma coisa esquisita quando passa a mão nela — disse Holly, sem saber se havia imaginado a sensação.

Tom olhou para ela, confuso, e passou a mão na superfície da placa.

— É a sensação de encostar em uma pedra — assegurou ele. — O que esperava que eu sentisse?

Holly, hesitante, tocou novamente a pedra e, dessa vez, não sentiu nenhum formigamento. Ela balançou a cabeça, afastando a ideia.

— Nada, é bobagem minha. Será que conseguimos mover essa placa?

— Para fazer o quê com ela? Você acha mesmo que vamos conseguir encaixá-la na coluna?

— Sim, é claro. — Holly já podia ver o círculo de pedra perfeitamente equilibrado sobre o topo da coluna, ocupando um lugar central no jardim. A placa precisava retornar ao seu lugar de direito, e Holly não descansaria até que a movessem para lá.

— Tem certeza de que não quer pedir aos operários?

— Você é um homem ou um rato? — Ela estava parada com as mãos nos quadris, desafiando-o.

— Sou um homem, é claro. Mas não ajuda nada que a minha única parceira no crime seja uma mulher fracota.

— Vamos logo com isso — avisou Holly.

Ela colocou as mãos novamente sobre a pedra, quase esperando que o poder latente que sentira pudesse ajudá-los na tarefa de erguê-la. Tom se juntou à esposa, e os dois enfiaram as mãos na terra para encontrar um ponto de apoio. Enquanto erguiam a placa, o rosto de Tom foi ficando de um belo matiz violeta, e ele gemia e grunhia. Holly juntou-se a ele em cada gemido e podia sentir as veias do pescoço latejando com o esforço. Depois do que pareceu uma eternidade carregando o peso, os dois pousaram a pedra no chão para descansar.

— Nada mal — arfou Tom.

— Sim — ofegou Holly. — Nós conseguimos mover uns... quinze centímetros. — Ela olhou para a coluna, que ainda estava a uns bons seis metros de distância. — Nesse passo, vamos levar três dias e duas hérnias para chegar lá.

Tom e Holly ouviram um ruído de desaprovação atrás deles. Ela se virou e viu Billy balançando a cabeça.

— Senhor C, estou desapontado com o senhor. Deveria pensar melhor antes de tratar sua esposa como um operário qualquer — falou o homem, antes de se virar para os companheiros que o haviam seguido até o jardim. — Sem ofensa, rapazes.

Holly estava prestes a dizer a Billy que, até onde sabia, levantar peso era um risco ocupacional. Mas pensou melhor.

— Meu cavaleiro de armadura brilhante — disse.

Tom gemeu enquanto tentava esticar as costas.

— Meu também — falou ele, e piscou para Billy.

O contramestre e sua equipe ergueram a placa de pedra como se ela não pesasse nada e em dois minutos a colocaram sobre a coluna.

— Esperem! — gritou Holly. Ela havia percebido que a inscrição ainda estava de cabeça para baixo.

Com um pouco mais de esforço, a placa foi virada e recolocada no topo da coluna. E se encaixou perfeitamente. Todos se reuniram à volta da mesa recém-montada para examiná-la.

— É um relógio — disse um dos companheiros de Billy.

— E ele está me dizendo que é hora de voltar ao trabalho — retrucou Billy, oportunamente.

Os operários sumiram da vista tão rápido quanto haviam aparecido, deixando Holly e Tom sozinhos com seu quebra-cabeça. O rapaz estava certo sobre a estrutura se parecer com um relógio. O topo tinha um mostrador entalhado com algarismos romanos, do mesmo jeito que um relógio tradicional. Havia também um buraco de cerca de cinco centímetros de profundidade no centro do mostrador, onde o topo da coluna não alcançava a superfície. Só então Holly percebeu que havia fendas e ranhuras na parte superior da coluna e imaginou que ali provavelmente se encaixava o mecanismo do relógio... O mecanismo que, sem dúvida, estava na caixa aparentemente inútil que Billy descobrira. Além da inscrição que se estendia por toda a borda externa, havia também vários símbolos, similares aos da caixa, lindamente entalhados na superfície da pedra.

— É um relógio de sol — disse Holly.

— Vai ficar uma beleza no jardim.

— Tudo o que preciso fazer agora é descobrir como encaixar todas aquelas engrenagens e fazê-lo funcionar — disse Holly, ansiosa para retornar à cozinha e pegar a caixa de madeira com seu conteúdo.

— Bem, eu fiz todo o trabalho pesado, portanto deixarei o resto para você. Ainda tenho muito que limpar aqui no jardim. A menos que você queira me ajudar — ofereceu Tom.

— Não ouviu o que Billy disse? Não sou uma trabalhadora braçal qualquer — retrucou Holly, sorrindo.

Ela passou o resto da tarde encaixando as peças do quebra-cabeça. Quando terminou, todas as engrenagens estavam em seu lugar no centro do mostrador. Mais acima havia quatro garras, apontando na direção do céu, parecendo ansiosas para agarrar a esfera de vidro. Holly encaixou a esfera entre as garras, e ela ficou no lugar, embora as garras estivessem abertas demais para segurá-la com firmeza. O reflexo do sol atingiu o prisma dentro da órbita, emitindo uma luz forte demais. Holly chamou Tom e os dois recuaram um pouco para admirar a nova peça central do jardim.

— Achei que um relógio de sol usasse sombra, não reflexos do sol — falou Tom, estreitando os olhos na direção da luz intensa refletida pela esfera. Ele tentou empurrá-la mais fundo no mecanismo para ver se as garras se fechariam ao se redor, mas o mostrador rangeu e se recusou a se mover. — Parece que você não encaixou isso direito.

Holly empurrou Tom.

— O que foi?

— Você não deve forçar as garras assim.

— Como sabe? — perguntou Tom.

— Simplesmente sei — retrucou Holly, franzindo o cenho. Não sabia nada sobre relógios de sol, mas aquele a deixava inquieta. Ela retirou a esfera e a colocou de volta na caixa.

— Vou colocar isso em algum lugar seguro. Não acho uma boa ideia ficar refletindo a luz do sol pelo jardim dessa maneira, quando ainda temos tantos galhos secos por aqui.

— Se isso foi uma indireta, então vou voltar ao trabalho. O tempo voa.

As palavras de Tom causaram um arrepio em Holly. Ela teve uma súbita sensação de mau presságio que não soube explicar.

2

A casa parecia vazia. Tom partira para a Bélgica de manhã bem cedo. Holly ficou agarrada a ele até o táxi chegar. O marido precisou soltar os dedos dela da lapela de seu paletó enquanto lhe dava um último beijo — um beijo que teria que durar pelas próximas seis longas semanas.

— Não vai demorar. Estarei de volta antes que você se dê conta. Além do mais, são apenas duas horas de distância de avião. Se precisar de mim, posso voltar em um pulo.

— Eu deveria ir com você. De quem foi essa ideia estúpida de eu ficar em casa?

— Sua — respondeu Tom, o mais gentilmente possível.

Ele estava certo, fora mesmo ideia dela. Holly precisava aceitar que estava em um momento decisivo de sua carreira, e ela sabia disso. Sair da cidade no momento em que seu trabalho estava começando a receber boas avaliações fora um enorme risco. Sair do país naquele momento seria quase um suicídio profissional.

Ela voltou para a cama, onde se deixou afogar na autopiedade enquanto sentia a distância entre eles aumentar a cada minuto. Holly sabia que estava sendo mimada; afinal, já ficara sozinha antes. Podia cuidar muito bem de si mesma, mas não era essa a questão. Seu sonho fora se mudar para o campo com Tom, não sozinha. Enquanto ela permanecia deitada na cama, o canto alegre de um passarinho que acompanhava o alvorecer parecia debochar do seu desalento. Ao menos o clima parecia um pouco mais solidário, já que nuvens de tempestade se acumulavam no céu. Holly puxou as cobertas por cima da cabeça e se esforçou para voltar a dormir. Ao menos era domingo e não haveria operários para trabalhar na obra.

Os passarinhos já haviam se recomposto de sua histeria matinal e se contentavam com os piados ocasionais do meio da manhã quando Holly vestiu o agasalho de moletom, prendeu os cabelos para trás e se arrastou até a cozinha para preparar um café bem forte. Então viu a xícara de café de Tom, meio vazia e abandonada sobre a mesa da cozinha, e precisou morder o lábio para abafar um soluço que pareceu surgir do nada.

— Sua idiota patética — disse a si mesma. — A escultura da Senhora Bronson não se criará sozinha.

Holly respirou fundo e colocou os ombros para trás, tentando encontrar motivação para começar o dia. Quando deixou o ar escapar, seu corpo murchou como um balão furado. Ela tentou novamente e, antes que sua determinação falhasse uma segunda vez, pegou a caneca de café de Tom, lavou-a com carinho e a guardou fora da vista.

Armada com sua própria caneca de café, Holly foi arrastando os pés até o escritório, onde sentiu o coração afundar um pouco mais no peito. Embora aquele lugar houvesse se tornado um domínio temporário dela enquanto não era concluída a reforma do ateliê, sempre havia pensado naquele escritório como o lugar de Tom. Que, no entanto, não estava ali para reivindicá-lo.

O escritório ficava na frente da casa, tinha uma lareira aberta, uma janela saliente, e as paredes haviam sido forradas com um papel de parede florido, em tons pastel — o essencial para garantir a sensação de aconchego e prazer de um chalé no campo. Com o humor que tinha naquele momento, Holly só conseguia ver um cômodo nada convidativo, vazio e frio de partir o coração. As linhas modernas, simples, da mobília que ela e Tom haviam trazido da cidade não pareciam mais um contraste interessante e peculiar, e sim o embate violento entre dois mundos absolutamente diferentes. Holly estava começando a desconfiar de que jamais se acostumaria à vida no campo.

A decoração a distraía demais; portanto, depois de uma tentativa desanimada de dar início ao trabalho, Holly se levantou e foi para a sala de estar, mais espaçosa. Ali havia janelas que davam tanto para a frente quanto para os fundos da casa, mas, mesmo com muito mais luz natural para trabalhar, ela não conseguiu se concentrar.

Ela acabou voltando para a cozinha, o único cômodo que não tinha a intenção de modificar. A única mobília que haviam acrescentado foi uma mesa grande de madeira que pertencera à Vovó Edith. A mesa tinha história, uma boa história.

Ali, por fim, Holly conseguiu fazer com que seus pensamentos se voltassem para o trabalho. O encontro com a Sra. Bronson seria dali a apenas três dias. Holly já tinha algumas ideias que achava que combinariam com o gosto da cliente, mas ainda não fora capaz de encontrar nada a que pessoalmente tivesse vontade de se dedicar. Precisava acreditar na peça se pretendia trazer o projeto à vida. Holly aceitara o trabalho por razões puramente financeiras e não se sentia nada orgulhosa disso. Mas o resultado final não seria apenas uma consequência do dinheiro que ganharia: a consciência dela não permitiria. Holly não estava preparada para produzir algo que não quisesse assinar.

Ela pegou os dois únicos esboços que conseguira produzir até ali. Um era de uma mãe com o filho, os braços de um cruzados ao redor do outro em um círculo inquebrável. O conceito não chegava a ser original, mas Holly pretendia fazer a peça mesclando uma pedra negra com outra branca, o que estava se tornando uma marca pela qual vinha sendo reconhecida. O segundo esboço mostrava a imagem sinuosa de uma mãe girando o filho no ar. Esse desenho tinha mais energia do que o primeiro e era o preferido de Holly até ali. No entanto, ainda faltava alguma coisa... Ela desconfiava de que o que faltava era uma conexão emocional entre as duas figuras, algo que ela mesma desconhecia, e isso ficava evidente nos esboços.

Holly foi arrancada de suas divagações por uma batida na porta. Ela desceu o corredor e checou rapidamente a aparência no espelho, que agora estava devidamente pendurado na parede perto da porta. Holly considerou seriamente a possibilidade de correr de volta para a cozinha para se esconder, em vez de assustar o visitante com seu rosto inchado e cabelos desalinhados. Se ainda morasse em Londres, aquilo teria sido fácil, mas ali, naquela cidadezinha rural, sentia-se obrigada a receber a visita. Relutante, Holly abriu a porta.

— Olá, você deve ser Holly. Espero não estar atrapalhando. — Uma mulher de cabelos grisalhos, com olhos castanhos profundos, abrigava-se sob um enorme guarda-chuva de bolinhas brancas e azuis. A chuva atacava com vontade o guarda-chuva, mas, apesar de sua aparência frágil, a senhora o segurava com firmeza.

— De jeito nenhum — mentiu Holly, esfregando as bochechas inconscientemente para trazer alguma cor ao rosto. Ela abriu a boca para continuar a falar, mas acabou se perdendo em um debate íntimo, perguntando-se se devia ou não convidar a mulher para entrar.

Seria uma senhora solitária, em busca de companhia? Uma bisbilhoteira em busca de fofoca para espalhar pela cidade? Ou uma vendedora bem disfarçada, querendo lhe empurrar alguma mercadoria? É claro que a mulher poderia ser exatamente o que parecia: uma pessoa simpática que aparecera para dar-lhe boas-vindas à comunidade. Não importava a resposta; o certo era que, se deixasse a senhora entrar, Holly sabia que podia esquecer o trabalho à tarde, mas também sabia que, se não fizesse a coisa certa nesse momento, seria relegada ao ostracismo na cidade. Ela fora avisada por alguns moradores da cidade de que, se aborrecesse a pessoa errada, a hostilidade decorrente poderia se estender por gerações. Esses moradores em particular nunca haviam posto o pé para fora da cidade, e Holly sabia que estavam sendo alarmistas, mas, de qualquer modo, ela não queria correr nenhum risco.

— Talvez esta não seja uma boa hora para aparecer — comentou a mulher, compreensiva. — Sou Jocelyn e moro logo abaixo, na cidade. Resolvi dar uma passada rápida por aqui para me apresentar, mas, por favor, pode me dizer para ir embora se preferir. Na verdade, tenho a couraça de um rinoceronte, não ficarei ofendida.

— Não, por favor! Onde estão as minhas boas maneiras? Entre!

Holly pegou o guarda-chuva e a capa de Jocelyn e guiou a visitante em direção à cozinha. Ela afastou rapidamente seus esboços da mesa e abriu espaço para que Jocelyn se sentasse. A mulher olhou ao redor da cozinha e um sorriso gentil curvou seus lábios.

— Aceitaria uma bebida quente? — ofereceu Holly.

— Não; sinceramente, não quero incomodá-la.

— Não é incômodo algum; ia mesmo tomar uma xícara.

A discussão educada não se estendeu, e Holly colocou uma chaleira com água para ferver. Então, passou a procurar nos armários da cozinha xícaras de chá adequadas e alguns biscoitos para oferecer à convidada.

— Ouvi dizer que você é uma artista de sucesso e agora entendo por quê. Esses desenhos são impressionantes — disse Jocelyn, tamborilando com o dedo um dos esboços que Holly havia afastado.

— Obrigada. É o que me mantém longe da confusão. — Holly encontrara poucas pessoas da cidade até então. Durante as duas últimas semanas, ela e Tom estavam envolvidos demais na companhia um do outro para se preocuparem em se apresentar aos vizinhos, contentando-se apenas com "olás" educados. No entanto, não deveria ficar surpresa ao saber que a rede de fofocas da cidade já os havia avaliado.

— Billy vem me contando tudo sobre seu novo ateliê. Ele está muito orgulhoso do trabalho.

— Ah, entendo… — Holly na verdade não entendia e estava tentando ligar os pontos. Jocelyn devia conhecer Billy muito bem, mas ela parecia ter pelo menos uns 80 anos, enquanto Billy estava na casa dos 60. — Você não é a esposa de Billy, é? — Holly sentiu o rosto ruborizar diante de sua própria falta de tato.

— Santo Deus, não! — Jocelyn riu. — Ele é um bom amigo, e eu o adoro, mas só consigo aguentá-lo em doses homeopáticas.

Holly riu.

— Acho que entendo o que quer dizer. Ele realmente parece uma pessoa de hábitos e ideias arraigados. Billy deu uma bronca em Tom por viajar e me deixar aqui. — Presumindo que Jocelyn não soubesse que Tom havia viajado a trabalho, Holly explicou melhor. — Tom foi para a Bélgica esta manhã e ficará fora por seis semanas.

— Sim, eu sei, foi por isso que apareci, na verdade — admitiu Jocelyn, com um sorriso constrangido. — Billy achou que você talvez precisasse de um ombro para chorar e, se não fosse eu, seria ele.

Holly se perguntou se alguma coisa da vida dela com Tom permanecia privada. Sem dúvida, ela levaria algum tempo para se acostumar à vida em uma cidade pequena. Talvez houvesse algum tipo de comitê na cidade a quem ela precisaria submeter seu próximo plano de cinco anos, pensou consigo mesma.

— Ora, obrigada por ser tão atenciosa! — respondeu Holly com sinceridade. Os pais de Tom haviam prometido estar sempre em contato, mas eles moravam a duas cidades de distância. Os poucos amigos dela estavam todos em Londres, e Holly começava a perceber que o vazio que sentiu quando Tom partira tinha muito a ver com seu isolamento, além da ausência de pessoas na casa.

— Sem problemas — falou Jocelyn, dando um gole no chá e hesitando um pouco antes de continuar. — A verdade é que eu gostaria de dar uma espiada na casa. Já faz muito tempo desde que estive aqui pela última vez.

— É mesmo? — perguntou Holly. — Você conheceu alguém que morou aqui antes?

— Eu morei aqui.

— É mesmo? — Holly repetiu a pergunta, dessa vez carregada de espanto. — Quando? Como era a casa? Por que se mudou? — As perguntas saíam como uma enxurrada.

— Ah, isso deve ter sido pelo menos 25 anos atrás — explicou Jocelyn. — A última vez que estive nesta cozinha, os armários eram todos de fórmica, e as cores eram laranja e marrom.

— Os anos 1970 no que tinham de melhor — observou Holly.

— Você pode imaginar. Mas me mudei daqui nos anos 1980. Meu marido não tinha muito jeito para decoração.

— E por que se mudou? Quem foram os proprietários seguintes? — Holly estava ansiosa para saber toda a história da casa que agora chamava de lar.

— Essa é uma longa história — suspirou Jocelyn. — Eu deixei a casa porque deixei meu marido. Ele ainda morou aqui por mais alguns anos, e então a casa foi vendida.

— Sinto muito. Não tive a intenção de me meter em sua vida. — Mais perguntas surgiram na mente de Holly, mas ela teve o bom senso de mantê-las para si.

— Não tem problema. Guardo algumas lembranças muito boas desta casa e outras... — Jocelyn fez uma pausa e franziu o rosto, como se estivesse se preparando para fazer uma confissão. — Bem, outras não tão boas. Espero que você seja feliz aqui. Na verdade, tenho certeza de que será.

Jocelyn estava mais disposta a contar a Holly sobre a cidade do que sobre sua própria vida na casa da guarda. Ela se ofereceu para apresentar Holly à vida na cidade quando quisesse, ou quando sentisse que precisava de companhia. Jocelyn contou a Holly sobre as noites de jogos de perguntas e respostas em um dos pubs locais, sobre a noite de karaokê em outro, para não mencionar todos os eventos beneficentes e noites de bingo no centro comunitário.

— E há também, é claro, minha casa de chá, que fica em frente à igreja. Só vou insistir em uma coisa: que você passe por lá esta semana para que eu possa lhe oferecer um chá da tarde.

Holly assentiu continuamente, sem encontrar resposta melhor. Jocelyn estava se mostrando o remédio perfeito para um coração solitário.

— Eu vou — prometeu ela, por fim.

— Não seja tão educada comigo! Tenho certeza de que acha que não passo de uma intrometida incorrigível — confessou Jocelyn. — Mas a verdade é que sei por experiência própria como é fácil acabar isolada em uma cidade pequena. Você parece ser uma jovem independente e determinada, mas às vezes isso pode ser um pouco negativo. Para mim, foi.

— O que quer dizer? — perguntou Holly, torcendo para que Jocelyn revelasse um pouco mais de sua história.

— Você me lembra um pouco eu mesma. Talvez seja por causa da ligação com a casa. Espero que seja apenas isso. Nasci e fui criada nesta cidade, mas tinha o sonho de construir uma carreira para mim, exatamente como você, de abrir meu caminho no mundo.

— E o que aconteceu?

— Eu não tinha talento nenhum com que pudesse contar, ao contrário de você. Adiei o casamento o máximo possível, mas no fim cedi à tradição. Não sou de uma época ou de um lugar em que era comum as mulheres terem a própria carreira ou a própria vida, para ser mais exata.

— Então você se tornou dona de casa? Nesta casa?

— Sim. A princípio foi bom de verdade. Meu filho nasceu, e meu marido tinha um bom trabalho. Ele era dono de seu próprio negócio de carpintaria.

— E o anexo à casa era sua oficina — adivinhou Holly. — E o que deu errado? Desculpe… a pergunta é pessoal demais?

— É uma longa história. Uma longa, longa história, e não vou aborrecê-la com ela agora. Já tomei demais seu tempo — retrucou Holly, tomando o resto do chá.

Holly sentiu-se um pouco desapontada. Seu interesse pelo passado da mulher havia sido despertado. Queria saber os detalhes e não se incomodaria nem um pouco se isso levasse o resto do dia.

Jocelyn se levantou e colocou os pratos e as xícaras na bandeja.

— Não, por favor, não posso deixar que faça isso. Você é minha convidada — reclamou Holly.

— Faça a vontade de uma velha senhora — disse Jocelyn, com um sorriso maldisfarçado. — Gosto de limpar as coisas que uso. Além do mais, quero olhar pela janela para ver melhor o jardim.

— Você pode visitar a casa inteira se quiser — disse Holly, rindo.

— Isso seria um abuso, e eu realmente preciso ir.

— Ainda está chovendo — alertou Holly. — Tem certeza de que quer ir embora mesmo assim?

— Um pouco de chuva não vai me fazer mal. Além do mais, é bom para o jardim. — Jocelyn se virou e olhou pela janela. Seu corpo pareceu encurvar-se quase imperceptivelmente.

— Tom começou a trabalhar nele, mas acho que passou um bom tempo sem que ele fosse tocado — explicou Holly, sentindo necessidade de se desculpar pelo estado do jardim.

— Vejo que ressuscitou o relógio lunar. — Jocelyn encarava a mesa de pedra com intensidade.

— Relógio lunar? Está querendo dizer o relógio de sol?

Antes que Holly tivesse a chance de perguntar mais alguma coisa a Jocelyn, o telefone tocou. Era Tom. Ele chegara em segurança a suas acomodações na Bélgica.

— Vou deixá-la a sós para atender — Jocelyn sinalizou com os lábios, sem levantar a voz.

Holly sentiu-se dividida entre ser uma anfitriã atenciosa e falar com Tom. Pelo breve tempo em que Jocelyn estivera ali, Holly conseguira esquecer quão sozinha estava se sentindo, mas subitamente aquele sentimento voltou a apertar seu peito com força. Ela pousou a mão sobre o ombro de Jocelyn.

— Obrigada — sussurrou.

Com uma série de gestos determinados, Jocelyn insistiu para que Holly ficasse na cozinha e foi embora.

— Acabo de fazer uma nova amiga — contou Holly a Tom. — Ela quase conseguiu tornar o dia de hoje suportável.

HOLLY SE PERMITIU um bom copo de vinho e um banho de espuma relaxante antes de dormir, uma combinação que ela esperava que pudesse garantir uma noite de sono tranquila. Embora não fosse nada fora do comum Tom passar algumas noites fora a trabalho, a viagem para a Bélgica seria o tempo mais longo que passariam separados desde que haviam se casado. Para tornar a solidão compartilhada menos cruel, Tom prometera reservar algum tempo toda manhã e toda noite para falar com Holly ao telefone. Por isso, ainda com o copo de vinho na mão, deitada na cama e cercada por travesseiros macios, ela deixou que o marido sussurrasse doces bobagens ao seu ouvido.

Quando eles já não podiam mais adiar a hora de se despedir, Holly disse boa-noite com relutância e desligou o telefone. Ela apagou as luzes, mas não conseguiu desligar a mente com a mesma facilidade. O plano cuidadoso para garantir uma noite tranquila acabou se perdendo em um emaranhado de pensamentos. A separação de Tom, a casa nova, a cidade, o trabalho para o qual não conseguia encontrar inspiração; tudo isso ficou girando na mente dela até bem depois da meia-noite. E, para surpresa de Holly, não foram os pensamentos sobre Tom — ou mais especificamente sobre a ausência dele — que mais povoaram sua mente. Era Jocelyn.

Holly se afeiçoara imediatamente a Jocelyn. Quando a senhora chegara à sua porta, sem ser convidada, aquilo era a última coisa que Holly desejava no momento. Mas, no fim, ficara triste ao vê-la partir. Ainda havia tanto que queria saber sobre os antigos ocupantes da casa da guarda, e Jocelyn a intrigava. Holly tinha uma forte intuição de que seriam boas amigas. A ideia a confortou e de certo modo apaziguou sua curiosidade.

Por mais que tentasse clarear a mente, o esforço acabava fazendo que Holly se concentrasse ainda mais nos pensamentos que estava tentando ignorar. As horas continuavam a passar enquanto ela virava de um lado para o outro na cama, até finalmente ser obrigada a admitir a derrota, esticar bem os braços e abrir os olhos. O brilho do relógio digital indicava que eram 2h07. A luz da lua se insinuava pela persiana da janela, enchendo o quarto com o humor muito lunar da natureza. O coração de Holly bateu com mais força quando as palavras de Jocelyn ecoaram em sua mente. "Vejo que ressuscitou o relógio lunar", dissera a senhora, bem no momento em que Holly se distraía com o telefonema de Tom. Seria aquilo que vinha inquietando a sua mente durante a madrugada? Se fosse, só havia um modo de afastar os demônios que mantinham o sono fora do seu alcance.

Holly cambaleou para fora da cama e abriu as persianas. Uma lua cheia perfeita se erguera acima do mar borbulhante de nuvens. A tempestade que assolara o dia era agora uma lembrança distante que se perdia na noite. Holly afastou os olhos da lua e abaixou-os para o jardim, que parecia uma pintura em uma centena de tons de cinza. E não foi o botão branco, que parecia piscar para ela do pomar, nem o narciso, que eventualmente parecia erguer uma cabeça de um branco fantasmagórico contra a noite, que chamou sua atenção, mas o relógio lunar. Estava posicionado bem no centro do jardim, de modo a capturar todo o efeito do luar. O relógio praticamente cintilava.

Embora não soubesse explicar o motivo, Holly se sentiu atraída para o mostrador que brilhava, como se a convidasse. Depois que a ideia de olhar mais de perto surgiu em sua mente, ela não podia mais ignorá-la. Holly quase riu da própria tolice enquanto vestia uma camiseta, uma calça de moletom e se encaminhava para a escada. Ela calçou um par de tênis e, antes de sair pela porta da cozinha, teve outra ideia igualmente irresistível: pegou a caixa de madeira que continha a última peça do quebra-cabeça que era o relógio lunar e levou-a consigo para o jardim.

A primavera ainda não afastara definitivamente o ar frio do inverno, e Holly tremia na brisa gelada da noite de abril. O solo estava úmido e a grama, tão alta que a calça de moletom que ela usava logo ficou ensopada até os joelhos.

Holly sentiu um nó de ansiedade apertar seu estômago conforme se aproximava do mostrador. O jardim, que parecera negligenciado e lastimável de dia, parecia ainda mais ameaçador à noite, com o vento espalhando as folhas mortas por toda a parte, produzindo um som semelhante aos ecos de uma vida extinta.

Ela quase podia acreditar que estava sendo controlada por um titereiro, como uma marionete, quando colocou a caixa no topo do mostrador e abriu-a. Holly ergueu a esfera de vidro transparente para que captasse a luz da lua, e a esfera pareceu cintilar empolgada enquanto fragmentos de luz escapavam como faróis do prisma guardado em seu âmago.

Holly apoiou com muito cuidado a esfera no centro do mostrador, entre as garras de metal, e ficou observando como se estivesse hipnotizada a esfera absorver os fragmentos de luar até começar a cintilar como se tivesse vida própria, tornando-se uma lua em miniatura, presa entre as garras do mostrador. O coração de Holly saltou quando o mecanismo também pareceu ganhar vida e, com um baque ancestral, o mostrador prendeu a esfera com firmeza entre suas garras. Em uma fração de segundo, finas faixas de luz saíram da esfera cintilante — raios de luz começaram a girar como ponteiros enlouquecidos de um relógio fora de controle. Nesse momento, Holly levou a mão ao mostrador para segurar a esfera e uma corrente elétrica subiu pelo braço dela.

Holly retirou a mão instintivamente enquanto uma chuva de raios de luz cintilava ao redor dela. Suas pernas, frouxas por causa do choque elétrico, cederam, e ela caiu, batendo a cabeça na lateral do mostrador. Holly caiu no chão com um baque surdo, e as estrelas se juntaram à dança alegre que ela mal conseguia distinguir por trás das pálpebras fechadas. Ela podia ouvir o tiquetaquear constante do relógio se perdendo na distância, o som sendo substituído pelas batidas aceleradas do seu coração.

Ofegante e muito trêmula, Holly tentou se acalmar respirando fundo várias vezes. Ela inclinou o corpo para a frente e apoiou as mãos no chão para se firmar e se recompor. A grama entre seus dedos parecia macia e viçosa, como se ela estivesse ajoelhada em um gramado bem aparado, e não na confusão de mato alto que estava esperando.

Holly sentiu um medo irracional de não estar mais em seu próprio jardim, mas ainda não estava enxergando direito e só contava com as mãos para se orientar e explorar o que havia à sua volta. Ela imaginou que a força do espetáculo de luzes do relógio lunar a derrubara mais longe do que havia percebido, mas então tocou a superfície da coluna sob o relógio. Era dura, fria, mas reconfortante por ser familiar. Holly usou o topo do mostrador como apoio e se levantou, ainda cambaleante.

Embora manchas brancas ainda atrapalhassem sua visão, ela conseguiu distinguir o vulto de outros pontos familiares do jardim. O pomar, o ateliê, a casa. Então Holly olhou de relance para o relógio lunar e seu coração quase parou de bater. A esfera e o mecanismo de metal haviam desaparecido, assim como a caixa de madeira que fora deixada sobre ele. Holly girou o corpo ao redor, procurando no chão, para o caso de terem caído ali perto, mas tudo o que viu foi um gramado perfeitamente aparado. Seu coração teria batido ainda mais rápido se isso fosse possível. O que estava acontecendo?, perguntou-se.

Tremendo incontrolavelmente, Holly percebeu que não era apenas o choque que lhe provocava arrepios. A temperatura caíra alguns graus, e a camiseta que usava era fina demais. Ela tentou acalmar o corpo trêmulo concentrando-se em sua respiração, que saía em nuvens de vapor gelado que giravam no ar diante de seus olhos. A calma teve vida curta quando ela se virou para a casa, buscando o conforto do seu lar. Mais cedo, quando Holly caminhara através do jardim, o caminho fora revelado apenas pela suave luz da lua. Não havia luzes artificiais vindo da casa, porque ela não acendera luz alguma. Agora, a janela da cozinha estava toda iluminada.

Holly só podia deduzir que a batida na cabeça afetara seus sentidos e talvez sua memória estivesse lhe pregando peças. Ela respirou fundo e se permitiu um momento para ter noção do que estava ao seu redor. Não ajudou.

Alguma coisa estava errada naquela imagem. Correção: muitas coisas estavam erradas naquela imagem, mas ela não estava conseguindo processar os pensamentos direito. Conforme se aproximava da casa, sua mente não conseguia mais negar a única coisa que sua sanidade se recusava a reconhecer. Havia um jardim de inverno bem na frente da casa, correndo por toda a largura da sala de estar até a porta dos fundos. O jardim de inverno estava às escuras, mas uma luz suave cintilava na sala de estar, mais além.

Com passos cambaleantes e uma sensação de perda da realidade, Holly se arrastou na direção da porta que levava à cozinha. Mas, em vez de entrar direto no que supostamente era a sua casa, ela espiou pela janela da cozinha como se fosse um ladrão. Para seu alívio, não havia ninguém ali, mas, assim que se deu conta dos detalhes, Holly sentiu um arrepio de terror se juntar à confusão crescente e à ansiedade que a dominavam. A cozinha ainda era a cozinha dela — os mesmos armários, o mesmo fogão, a mesma geladeira, até a mesma mesa —, mas com certeza não era a cozinha que ela deixara para trás ao sair de casa. Holly começou a se perguntar qual teria sido a gravidade da batida em sua cabeça para que conseguisse explicar a enorme variedade de coisas para bebês que estavam empilhadas em todas as superfícies.

Ela só conseguiu se convencer a seguir em frente ao repetir para si mesma que estava experimentando algum tipo de alucinação. Queria apenas entrar na casa, refugiar-se em sua cama e bloquear de vez o universo alternativo que sua mente parecia haver criado ao seu redor, em um espetáculo de horror particular. Ela caminhou na direção da porta dos fundos e tentou abri-la, mas não conseguiu girar a maçaneta. Embora sentisse o metal frio e sólido, a mão de Holly parecia não conseguir aplicar a pressão necessária para abri-la, e Holly se perguntou se isso não seria uma consequência do choque que tomara ao encostar no relógio lunar. Ela envolveu a maçaneta com mais força — provavelmente a que seria necessária para abrir os portões de um castelo — e finalmente conseguiu abrir a porta e adentrar o seu pesadelo.

A cozinha tinha um cheiro diferente, uma mistura de comida caseira e leite quente, em oposição ao aroma de macarrão instantâneo e vinho rançoso que esperava encontrar. Holly não se sentia forte ou confiante o bastante para ir muito além na cozinha, por isso descansou o corpo contra um armário próximo. Ela esperou e ouviu, torcendo para que ao menos um de seus sentidos ainda estivesse funcionando racionalmente. Não queria ouvir nada além do silêncio costumeiro de uma casa vazia, mas não demorou muito para que sua audição se juntasse à brincadeira que a estava levando aos limites da sanidade. Holly ouviu vozes a distância, vindas de outros cômodos, mas se aproximando. Quem quer que estivesse na casa, havia acabado de entrar no corredor. Ela relanceou o olhar entre a porta dos fundos, que era seu único meio de fuga, e a porta que levava ao corredor e que poderia ser aberta a qualquer momento.

Holly decidiu permanecer firme onde estava. Aquela era a casa dela, tinha todo o direito de estar ali. Então por que se sentia uma estranha em seu próprio lar? Ela conseguia distinguir duas vozes, uma masculina e outra feminina. Eram baixas e abafadas, e Holly não conseguia compreender o que diziam por causa das batidas aceleradas do seu próprio coração. Ela agora ouviu o rangido familiar quando a porta da frente se abriu.

Com um breve momento para relaxar diante da ameaça de uma confrontação iminente, Holly tentou dar-se conta da realidade. O que estava acontecendo com ela? Isso seria realmente uma alucinação? A batida na cabeça teria criado a ilusão? Teria ficado desmaiada por mais tempo do que imaginava? Será que passara dias inconsciente no jardim, enquanto um bando de intrusos se apossara de sua casa? Por mais implausível que aquilo soasse, Holly quase preferia acreditar nessa hipótese a admitir um problema com seu estado mental.

Ela atravessou a cozinha e estava a ponto de se arriscar a espiar o corredor quando a porta se escancarou à sua frente. Holly ofegou e recuou cambaleante enquanto uma figura surgia diante dela.

— Tom! — gritou Holly. — Graças a Deus você está aqui.

Ela esticou os braços na direção do marido, mas logo congelou. O homem à sua frente parecia-se com Tom, mas havia tantas coisas diferentes nele que Holly ficou perplexa. Os cabelos estavam muito curtos, muito mais curtos do que ela já vira desde que o conhecera. Mas não foi isso o que mais a surpreendeu. Ele não parecia desleixado, como era seu normal. Tom estava arrumado, elegante. Mas ainda não foi isso o que fez o coração de Holly congelar. Foram os olhos dele. Os lindos olhos verdes de Tom olhavam na direção de Holly e passavam direto por ela. Os olhos dele estavam inexpressivos, pareciam mortos.

Tom se afastou de Holly sem sequer registrar a presença da esposa. Ele pegou um par de luvas de couro femininas que estavam sobre um caderno, na mesa da cozinha.

— Eu as encontrei — disse ele, antes de se virar e sair da cozinha.

Quando a porta se fechou e Holly foi deixada sozinha mais uma vez, ela se sentiu tonta. Finalmente, lembrou-se de respirar. Foi preciso cada gota de calma que lhe restava para cambalear na direção da porta onde Tom desaparecera. Para abrir apenas uma fresta, ela precisou de um esforço muito maior do que acharia necessário. Tom estava parado na porta da frente, de costas para ela. A mãe dele, Diane também estava ali, parada no batente da porta, com a mão apoiada no braço de Tom, conversando com ele. Uma terceira pessoa estava parcialmente refletida no espelho, e Holly imaginou que fosse seu sogro, Jack.

Ela precisou refrear o desejo ardente de correr para os braços de Tom e exigir que ele fizesse tudo voltar a ficar bem. Então Holly se lembrou do modo como ele olhara através dela, e o medo a fez ficar exatamente onde estava.

— Você sabe onde estamos se precisar de alguma coisa — dizia Diane a Tom.

— Eu sei, mamãe. Vamos ficar bem.

— Sei que todos concordamos que este é o momento certo para deixar você tomar conta de si mesmo, mas, se precisar de mim...

— Eu sei — insistiu Tom. — Sei onde encontrá-los.

— Deixe o garoto sozinho, Di — disse Jack. Um braço foi passado ao redor da cintura de Diane, enquanto Jack tentava levar a esposa embora.

— Ela é uma coisinha tão pequenina, tão frágil. Caso se sinta inseguro em relação ao que fazer, escrevi tudo no bloco que está sobre a mesa. E pode me ligar a qualquer momento. Ligue se precisar.

— Farei isso, mas você sabe que está tudo organizado. Holly tinha arrumado até a última fralda, deixou tudo planejado para a chegada de Libby. Isso me faz pensar que ela sabia que jamais voltaria do hospital para casa. — A voz de Tom falhou por causa da emoção, e ele abafou um soluço. — Sei que não tenho como substituir Holly, mamãe, mas prometo que vou tomar conta do nosso bebê. Pagamos um preço muito alto para tê-la.

— Pobre Holly. Está tudo errado. Ela teria sido uma mãe tão boa. Por que ela... — Diane não terminou a frase, simplesmente deixou as lágrimas rolarem pelo rosto.

— Você pode dizer a palavra, mamãe. Não é algo que dê para eu esquecer — falou Tom. — Ela morreu. Holly morreu.

Holly agarrou a maçaneta da porta. Fosse por medo ou determinação, seu tato pareceu ter-se recuperado, e a maçaneta ficou mais firme sob seus dedos, embora não pudesse dizer o mesmo de sua sanidade. Ela mal conseguia respirar... Era como se o choque houvesse arrancado todo o ar de seu corpo. Estava fraca. Holly sentiu vontade de sair correndo, mas não conseguia afastar os olhos da cena de terror que estava se desenrolando diante de seus olhos, como um acidente de carro acontecendo em câmera lenta.

— Não quero mais falar sobre isso — insistia Jack agora. — Combinamos que voltaríamos para casa hoje. Concordamos que seria melhor assim.

— Mas faz menos de um mês. O mundo de Tom foi virado de ponta-cabeça! — argumentou Diane.

— Papai está certo — disse Tom, endireitando o corpo para demonstrar que estava firme em sua decisão. — Se não fizermos isso agora, ficará cada vez mais difícil.

— E, se você continuar a chorar, não vai conseguir ver o caminho até o carro — avisou Jack.

— Ao menos me deixe ajudá-los com as malas — insistiu Tom, saindo pela porta.

— E Libby? — perguntou Diane em soluços.

— Ela está segura na sala de estar, e vou colocar o peso na porta, para que não se feche.

Assim que os três saíram da vista, um ruído veio da sala de estar. Era um som tão estranho à casa que Holly soltou a maçaneta rapidamente, como se ela, assim como o relógio lunar, estivesse carregada de eletricidade.

Holly ainda sentia vontade de virar as costas e sair correndo, mas alguma coisa no som daquele bebê chorando pareceu envolver seu coração. Ela nunca reagira daquele modo ao choro de uma criança. Em vez de se afastar, Holly atravessou o corredor e entrou na sala de estar.

O bebê estava em um moisés no canto da sala. Seus olhos estavam arregalados e alertas. Eram de um verde radiante, idênticos aos de Tom. Quando o bebê viu Holly, não apenas parou de chorar como também todo o seu corpo pareceu relaxar e ele se acalmou. Era a coisa mais linda que Holly já vira na vida. Tinha tufos de cabelos louros e um punhado de cachinhos caindo sobre sua testa. As bochechas eram perfeitamente redondas, e os lábios rosados tinham um formato de coração que era uma graça. Holly não conseguiu resistir e acariciou delicadamente o rosto angelical. O bebê reagiu se inclinando em direção à mão dela, a boquinha procurando alimento.

— O que uma pequena maravilha como você está fazendo em um pesadelo como este? — sussurrou Holly.

Quando o bebê se remexeu no cesto e deixou escapar sons indistintos, Holly estendeu a mão instintivamente para pegá-lo.

Ela parou apenas por um instante enquanto a vontade de pegar a criança a consumia. Nunca em sua vida sentira qualquer desejo de pegar um bebê no colo e, na verdade, não conseguia se lembrar de nenhum momento em que realmente houvesse segurado uma criança. Holly deslizou a mão por debaixo do corpo do bebê, sentindo o tecido quente e macio da manta que o envolvia. Seus dedos hesitantes não encontraram resistência, e ela não conseguiu sentir peso algum quando tentou erguer o bebê do cesto. Holly franziu o cenho, frustrada; o desejo de pegar a criança no colo era irresistível. Não importava quanto tentasse, o bebê continuava firme no cesto. Holly recomeçou a chorar, dessa vez bem mais alto do que antes.

— Estou indo — disse Tom, ainda fora da sala, e Holly o ouviu cruzar apressado o corredor e entrar na cozinha.

Ela se afastou do cesto do bebê e olhou ao redor com uma sensação crescente de pânico. A pilha de cartões de condolências no console da lareira não escapou de seu olhar, mas Holly estava mais interessada em encontrar um lugar para se esconder. Ela passou rapidamente ao lado das grandes janelas que davam para o pátio e levavam ao jardim de inverno, e se escondeu nas sombras bem no momento em que Tom entrou com a mamadeira na mão.

Ele pegou a criança e sentou-se no sofá mais próximo para alimentá-la. Estava praticamente encarando Holly, e, embora ela soubesse que não estava completamente escondida, não havia sinal de que o marido estivesse percebendo sua presença.

— Enfim, sós — disse Tom, com um suspiro, enquanto o bebê sugava avidamente o leite.

A sala estava no mais absoluto silêncio a não ser pelo som do bebê mamando e da respiração acelerada de Holly. Ela achou que devia estar respirando tão alto que Tom com certeza a estava ouvindo, mas ele não deu nenhum sinal disso. Holly sentia que estava sendo arrastada para o estranho conforto do embotamento induzido pelo choque. Seu cérebro parara de tentar encontrar sentido no que estava acontecendo. Em vez disso, ela escolheu se concentrar nos eventuais barulhinhos de prazer que Libby deixava escapar e que a acalmavam.

— Sei que você está aí, Holly — disse Tom.

Holly sentiu arrepios percorrerem-lhe os braços e a espinha. Como se estivesse em transe, ela saiu das sombras e entrou novamente na sala.

— Estou aqui, Tom — falou.

Ele estava olhando na direção da janela que dava para o pátio, bem à esquerda de Holly, e seus olhos tinham mais uma vez aquela expressão distante. Para onde quer que estivesse olhando, sem dúvida era um lugar muito além dos limites da sala.

— Espero que possa me ver, meu amor. Espero que possa me ouvir, porque acho que não conseguiria seguir em frente se pensasse que você me abandonou completamente. — A voz de Tom saía em um sussurro, e ele fechara os olhos com força, para impedir que as lágrimas escorressem por seu rosto.

Holly se adiantou e se ajoelhou na frente do marido, segurando-lhe os braços e querendo que ele abrisse os olhos e a visse.

— Estou aqui, Tom! Por favor, por favor, olhe para mim! — disse ela, entre soluços.

Tom abriu os olhos, e Holly estremeceu mais uma vez quando o olhar dele atravessou-a novamente, cortando-a como uma faca. Ela se afastou dele, horrorizada pela primeira vez em todo o tempo que conviveram juntos.

— Dói, Holly, dói muito. A cada dia, quando acordo, lembro que nunca mais vou voltar a vê-la, e meu estômago se revira. Não consigo acreditar no que aconteceu. Não vou acreditar nunca.

Você estava bem. Estava em boa forma, saudável. Uma grávida saudável. Em um minuto estava aqui, ao meu lado, e logo não estava mais. Cada pedaço do meu corpo anseia por você e dói demais.

Ele fez uma pausa e balançou a cabeça, como se para clarear as ideias.

— Mamãe diz o tempo todo que devo desabafar, permitir-me chorar, mas não posso. Estou tão apavorado, Holly. Juro que se me permitir chorar acho que não serei mais capaz de parar — continuou ele em arquejos, afogando-se nas lágrimas não derramadas.

Libby começou a se agitar no colo dele, e Tom tirou a mamadeira, ainda pela metade, da boca da filha. A expressão no rosto dele se suavizou um pouco quando olhou para a menina. Tom sorriu para ela antes de erguê-la no ombro e começar a dar palmadinhas em suas costas. O sorriso logo desapareceu, e a dor voltou a encobrir o olhar dele.

— Não estou preparado para que me deixe, Hol. Não estou preparado para aceitar que nunca mais você entrará nesta sala. Todas as suas coisas estão exatamente como você as deixou, está tudo aqui, pronto para recebê-la quando voltar para casa. Volte para casa, Holly, por favor, volte para casa.

Um soluço escapou, e Tom mordeu o lábio para se controlar.

— Não quero mais me sentir assim, dói demais! Se não fosse por Libby, acho que não conseguiria continuar sem você — disse ele. Libby deu um arroto enorme em resposta, forçando Tom a sorrir. Ele a embalou novamente nos braços e voltou a levar a mamadeira à boca da filha.

— Obrigado pelo voto de confiança, Libby — sussurrou Tom, e o amor do marido pela filha aqueceu o coração de Holly e afastou o embotamento que a dominara. — Eu a amo muito, sua mãe também a ama muito e ela está olhando por você.

Holly não conseguiu resistir e acariciou o topo da cabeça de Libby. Quando se inclinou para a frente, sentiu o hálito quente do marido no rosto. Todo o seu corpo se arrepiou, e ela percebeu que aquele era um sonho mais real do que qualquer outro que já tivera.

— Prometa que nunca vai me deixar — sussurrou Tom.

— Eu prometo — respondeu Holly, desejando que Tom pudesse ouvi-la, mas ele não esboçou nenhuma reação.

Holly descansou a cabeça no colo do marido e fechou os olhos.

— Isto não é real, Tom, não está acontecendo. Tudo vai ficar bem.

O silêncio dominou a sala, e o tempo continuou a passar. Holly ficou onde estava até o bebê terminar a mamadeira, então se afastou com relutância quando Tom fez menção de se levantar. Holly também se levantou e encarou o marido enquanto ele ajeitava a filha nos ombros e pegava o moisés.

— Hora de dormir para nós, eu acho — disse Tom, tentando parecer animado.

Quando ele se virou e começou a se encaminhar na direção da porta, Holly colocou a mão em seu ombro, porque não queria que o marido se fosse.

— Fique comigo — implorou ela, sentindo o pânico retornar.

Tom parou por um instante.

— Fique comigo — sussurrou ele, mas saiu da sala.

Holly sentia-se perto do limite de sua sanidade e estava paralisada pelo medo. Sua respiração foi ficando mais acelerada, e ela começou a se sentir tonta. Estava prestes a hiperventilar. Holly ouviu os passos de Tom subindo as escadas e depois o ranger das tábuas no andar de cima. Pela segunda vez naquela noite, o som do bebê chorando provocou um espasmo no corpo dela.

A combinação da necessidade de ar fresco com um desejo urgente de fugir foi o suficiente para lhe dar forças para sair da casa. Ela passou cambaleante pela cozinha e lutou mais uma vez com a maçaneta da porta até conseguir sair da casa e atravessar o jardim. Ainda estava frio demais para o final de abril, e o vento redemoinhava ao redor dela.

Os olhos de Holly iam de um lado a outro do jardim, enquanto ela imaginava que demônios se escondiam nas sombras, prontos para afastar os últimos traços de sanidade que lhe restavam. Como em resposta ao seu desafio, a atenção de Holly foi atraída para o pomar. As árvores, que deveriam estar prestes a florir, erguiam-se nuas sobre folhas secas, fragmentos de um verão que havia muito se fora. Holly continuou a cambalear até alcançar o relógio lunar.

— Não estou morta, não estou morta! — gritou ela. Então caiu de joelhos e encolheu o corpo no formato de uma bola. — Estou aqui, Tom. Por que não consegue me ver? — perguntou, desesperada.

Holly não tinha certeza de quanto tempo ficou naquela posição, ao lado do relógio lunar. Exausta e com frio, apavorada e confusa, ela não sabia o que fazer. Só quando a luz da cozinha foi apagada e o jardim mergulhou mais uma vez em várias nuances de cinza, Holly ergueu a cabeça e olhou na direção da casa.

Alguns segundos mais tarde, uma luz apareceu na janela do quarto dela. Era o brilho suave da luz do abajur, em sua mesinha de cabeceira. A persiana do quarto estava aberta. Holly tentou se lembrar se a deixara aberta ou fechada. Mas o que isso importava? Tudo havia mudado, e ela se sentia presa em um mundo ao qual não pertencia mais. Mas Tom estava nesse mundo. E, se ela não pertencia ao mundo dele, a qual pertencia?

Holly ficou de pé e, sob o olhar atento da lua cheia, sentiu uma urgência de voltar para a casa e correr para os braços de Tom. Estava prestes a dar um passo à frente quando a inconfundível silhueta do marido apareceu na janela do quarto. Ele estava andando de um lado para o outro e, embora o absurdo daquela situação a enfurecesse, ela sabia que o marido tinha o bebê nos braços. De repente, ele congelou onde estava. Holly não conseguia ver o rosto de Tom, mas soube sem sombra de dúvida que ele estava olhando para ela.

Ao sentir o olhar de Tom sobre si, Holly teve a impressão de que mundo se fechava ao redor. Ela sentiu uma enorme pressão no peito enquanto o tiquetaquear do relógio parecia cada vez mais próximo, até parar com um baque. Por causa do vento que girava ao redor dela, ou talvez por mera exaustão, Holly cambaleou e estendeu a mão para o relógio lunar para se apoiar. No instante em que tocou o mostrador, uma chuva de raios de luar pareceu dançar ao seu redor. O jardim se tornou um borrão, e o ar ficou mais pesado e alguns graus mais quente.

Holly precisou segurar o mostrador com ambas as mãos para se equilibrar. Ela fechou os olhos em um esforço para afastar as ondas de tontura que ameaçavam dominá-la. Sua mão tocou em algo no mostrador. Holly piscou para afastar os pontos de luz deixados pelos raios de luar. Demorou algum tempo até ela conseguir pegar o que tocara. Holly segurou a caixa de madeira nas mãos, sentindo um alívio imenso afastar o terror que a assombrava. O mecanismo que ativava o relógio e a esfera também haviam reaparecido. A esfera tremulava inofensivamente entre as garras de metal. Tudo estava como deveria ser.

O vento era mais suave agora, e, quando olhou na direção do pomar, Holly viu botões brancos de flores cintilando contra a noite e confirmando que estavam na primavera. Sob os pés dela, a relva estava alta como sempre fora. Holly voltou rapidamente a cabeça na direção da casa. A janela de seu quarto estava às escuras, assim como o resto da casa, que, por sinal, não tinha um jardim de inverno. A persiana do quarto estava erguida, mas não havia ninguém ali olhando para ela.

Holly arrancou a esfera do mostrador e jogou-a rapidamente na caixa como se esta fosse queimar seus dedos. Com a caixa nas mãos, ela saiu em disparada pela relva e não parou até estar de volta à cozinha, onde logo acendeu a luz. Uma rápida checada confirmou que não havia nada para bebês e nenhum bloco de notas sobre a mesa.

Os tentáculos do pesadelo vívido de Holly estavam lentamente libertando sua mente e seu coração. Ela entrou hesitante no corredor e verificou as duas salas de visitas antes de subir as escadas. Seu quarto estava vazio, e sua cama permanecia a confusão de lençóis revirados que ela deixara para trás. No mostrador do relógio digital ela viu que eram 3h21.

Holly despiu-se das roupas que usava. A calça de moletom ainda estava encharcada pela umidade da relva. Ela se arrastou para o conforto de sua cama e se enrolou no edredom. Incapaz de sequer começar a tentar entender o que acontecera na última hora, Holly fechou os olhos e desligou a mente. O sono, antes arisco, agora chegou-lhe rapidamente, como uma bênção.

3

O brilho sinistro da lua cheia já havia se rendido à luz forte do sol de primavera quando Holly foi trazida abruptamente de volta à consciência por alguém que batia com força na porta da frente. Ela pulou da cama, ignorou as roupas que usara na noite anterior e vestiu um penhoar. Todo o seu corpo doía enquanto ela descia as escadas.

— Desculpe, Billy, devo ter dormido demais — desculpou-se, enquanto esfregava os olhos para afastar os últimos vestígios de sono.

— Ora, ora, Senhora Corrigan — repreendeu Billy. — Não pode atender a porta nesses trajes quando há tantos operários por aqui ou vai acabar fazendo com que meus homens deixem cair os martelos nos dedos dos pés.

— Isto não passa de um robe velho, Billy, e acho que é mais provável que eu assuste os rapazes do que qualquer outra coisa — retrucou ela. Sabia que devia estar com péssima aparência e ficou secretamente grata a Billy pela galanteria enquanto tentava pôr os cabelos em ordem, ajeitando-os para trás.

O sorriso travesso abandonou o rosto de Billy, e seu tom brincalhão foi substituído por uma expressão preocupada.

— Ei, o que aconteceu com seu rosto? — perguntou ele.

Holly inclinou o corpo para trás e deu uma olhada em seu reflexo no espelho do corredor. O lado direito de seu rosto estava machucado.

— Não é nada — respondeu ela em tom robótico, quando a lembrança de sua aventura sob a luz da lua voltou-lhe à mente pela primeira vez desde que acordara.

— Se aquele seu marido estiver lhe batendo, teremos uma conversa séria quando ele voltar — rosnou Billy.

— Não seja tolo — disse Holly com um sorriso que não chegava aos seus olhos. — Sou apenas uma mulherzinha frágil que não pode ser deixada por sua própria conta. Tropecei no jardim, só isso.

— Bem, parece que foi uma boa ideia eu mandar Jocelyn dar uma passada por aqui. Sabia que precisava de alguém que tomasse conta de você.

Holly não estava com humor para as provocações típicas de Billy, mas, se não agisse normalmente, quem sabe que outras pessoas ele mandaria para conferir como ela estava.

— Sou perfeitamente capaz de tomar conta de mim mesma, mas foi mesmo uma boa ideia. Jocelyn é adorável — respondeu Holly, com um sorriso mais caloroso dessa vez.

— Você precisa sair mais, visitar pessoas.

— Se eu prometer que vou fazer isso, vai parar de me perturbar e voltar ao seu trabalho?

Billy fez uma mesura.

— Ao seu dispor. Devemos terminar o trabalho interno no final da semana, portanto, se quiser começar a pensar naqueles penduricalhos que queria acrescentar, esta é uma boa hora. Depois disso, se precisar de mais alguma coisa, é só pedir.

— Isso é uma proposta, Billy? — perguntou Holly, com um sorrisinho zombeteiro.

Billy ficou ruborizado.

— Bem... Na verdade, eu estava pensando, bem... O que estou querendo dizer é que o jardim poderia ser tratado como merece. Não queremos que aconteçam mais acidentes, não é mesmo? — gaguejou ele.

Holly estremeceu ao se lembrar da sensação de estar ajoelhada no gramado macio.

— Obrigada, Billy, mas não sei se já quero liberar Tom desse trabalho em particular.

Ela deu um jeito de encerrar a conversa com o contramestre, prometendo preparar uma boa xícara de chá para ele e sua equipe. Com Billy a caminho da obra no ateliê, Holly conferiu mais uma vez seu reflexo no espelho. Ela queria desesperadamente acreditar que os acontecimentos da noite anterior não haviam passado de um pesadelo esquisito e nada agradável, mas era difícil ignorar aquela evidência física.

Enquanto tomava banho e se vestia, a mente de Holly continuava concentrada em tentar encontrar uma explicação racional para o que acontecera na noite passada. Não havia dúvida de que ela deixara a casa durante a noite. A porta da cozinha aberta e as roupas de moletom molhadas comprovavam que ela fora até o jardim. A caixa de madeira abandonada sobre a mesa da cozinha confirmava que estivera brincando com o relógio lunar. Mas em que momento a realidade acabara e a imaginação assumira o comando?

Tudo tinha uma explicação racional até o momento em que ela batera com a cabeça. Uma concussão leve talvez explicasse a visão bizarra do futuro... Na verdade, aquela era a única explicação que Holly estava disposta a considerar.

Recusando-se a perder mais tempo pensando sobre a alucinação, ela se preparou para um dia cheio de trabalho. Holly desceu as escadas e preparou o prometido bule de chá para os operários, e também uma xícara de café forte para si mesma. Ela separou seu material de trabalho sobre a mesa da cozinha, determinada a passar o dia concentrada na encomenda da Sra. Bronson. A necessidade de ser organizada e disciplinada às vezes entrava em conflito com a sua criatividade, mas nesse dia Holly precisava de algo em que focar a mente. Sem distrações.

Tom telefonou. Algumas distrações eram uma exceção à regra, e Holly precisava do conforto de simplesmente ouvir a voz dele.

— Bom dia, minha luz, minha vida — cantarolou Tom.

— Bom dia, minha bússola, minha âncora — respondeu Holly, surpresa ao perceber o próprio alívio por Tom estar ouvindo-a, tendo consciência de sua existência. Ela lembrou do homem que vira na noite anterior, desolado e perdido, mas afastou rapidamente essa imagem da cabeça.

— Eu não estou atrapalhando você, estou? — perguntou ele.

— Não, de jeito nenhum. Você não acreditaria no quanto estou sentindo sua falta.

— Então ainda não há nenhum substituto instalado aí? — perguntou Tom.

Holly sorriu, saboreando a normalidade da conversa. A tensão que estivera carregando durante toda a manhã esvaiu-se de seu corpo.

— A casa estava cheia hoje cedo — provocou ela —, mas dei um jeito de expulsar o time de rúgbi da minha cama.

— Apenas um time de rúgbi? Sua disposição deve estar diminuindo...

— E você? Já tem uma fila de sem-vergonhas para mantê-lo ocupado?

— Bem, fiz um amplo teste de seleção na noite passada, mas nenhuma se compara a você.

— Sinto saudade — sussurrou Holly, incapaz de continuar com a brincadeira.

— Também sinto saudade de você.

— Acho que não vou conseguir ficar separada de você por tanto tempo. Ao diabo com a Senhora Bronson, eu deveria ir para aí, para ficarmos juntos.

Houve um longo silêncio. Holly sentiu que Tom concordava com ela, mas nenhum dos dois quis romper o acordo que haviam feito.

— Não, ignore o que eu disse — acrescentou Holly rapidamente, antes que Tom pudesse responder. — Tive uma noite ruim, só isso. E só se passou um dia. Vou ficar bem, sinceramente. Preciso de alguns dias para me acostumar e, além do mais, tenho essa maldita encomenda para atender. Jogar a toalha não é uma opção. Só tenho hoje e amanhã para preparar os desenhos. Vou me atirar no trabalho e sei que ficarei bem. Ignore-me. Vou ficar bem. Estou falando sério.

— Holly?

— Sim?

— Você está falando sem parar.

Ela suspirou.

— Desculpe.

— Então você não teve uma noite boa?

— Esse é um eufemismo. Foi pior... — Holly fez uma pausa, sem saber muito bem quanto poderia contar a Tom sem deixá-lo preocupado. — Não fique assustado, mas tive um pequeno acidente, e não, isso não quer dizer que fiz xixi na cama. — Ela esperava que a leveza em sua voz soasse sincera.

— Que tipo de acidente? Você está bem? — A voz de Tom era ansiosa.

Holly fez um rápido exercício de edição mental. Tom não era uma pessoa excessivamente preocupada, mas sem dúvida a mandaria fazer uma tomografia de crânio se ela mencionasse as alucinações.

— Estava no jardim e escorreguei. Foi só um arranhão no rosto, nada demais.

— Você bateu a cabeça? Desmaiou? Ficou inconsciente?

— Também assisto a seriados médicos, você sabe. Não, eu não perdi a consciência. Não tive uma concussão, doutor, pode ficar descansado — disse Holly, em um tom de confiança que não sentia. — Embora eu talvez tenha rachado o relógio lunar com a minha cabeça.

— O que quer dizer com relógio lunar? Não está falando do relógio de sol? Tem certeza de que a batida não afetou seus sentidos?

— Estou bem — repetiu Holly, com certa brusquidão. Tom estava mais perto da verdade do que poderia saber. — Foi Jocelyn que chamou o relógio de lunar, e ela deve saber, afinal já morou aqui.

Holly já contara tudo a Tom sobre a visitante inesperada e voltar a mencionar Jocelyn era uma boa maneira de mudar de assunto. Holly não mentiu sobre a queda, mas também não contou ao marido toda a verdade.

— Mas ela não ficou muito bem impressionada com o resto do jardim, e, para falar a verdade, me senti constrangida. Portanto, quando você vai passar tempo o bastante em casa para colocar nosso jardim em ordem? — perguntou ela.

Foi a vez de Tom se desviar do assunto, o que tranquilizou a consciência de Holly. Ele disse a ela que ainda havia muita instabilidade na emissora de TV e lembrou a esposa que todos lá estavam lutando para manter o emprego. Tentar escolher para onde ia ou quando simplesmente não era opção no momento.

Eles conversaram um pouco mais, até que nenhum dos dois pôde adiar mais o trabalho que os aguardava. Holly desligou o telefone e pegou relutante o bloco de esboços. Seu plano era fazer novos desenhos baseados nos dois que já tinha aprovado.

Quando abriu o bloco e viu o primeiro esboço, a mãe segurando o bebê, seus olhos imediatamente foram atraídos para a imagem da criança. Seu esboço tinha apenas sugestões sutis de forma, mas, mesmo assim, quando traçou o rosto do bebê com o dedo, lembrou-se da menininha de sua alucinação. Libby. Sentindo uma forte onda de emoção dominá-la, Holly relembrou o momento em que olhara nos olhos de Libby e sentira uma conexão imediata. Seria assim o tão falado instinto maternal, ela se perguntou, ou estaria apenas desesperada para justificar a fé que Tom depositava nela?

O olhar de Holly se voltou para a figura da mãe. Observando com novos olhos, ela percebeu que a pose estava toda errada. A figura que esboçara estava segurando o bebê de um modo hesitante, quase como a uma caixa cheia de aranhas prontas para subirem por seu braço. Holly riscou o desenho antes mesmo que se desse conta do que fazia. Então, virou-se para o segundo esboço, o que considerara mais promissor em termos de conceito. Continuava a gostar da forma espiralada da mãe girando com o bebê no colo, mas mais uma vez a pose parecia completamente errada — a mãe poderia muito bem estar girando a própria bolsa. Ela também riscou esse esboço.

Em um instante de pânico, Holly percebeu que a pressão se instalara e que teria que trabalhar com vontade nos próximos dois dias para ter sua proposta pronta a tempo.

A VIAGEM PARA LONDRES foi uma mudança dramática na vida rural a que Holly vinha se acostumando pouco a pouco. Ela deixou a serenidade da cidadezinha para pegar o trem de manhã cedo, que vinha de uma cidade próxima. Lutou em vão por um assento, mas acabou perdendo-o para um viajante mais experiente.

A reunião com a Sra. Bronson aconteceria na galeria onde Holly costumava exibir e vender suas esculturas. Era um lugar pequeno, mas ideal para o trabalho dela, em parte por sua localização privilegiada e clientela seleta, e em parte porque ela se dava bem com o proprietário, Sam Peterson. Sam a apoiara muito no início de sua carreira, assim que Holly chegara a Londres, e tivera um papel importante no sucesso dela como artista.

Holly conhecera Sam em um dos muitos empregos de meio expediente que tivera depois da Escola de Belas-Artes. Ela trabalhara em uma agência que cuidava de animais: levava cachorros para passear, tomava conta de coelhos em casa e, no caso de Sam, alimentava seu gato enquanto ele estava fora em uma de suas muitas férias em paraísos tropicais com seu companheiro, James. Sam se entusiasmara com os trabalhos artísticos de Holly e não apenas a encorajara a seguir produzindo como no fim se oferecera para expor a obra dela em sua galeria.

Era uma viagem curta de metrô até a galeria e depois uma rápida caminhada entre a multidão que transitava pelas ruas da cidade, mas Holly começava a se sentir energizada pela agitação. Ela estava usando um elegante vestido-túnica, no estilo anos 1950, com um casaco combinando. A roupa era azul-pálido e destacava seus longos cabelos louros, que estavam afastados do rosto por uma faixa combinando. Já fazia algum tempo desde a última vez que Holly usara outra roupa que não jeans e camiseta, e estar arrumada a fazia se sentir parte da multidão novamente.

Ela precisava de toda a energia que conseguisse reunir, porque estava quase em jejum. Havia trabalhado sem parar no projeto, desenhando até altas horas da noite, sem nada para lhe fazer companhia além da lua minguante, que espreitava pela janela da cozinha expectante, estreitando os olhos, concentrada, sobre os ombros de Holly.

Embora ela houvesse tentado manter a maior parte dos detalhes de sua alucinação longe dos seus pensamentos, não conseguiu apagar completamente a imagem de Libby. Holly usou isso a seu favor e deu nova vida aos esboços que estava criando. E finalmente conseguiu sentir a conexão com a obra que estava tentando produzir. O lado ruim disso é que também desenvolvera uma forte ligação com Libby. A criança poderia ter sido só um produto da sua imaginação, mas fora o primeiro bebê que não deixara Holly apavorada, a primeira criança que ela sentira vontade de pegar no colo. Libby se esgueirara para dentro do seu coração, e agora era uma parte tão importante que Holly quase desejava que fosse real.

O TILINTAR DO SINO de metal sobre a porta anunciou a chegada de Holly à galeria. O espaço que a recebeu era moderno e claro. Paredes brancas refletiam a luz natural que entrava pela vitrine da galeria, enquanto spots de luz estrategicamente posicionados destacavam a seleção de peças de arte de cores vivas e contrastantes, de modo a atrair os possíveis compradores.

A recepcionista acenou para Holly e pegou o telefone, sem dúvida para avisar Sam da chegada dela. Enquanto esperava, Holly aproveitou a oportunidade para fazer um rápido inventário dos seus trabalhos em exposição e avaliar a concorrência. Ela vendera algumas esculturas pequenas — algumas eram figuras humanas, outras mais conceituais, mas todas tinham a marca distintiva do estilo de Holly: a mistura de cores e texturas contrastantes. O trabalho dela parecia estar se tornando mais comercial, e era o dinheiro que recebia por ele que pagava os luxos de Holly e Tom. Ela sentiu uma pontada de decepção ao ver que apenas poucas peças de sua autoria estavam sendo exibidas na parte dianteira da galeria, que oferecia mais destaque.

— Procurando alguma coisa? — perguntou uma voz suave atrás de Holly. Ela se virou e encarou as feições distintas de um homem de meia-idade, com uma óbvia obsessão por tweed.

— Olá, Sam! — Ela abriu um sorriso e o cumprimentou com dois beijinhos no rosto. — Estava procurando algumas peças da promissora artista Holly Corrigan, mas infelizmente não consegui encontrar o tipo de coleção que estava esperando ver. Você as está mantendo em algum quarto escuro, não é mesmo?

— Ah, Holly, Holly, Holly. Que criaturas desconfiadas são vocês, moradores do interior... — repreendeu-a Sam. — Então achou que, assim que trocasse seus escarpins por galochas, eu colocaria seu trabalho de lado, não é?

— Bem... — Holly fez uma careta, sentindo-se culpada por ter sequer sugerido que Sam não estava fazendo o melhor por ela.

— Uma de suas peças está bem ali — disse Sam em tom sério, apontando para a vitrine. Holly não tinha certeza se a postura dele lembrava a de um professor rigoroso ou a de um comissário de bordo.

— Há outra ali à direita e mais duas à esquerda, ali e ali.

Sem dúvida a opção era comissário de bordo, pensou Holly, reprimindo um sorriso.

— E o resto?

— VEN-DI-DO, vendido!

— Todas? — perguntou Holly em um arquejo.

— Todas elas — confirmou Sam. — A recessão está oficialmente terminada. Você está sendo informada disso aqui, em primeira mão.

Holly agarrou os braços dele e fez uma dancinha comemorativa no meio da galeria.

— Bom trabalho, Sam!

— Bom trabalho, Holly! — corrigiu-a. Sam parou e examinou o rosto dela. — Estou vendo um olho roxo por baixo da sua maquiagem? Aquele seu marido anda batendo em você?

— Por que todo mundo pergunta isso?! — disse Holly, irritada. — É claro que não. Caí no jardim, só isso.

— Ahã... — retrucou Sam. — Bem, você pode me contar sobre sua nova vida no campo mais tarde. Primeiro, precisamos lidar com sua cliente favorita — sussurrou ele.

— Oh, Deus, ela já chegou? — Holly começou a suar frio ao pensar no que estava prestes a encarar. — Bronson Júnior também veio?

— Graças aos céus, não — respondeu Sam, que compartilhava do alívio de Holly.

Ela obviamente estava se referindo ao bebê da Sra. Bronson ou — como Holly costumava pensar — ao mais recente acessório de moda da mulher. Holly talvez não fosse uma especialista em questões de maternidade, mas, cada vez que via a Sra. Bronson com o filho, lembrava-se de uma criança brincando com seu novo bichinho de estimação. Holly não ficaria surpresa se a cliente aparecesse com a pobre criança espiando de dentro de uma das enormes bolsas que costumava carregar.

— Rumo ao sucesso — disse-lhe Sam, guiando-a na direção das escadas, até seu escritório particular.

A REUNIÃO COM A SRA. BRONSON correu melhor do que o esperado. Holly tinha dois projetos completos para mostrar à cliente, mas apenas um deles falava ao seu coração, e ela teve sorte por ser exatamente este que a Sra. Bronson escolheu. Era uma forma em espiral, retratando não apenas uma mãe aninhando um bebê nos braços, mas também uma série de figuras abaixo deles, simbolizando as gerações passadas serpenteando através da base de pedra negra na direção das duas figuras em branco. Holly ainda precisava completar uma versão em tamanho menor, antes que a Sra. Bronson desse a aprovação final, mas a pior parte da criação havia acabado. Holly havia conseguido criar o conceito e estava bastante satisfeita com ele, levando em consideração as circunstâncias e a luta que fora para conseguir chegar àquele resultado.

O sino que ficava acima da porta silenciou, e tanto Holly quanto Sam deixaram escapar um suspiro de alívio quando a Sra. Bronson desapareceu na distância.

— Bem, foi tudo bem... — comentou Holly, ainda cautelosa.

— Não fique tão surpresa, o projeto é lindo. Bom trabalho! Sei que não deve ter sido fácil. — Sam a conhecia melhor do que a maioria das pessoas e sabia tudo sobre sua infância difícil. — Cheguei a me perguntar se era mesmo uma boa ideia você aceitar a encomenda, mas você conseguiu. Acho que não teria conseguido blefar tão bem como fez. Lembre-me de nunca jogar pôquer com você.

— O que quer dizer com blefar? — quis saber Holly, embora soubesse exatamente a que ele se referia.

— Holly, querida, sabe que eu adoro você, mas, bem... você não é exatamente do tipo maternal, certo? Para conseguir criar uma peça de arte dessa proporção é preciso um mínimo conhecimento de toda essa bobagem de mãe e filho... E acho que você é exatamente como eu nesse assunto: totalmente sem noção.

— Nova casa, nova vida. Quem disse que não sou do tipo maternal? — retrucou Holly. Ela podia sentir o rosto ficando muito vermelho. Uma semana antes teria sido a primeira a concordar com Sam, eles já haviam tido conversas semelhantes. Mas agora, com o rosto de Libby surgindo como uma marca d'água sobre tudo o que via, Holly não queria ouvir aquilo.

Sam riu e a puxou para um abraço.

— Talvez esteja certa e espero que esteja mesmo. Só me prometa uma coisa...

— O quê? — perguntou Holly, desconfiada, enquanto se desvencilhava do abraço.

— Pelo amor de Deus, não traga a criança quando vier me visitar. O que é feito no campo deve ficar no campo.

— Prometo! — Holly riu. — Agora chega desse assunto, vamos falar de negócios. Como vou reabastecer seu estoque?

Embora adorasse a ideia de seu trabalho estar se tornando requisitado, Holly não estava preparada para simplesmente começar a produzir esculturas aleatoriamente para atender à demanda. Aceitar a encomenda da Sra. Bronson já fora difícil o bastante. No entanto, Sam sabia ser persuasivo, e ela repassou algumas ideias com ele e prometeu começar a trabalhar nelas assim que tivesse tempo, quando seu ateliê estivesse pronto, provavelmente na semana seguinte. Na verdade, uma grande carga de trabalho seria uma distração bem-vinda durante a ausência de Tom.

SAM FEZ DE TUDO para persuadir Holly a se demorar mais, mas ela ainda tinha uma missão a cumprir. Holly precisava fazer mais uma coisa antes de voltar para casa. Ela se despediu e saiu da galeria, atravessando Londres em direção à British Library, onde tinha a esperança de conseguir alguma inspiração para o tipo de pedra que usaria na escultura da Sra. Bronson. Ao menos aquela era a desculpa que estava dando a si mesma.

A biblioteca era enorme, e Holly teria se sentido perdida se já não houvesse passado horas incontáveis, senão dias, ali, pesquisando os tesouros obsessivamente organizados. Ela não demorou nada procurando nos livros de referência o que precisava para decidir sobre a pedra a usar, e levou menos tempo ainda para decidir o tipo de pedra que usaria. Holly fechou o último livro que estivera folheando e colocou-o sobre a pilha já acumulada na mesa de leitura que ocupava. Ela tamborilou distraidamente com os dedos sobre a pilha de livros. Não havia se enganado. Já sabia que escolheria mármore negro para a base da escultura, isso era óbvio. E a parte superior seria feita de argila.

Um homem em uma mesa próxima pigarreou e encarou Holly. No mesmo instante, ela parou de tamborilar. Não havia percebido que o barulho estava alto.

— Desculpe — falou, apenas mexendo os lábios.

Holly devolveu os livros que pegara e pediu ajuda à bibliotecária assistente para encontrar algum registro sobre Hardmonton Hall. Não era exatamente a propriedade que mais lhe interessava, mas sim as origens do relógio lunar. O desejo dela de saber mais sobre o relógio não tinha nada a ver com a alucinação que sofrera, disse a si mesma, estava apenas fazendo uma pesquisa a respeito de uma peça muito interessante, ou mesmo misteriosa, que ocupava o centro do seu jardim. Holly demorou algum tempo, com a ocasional orientação de uma assistente muito paciente e prestativa, para conseguir encontrar todos os dois livros que havia sobre o tema. Ela voltou a se sentar na mesa de leitura e abriu o primeiro, que falava sobre arquitetura inglesa, especialmente sobre as mansões do período Tudor, e Hardmonton Hall estava listada no índice. Holly folheou o livro até chegar à parte que lhe interessava. Havia apenas umas poucas páginas falando da propriedade, a maior parte com ilustrações e plantas dos prédios e do terreno. Foi em uma das plantas dos jardins ornamentados que ficavam nos fundos da propriedade que Holly encontrou evidências do relógio lunar. Ele estava, ou estivera, localizado no que parecia ser um largo círculo de pedra. O círculo estava dividido em quatro segmentos com um círculo interno onde se assentaria o relógio lunar. Dessa peça central saíam quatro caminhos de pedra, separados por canteiros de algum tipo de flor.

O segundo livro era de abordagem mais geral, e Holly tinha pouca esperança de que ele fosse ajudá-la a desvendar algo mais sobre a história do relógio. Era um livro sobre grandes expedições arqueológicas no século 19, e, embora não fizesse referência à propriedade em si, havia uma menção a um dos antigos lordes Hardmonton. Holly folheou o volume e encontrou o capítulo que estava procurando. Ela franziu o cenho enquanto examinava página após página do texto. Charles Hardmonton fora um explorador de renome, envolvido em expedições por todo o mundo. Mas, por mais interessante que fosse aquela história em particular, Holly sentia uma frustração crescente em seu íntimo.

A impaciência crescia enquanto ela acompanhava as aventuras de lorde Hardmonton de um lado a outro do mundo, já se preparando para a decepção conforme virava cada página. Em um rompante de aborrecimento, ela pulou direto para o último parágrafo. A carreira de lorde Hardmonton como explorador chegara a um fim abrupto quando ele caíra em desgraça com seus patrocinadores durante a última expedição registrada ao México central, em busca do templo de Coyolxauhqui, a deusa asteca da lua.

Holly estreitou os olhos, concentrada, e releu o nome. Poderia haver alguma conexão com o relógio lunar? Ela folheou o livro mais para o princípio, examinando o texto em busca de alguma outra referência, mas seus esforços não foram recompensados.

Apesar de não ser o tipo de pessoa que aceitava facilmente uma derrota, Holly sabia que havia chegado a um beco sem saída. Ela fechou o livro com tanta força que tudo o que estava em cima da mesa balançou. Então, se levantou com tanta rapidez que a cadeira fez um barulho alto no chão de cerâmica.

— Psiu! — sibilou o homem que estava na mesa de leitura ao lado. Era o mesmo homem que pigarreara para ela mais cedo. Holly o encarou furiosa.

— Psiu para você! — sibilou ela de volta, e passou pela mesa dele pisando firme. — Teria feito melhor ficando em casa, pesquisando no Google. Ao menos a companhia seria mais agradável.

Holly se deteve de repente, enquanto suas palavras ecoavam pelo salão, e deu meia-volta. Ignorando o olhar presunçoso do seu vizinho de mesa de leitura, ela voltou e abriu novamente o livro, encontrou a referência à deusa asteca e copiou seu nome. Buscar aquela informação no Google não era má ideia.

Apenas quando estava novamente sob o sol quente de maio foi que Holly tornou a relaxar, e seus pensamentos voltaram aos sucessos do dia. Tinha bastante trabalho para mantê-la longe de confusão e estava ansiosa para voltar à cidadezinha onde morava. Quando entrou na estação de trem, Holly reparou na vitrine de uma loja de lembranças cheia de ursinhos de pelúcia, o que a fez lembrar dos comentários sarcásticos de Sam sobre sua falta de espírito maternal. Sem querer, Sam dera o empurrão de que Holly precisava e, sem hesitar um momento sequer, ela entrou na loja e comprou o urso de pelúcia mais alegre e mais cor-de-rosa para sua filha ainda não nascida.

HOLLY NÃO COMERA nada desde o café da manhã, e seu estômago estava roncando quando ela chegou a Fincross no fim da tarde. Por isso, não foi difícil decidir pegar um atalho e visitar a casa de chá de Jocelyn. Assim, Holly estaria cumprindo a promessa feita à simpática senhora; ademais, estava disposta a celebrar as conquistas do dia e não poderia fazer isso sozinha.

A casa de chá parecia um cartão-postal, com cortinas de algodão xadrez, toalhas de mesa de renda, o aroma de doces recém-saídos do forno e de chá e café frescos para abrir o apetite dos fregueses. Estava mais cheia do que Holly esperava, mas ela conseguiu pegar a mesa de um jovem casal que estava indo embora.

— Que surpresa adorável! — Jocelyn a recepcionou feliz, saindo de trás do balcão para dar um abraço apertado em Holly. — Está com fome? O que posso lhe servir?

— Estou faminta — confessou Holly. — O que você recomenda?

— Ah, você precisa experimentar o meu chá com pãezinhos de minuto e creme. Os pãezinhos acabaram de sair do forno, estão deliciosos e quentinhos. Ou, se estiver realmente faminta, pode tentar um sanduíche aberto, há várias opções para escolher. Ou que tal ambos? Você parece carente de um pouco de mimo — falou ela, encarando propositalmente o rosto machucado de Holly.

Envergonhada, Holly levou a mão ao rosto.

— Foi um pequeno acidente — explicou ela rapidamente, antes de convencer Jocelyn de que o chá com pãezinhos de minuto seria mais que o bastante. Quando o chá chegou, ficou claro que ela fora agraciada com acompanhamentos extras. Jocelyn sentou-se à sua frente.

— Vou apenas descansar as minhas pernas por cinco minutos. Lisa conseguirá se virar sozinha por algum tempo.

— É uma linda casa de chá. Você fez um bom trabalho aqui.

— O mérito não é apenas meu. Minha irmã Beatrice era a responsável pela loja no começo. Quando deixei Harry, ela foi boa o bastante para me dar um emprego, para não mencionar o empréstimo do apartamento no andar de cima. Acabamos nos tornando sócias, e, quando ela morreu, há seis anos, que Deus guarde sua alma, sua filha, Lisa, assumiu sua parte. Amo este lugar; ele me deu minha vida de volta, e quero continuar a trabalhar aqui até o dia em que eu morrer.

— Seu filho também está envolvido no negócio da família?

— Paul? Oh, não — Jocelyn riu, achando a ideia obviamente absurda. — Ele está no exército. Acho que não combinaria muito com um avental.

— Você deve ter muito orgulho dele.

— Ah, tenho mesmo. Paul se saiu muito bem por conta própria, e as coisas poderiam ter sido muito diferentes. — Os olhos de Jocelyn pareceram escurecer, como se uma sombra do passado houvesse caído sobre ela.

— Diferente de que maneira?

Jocelyn gesticulou, como se estivesse afastando a sombra.

— Ah, não é nada. As coisas não foram fáceis para ele, só isso. O pai de Paul era muito rigoroso. Tirar o meu filho da influência dele foi uma das melhores coisas que eu poderia ter feito por ele.

— Lamento que você não tenha tido uma vida melhor na nossa casa.

— Bem, não se preocupe comigo, isso foi há muito tempo. Suas vidas serão mais felizes lá, tenho certeza.

— Você acha? — perguntou Holly, ainda impressionada com a visão que tivera do futuro.

— Sei que sim — confirmou Jocelyn, com um sorriso que fez Holly se sentir segura, sentir que seu futuro estava seguro. — E como Billy está indo com as obras no seu ateliê?

— Você precisa perguntar? Achei que ele vinha mantendo toda a cidade informada do seu progresso.

— Billy pode ser mesmo um terrível fofoqueiro — concordou Jocelyn —, mas ele sabe muito bem que não pode fazer isso perto de mim. Eu lhe daria um puxão de orelha se o pegasse. Não me entenda mal. Não é a fofoca que mais me incomoda, mas o fato de ele nunca entender nada, principalmente porque Billy está sempre tão ocupado falando que não consegue escutar direito.

Jocelyn e Holly compartilharam mais algumas piadas à custa de Billy, antes que Jocelyn precisasse retornar ao trabalho, com o afluxo de clientes aumentando por causa da hora do chá. Holly tentou pagar pelo que consumira, mas Jocelyn se recusou terminantemente a aceitar. E ela não era uma mulher com quem se pudesse discutir.

— Obrigada, Jocelyn, você foi um bálsamo! Precisa me deixar retribuir o favor e vir à minha casa um dia desses.

— Ora, não se sinta obrigada a fazer isso. Não quero tomar seu tempo agora que vai trabalhar na sua escultura — disse Jocelyn, embora seus olhos implorassem para que Holly não retirasse a oferta.

— Eu insisto.

Jocelyn sorriu, animada.

— Tenho um final de semana de folga a cada quinze dias e não estou com nada planejado para o próximo. Que tal eu passar por lá na semana que vem, no domingo, para fazermos um brunch?

— Está combinado — concordou Holly. — Finalmente tenho algo por que esperar, além da volta de Tom para casa.

NÃO DEMOROU MUITO para que a curiosidade se tornasse mais forte que Holly. Já na manhã seguinte, via-se seu bloco de notas e seus lápis cuidadosamente arrumados sobre a mesa da cozinha, mas ela não estava à vista. Holly levara sua xícara de café fumegante para o escritório de Tom e estava impaciente esperando que o computador dele ligasse. Ela não tinha exatamente fobia de tecnologia, mas não via nenhuma atração em particular no mundo virtual que a Internet oferecia. Holly preferia interagir com um mundo que podia experimentar com todos seus sentidos, mas a necessidade exigia, e ela esperava que a rede mundial de computadores lhe desse aquilo que a biblioteca falhara em prover.

Holly digitou cuidadosamente o nome da deusa da lua no mecanismo de busca e quase imediatamente foi presenteada com páginas e mais páginas de links, alguns deles levando a lugar nenhum e outros davam apenas informações mínimas. Foi só quando acrescentou o nome de Charles Hardmonton à busca que acertou no alvo. Ela encontrou um site de pesquisa que não apenas lhe oferecia mais detalhes sobre a última expedição de lorde Hardmonton como também contava tudo sobre como ele caíra em desgraça — informação que teria soado caluniosa na época dele e que não seria encontrada em nenhum livro de pesquisa.

A última expedição registrada de lorde Hardmonton realmente fora ao templo de Coyolxauhqui, no México central. Ele fora um explorador de princípios, e isso o levara a uma disputa com seus companheiros de aventuras e, mais importante ainda, com seus patrocinadores, na Inglaterra. Quando descobriram o templo da deusa da lua, lorde Hardmonton quisera preservar o sítio arqueológico, mas os financiadores da expedição o pressionaram para arrancar tudo o que pudesse do templo e despachar para a Inglaterra. Sob ameaça de uma ação judicial por quebra de contrato, lorde Hardmonton relutantemente desempenhou seu papel naquilo que foi a pilhagem completa do templo.

Holly não pôde deixar de admirar aquele explorador do século 19, mas as aventuras dele ainda não ofereciam nenhuma informação sobre o relógio lunar. Ela suspirou e desceu o cursor pela página. Depois que lorde Hardmonton voltara à Inglaterra, surgiu uma disputa. Fora feito um extenso inventário de tudo o que fora embarcado do México, mas uma das relíquias desapareceu no meio do caminho. Apesar de sua nobre reputação, as suspeitas recaíram sobre Charles Hardmonton. O item que faltava jamais fora recuperado, e Hardmonton nunca mais conseguiu reunir o apoio financeiro necessário para nenhuma nova expedição. Ele se tornou um homem recluso e viveu o resto de sua vida em Hardmonton Hall.

Sem encontrar a informação que buscava, Holly deu um gole no café enquanto continuava a olhar para a tela. A ligação entre a relíquia desaparecida do templo e o relógio lunar era muito tênue, mas ela ainda não estava pronta para desistir. Pesquisou outra combinação de palavras, dessa vez acrescentando "inventário" à busca. Para surpresa de Holly, um dos primeiros links levava a uma fotocópia do inventário original. O item que faltava estava destacado e era descrito como pedra da lua; havia ainda algumas notas de rodapé que forneciam maiores detalhes sobre o tesouro. Era uma grande pedra cerimonial feita de um quartzo cinza não especificado. A pedra era a peça central do templo, e rumores diziam ser a lendária pedra da lua, usada para venerar a deusa da lua, Coyolxauhqui. O texto também sugeria que, em vez de ser usada para sacrifícios, aquela pedra teria sido utilizada para invocar visões.

Em sua pressa para desligar o computador, Holly derramou o café sobre o teclado. Não queria ler mais nada. Ela olhou para a sujeira que fizera com o café, que agora pingava do teclado e escorria em direção aos papéis de Tom. Com um bom motivo para encerrar sua pesquisa, Holly pulou da cadeira e correu para a cozinha, em busca de um pano de prato. Ela pegou o que estava perto da pia, mas, antes de voltar ao escritório, olhou de relance pela janela e sentiu o corpo congelar. Estava observando o relógio lunar.

Até aquele momento a mente de Holly se recusara a confrontar a ideia de que o relógio desempenhara algum papel em sua alucinação — isto é, além de ser a superfície onde batera a cabeça. Agora havia descoberto não apenas uma referência à antiga existência do relógio lunar, mas também — caso sua mente permitisse — uma explicação para a visão que ela tivera do futuro.

O café derramado foi esquecido enquanto Holly fazia o possível para se convencer de que estava tirando conclusões precipitadas — conclusões irracionais — sobre o que acontecera. Afinal, aquela visão não passara de uma alucinação, só precisava continuar a repetir isso para si mesma.

MAIO PARECIA VOAR enquanto Holly se estabelecia em uma rotina tranquila, mas cheia de trabalho. Billy terminara o ateliê em tempo recorde, portanto ela passava as manhãs ali, trabalhando em uma versão em escala reduzida da escultura da Sra. Bronson. Suas tardes eram destinadas às tarefas da casa e as noites divididas igualmente entre esboçar novas peças de arte para satisfazer às exigências de Sam e os telefonemas de Tom, isso sem mencionar as escapadas eventuais à cidade.

O brunch — a tradicional fusão de café da manhã e almoço — com Jocelyn fora um sucesso, e Holly descobriu muito mais sobre a história da cidade. No entanto, quando a vida pregressa de Jocelyn na casa da guarda era mencionada, o assunto era discretamente desviado. Os outros moradores da cidade tampouco pareciam dispostos a discutir o passado de Jocelyn, portanto a curiosidade de Holly permanecia insatisfeita, apesar de suas tentativas.

Holly também desviou de assuntos que não lhe interessavam discutir e manteve as conversas com Jocelyn distantes do relógio lunar. Desde que descobrira a história da pedra da lua, ela esteve cada vez mais determinada a acreditar que a visão não passara de uma alucinação. Sua convicção aumentava à medida que o machucado desaparecia de seu rosto.

Ao afastar os últimos vestígios do pesadelo que a assombrara, Holly apagou a imagem dos olhos inertes de Tom olhando através dela, apagou também a visão da casa da guarda com um jardim de inverno nos fundos, e tirou da mente o caos de uma casa que recebia um recém-nascido, mas não uma nova mãe. A única imagem preciosa que perdurou foi o rosto angelical de Libby, e os dedos de Holly formigavam quando ela se lembrava da maciez daquelas bochechas.

Não era surpresa que a ideia de maternidade consumisse os pensamentos de Holly, especialmente porque agora ela trabalhava com afinco na escultura da Sra. Bronson. À noite, quando fechava os olhos, Holly pensava em Libby e revivia aquele momento em que os corações das duas haviam se conectado. Aos poucos, ela começou a compartilhar do entusiasmo de Tom para terem um filho e sentiu o desejo de ser mãe crescer em seu íntimo — mas ainda como uma chama frágil, que precisava ser alimentada. E, quando a visão do bebê não era suficiente para manter essa chama acesa, Holly usava a raiva que sentia da mãe para instigar o desejo de mudar.

— Estive pensando sobre o futuro — disse Holly a Tom uma noite enquanto se aconchegava na cama, sob as cobertas. Ela tinha sobre os joelhos o ursinho de pelúcia cor-de-rosa que comprara e sentiu uma onda de empolgação ao imaginar as orelhas do bicho sendo puxadas por dedinhos minúsculos de bebê.

— Muito bem, já decidiu o que vai comer no café da manhã? — implicou Tom.

— Estava pensando um pouco mais adiante. Que tal sobre os próximos cinco anos? — Holly prendeu a respiração, esperando atiçar o entusiasmo de Tom.

— Ah — disse ele.

— Nossa, eu estava esperando um pouco mais de empolgação da sua parte — retrucou Holly, sentindo-se desanimar um pouco. — Queria dizer que estou pronta para começarmos a planejar a vinda do nosso bebê, e essa é a resposta que eu recebo?

Houve um longo momento de silêncio, e um medo irracional dominou o coração de Holly.

— Você encontrou outra pessoa — disse ela, ofegante e apreensiva.

— Não seja louca. É claro que não! — respondeu Tom com a voz chocada. — Nem pense em uma coisa dessas. Olhe, me desculpe, sei que esse é um grande passo para você e adoro a ideia de você querer ser mãe. Adoro saber que você está pronta para começar uma família e que quer ter uma casa cheia de filhos. Amo você!

— Espere um minuto — interrompeu Holly. — Vamos planejar um bebê de cada vez, está certo?

— Eu sei, eu sei. É um plano de cinco anos e blá-blá-blá...

— Então qual é o problema? Por que você não está dando pulos de alegria? — perguntou Holly, fazendo biquinho como uma criança petulante, embora Tom não pudesse vê-la.

— A emissora me chamou para uma conversa assim que eu voltar para Londres.

— Por quê? — Holly não estava gostando do tom da voz dele. Ela sabia que o marido ainda se preocupava com o emprego, mas ele já estava fazendo tudo o que haviam lhe pedido... Provavelmente não havia mais nada que ele pudesse fazer.

— A reorganização da empresa não conseguiu deter a crise. Vai haver uma fusão e mais mudanças.

— Mas eles não podem fazer isso! Já fizeram uma bagunça com a sua vida. O trabalho como jornalista é o mais flexível possível, eles não podem mudar mais do que já fizeram! Podem? — Holly sentia as lágrimas ardendo em seus olhos. Ansiara tanto por esse momento em que contaria ao marido que estava preparada para ser mãe. As coisas não estavam saindo como ela planejara, e o momento de euforia tão aguardado foi desaparecendo até morrer.

Em um primeiro momento, ela havia planejado manter a decisão para si até que Tom voltasse para casa, em duas semanas, mas então erguera os olhos para a lua cheia naquela noite, e a vontade que sentira de voltar ao jardim e colocar novamente a esfera de vidro entre as garras de metal a enervava. Precisava reivindicar para si o futuro que o relógio lunar estava tentando lhe tomar.

— A fusão vai implicar mudanças mais radicais, os cortes serão maiores do que qualquer um pode esperar — falou Tom.

— Você vai perder o emprego? — perguntou Holly, o pânico transparecendo em sua voz. O dinheiro que recebia por suas obras não era o bastante para sustentar o casal, ou mesmo um bebê.

— Realmente, não sei. Desculpe-me, Hol, acho incrível você querer começar a fazer planos para uma família, mais do que isso, acho absolutamente monumental, sei quanto deve ter lhe custado chegar a esse ponto e me sinto péssimo por não ter reagido melhor.

— Ei, não se sinta péssimo. Não é sua culpa e, quem sabe, podem vir boas-novas dessa reunião na emissora — Holly costumava ser a mais pessimista dos dois, mas percebeu que naquele momento precisava desempenhar o papel inverso. Tom parecia muito ansioso. — Talvez eles estejam na corda bamba, mas tenham acabado de perceber que precisam de alguém como você para colocar a situação de volta nos trilhos. Posso perceber isso.

— Tenho a sensação de que há duas possibilidades: ou vou perder o emprego, ou eles vão usar essa possibilidade para me coagir a aceitar um trabalho de pesadelo. Mas, bem... ainda não sabemos, e, mesmo se for uma proposta ruim, não preciso aceitá-la. Posso tentar trabalhar como freelancer se o pior acontecer.

— Suponho que... — comentou Holly, melancólica — esse não seja exatamente o futuro seguro que imaginamos, certo? — Sem conseguir sustentar o otimismo, agora ela lutava contra a sensação de ruína iminente. — Hol, não vamos ter certeza de nada por umas duas semanas. Vamos deixar para nos preocupar quando acontecer.

— Você está certo — falou ela em uma voz monótona, que não escondia seu desapontamento. — Talvez durante essa entrevista você possa pedir à emissora para preparar nosso plano de cinco anos para nós.

Holly sabia que não era culpa de Tom, mas não conseguia evitar a sensação de que ele acabava de jogar um balde de água fria sobre aquela chama frágil que eram seus planos de maternidade. Ela se sentiu subitamente mais sozinha do que nunca com Tom do outro lado da linha, a distância parecendo abrir um abismo entre eles. Sua única companhia era o urso de pelúcia cor-de-rosa sentado em seu colo, perscrutando-a. Ela brincou com a etiqueta presa na lateral da cabeça dele e só então percebeu o aviso escrito ali: o brinquedo não era recomendado para crianças menores de dois anos. Talvez esse fosse um sinal de que realmente não se encaixava no papel de mãe, no fim das contas. Não conseguia nem mesmo comprar um ursinho de pelúcia para o bebê.

— Saberemos em duas semanas — repetiu Tom.

Holly mordeu o lábio inferior com força. E não ousou responder, com medo de que as palavras saíssem em um soluço.

— Teremos filhos um dia, eu prometo — acrescentou Tom.

— Você pode ficar no telefone comigo até eu dormir? — perguntou Holly.

— Vou ficar com você para sempre.

4

— Parece que você está precisando se animar — disse Jocelyn a Holly. Jocelyn tinha acabado de chegar para o que se tornara o tradicional brunch de domingo das duas, e logo percebeu que havia alguma coisa aborrecendo Holly.

— Estou bem — disse Holly, tentando tranquilizar a amiga com um sorriso desanimado. Elas estavam sentadas à mesa da cozinha, e Holly ergueu a xícara de chá para esconder os lábios trêmulos e levemente machucados. Desde o telefonema de Tom, ela vinha mordendo os lábios e tentando represar as lágrimas que não admitia extravasar.

— Você não está nada bem. Meus olhos podem ser velhos, mas não são cegos — repreendeu Jocelyn. Ela pegou a sacola que trouxera e retirou uma caixa de cupcakes. — Mas não há nada que não possa ser consertado com um cupcake. Qual você prefere, limão ou nozes?

— Parece que Tom vai perder o emprego. — Holly deixou escapar em um soluço.

— Ah, Holly, sinto muito. — Jocelyn pousou a caixa na mesa e se levantou. A careta que fez denunciava o esforço que aquele movimento custara ao seu velho corpo. — Estas malditas juntas doloridas... — resmungou ela enquanto dava a volta na mesa e puxava Holly para um abraço.

— Você está bem? — perguntou Holly. Agora foi sua vez de se preocupar com a amiga. Estava tão acostumada a ver Jocelyn forte como um touro que era fácil esquecer que ela era uma octogenária.

— Nada que um novo par de quadris não possa consertar — disse Jocelyn, sorrindo. — Lembro de quando costumava ir e voltar daqui à cidade duas ou três vezes por dia... Agora já fico exausta de andar de um canto a outro do cômodo.

— Você deveria ter-me falado. Estou com o carro aí. Poderia ter ido buscá-la na cidade.

— Não nasci velha e me recuso a me acostumar. O dia em que não puder mais ir e voltar por minha própria conta, esse será meu último dia. Muito bem, mas volte a se sentar que vou pegar pratos para esses cupcakes.

Jocelyn voltou a se afundar na cadeira com um suspiro de alívio.

— E o emprego de Tom, quando você vai ter certeza?

— Ele volta na quinta-feira, e foi chamado para uma reunião na emissora de TV. Ele não sabe o que estão planejando, mas não está esperando boas notícias. Mesmo se conseguir manter o emprego, vão querer que acumule mais trabalho. — Agora foi a vez de Holly se afundar na cadeira com um suspiro profundo, em seu caso, de puro desapontamento.

— Tom parece ser um rapaz talentoso, e, pelo que vi na TV, é muito bonito também. Imagino que ele poderia conseguir qualquer emprego que quisesse. Eu mesma lhe daria um emprego — admitiu Jocelyn, com uma piscada de olho.

— Sim, posso imaginar! — Holly riu. — Tom, na verdade, odeia fazer as gravações, por mais confortável que pareça diante das câmeras. Ele prefere mil vezes fazer o trabalho de campo e deixar outra pessoa levar o crédito diante das câmeras. Mas não é apenas a segurança do emprego que está me preocupando — confessou.

— Quer conversar sobre isso? — perguntou Jocelyn.

— Estávamos pensando em aumentar a família. Você não tem ideia de como era difícil para mim sequer pensar na ideia de ser mãe, e, agora, quando acho que estou pronta, está dando tudo errado. Acho que é o meu destino. — Holly ficou surpresa por se sentir tão à vontade para conversar com Jocelyn, que conhecia havia menos de dois meses. Eram poucas as pessoas na vida de Holly com quem ela teria uma conversa dessas, e Jocelyn parecia estar preenchendo uma lacuna que existia nela desde a infância.

— Ainda há muito tempo. Você será mãe um dia, e será uma boa mãe, sinto isso em meus ossos. E, pode acreditar, eles falam muito comigo!

— Você não pensou em ter mais filhos? — perguntou Holly inocentemente. Ela ainda tinha vontade de saber mais sobre o passado de Jocelyn.

A velha senhora olhou pensativa para a amiga.

— Eu me casei tarde, tive meu filho tarde. Estava com 41 anos quando Paul nasceu, mas, mesmo se fosse mais jovem, acho que outro bebê não seria uma boa ideia. Não fui abençoada com um marido igual a Tom. Como marido, Harry era um tormento, e as coisas ficaram piores depois que tive Paul. Acho que, na verdade, ele sentia ciúmes do meu amor pelo nosso filho, por isso seu comportamento ficou muito pior depois que o bebê nasceu.

— Então acho que você não viu a maternidade como uma bênção na sua vida, não é? — arriscou Holly.

— Ah, ao contrário! — retrucou Jocelyn, balançando a cabeça. — Paul foi a melhor coisa que me aconteceu na vida. Harry era um especialista em tortura psicológica. Ele me isolou dos meus amigos e da minha família e aos poucos foi me exaurindo. Se não fosse por Paul, poderia ter sido muito pior.

— O que quer dizer?

Jocelyn estava olhando por sobre o ombro de Holly, na direção da janela e para além do jardim. Havia uma expressão de medo em seu rosto, como se o fantasma do marido pudesse aparecer a qualquer momento na janela.

— Paul salvou a minha vida. Quero dizer que foi por causa dele que finalmente abandonei Harry. Eu não teria reunido coragem para sair daquela casa, mas consegui fazer isso pelo meu filho, embora tenha precisado passar por duras lições antes de perceber isso. — A voz de Jocelyn agora não passava de um sussurro, e as rugas ao redor de seus olhos pareciam ainda mais profundas. Todo o corpo dela estremeceu, apesar do calor do sol matinal que entrava pela janela.

— Você está bem? — perguntou Holly.

— Estou bem. Acho que alguém acaba de passar por cima do meu túmulo. — Mais uma vez, Jocelyn dirigiu um olhar furtivo na direção da janela. — Desculpe, Holly, mas que é muito difícil recordar essa parte da minha vida.

— Não, sou eu que lhe devo desculpas. Acho que não havia percebido quanto foi terrível para você o tempo que passou aqui. Sinto muito — falou Holly.

— Não se lamente, tenha esperança. Não desista ainda de seus sonhos, Holly.

Por uma fração de segundo, Holly não pensou em seus sonhos, e sim em seus pesadelos.

— Talvez eu deva ter mais cuidado com o que desejo — falou. — Agora chega de conversa triste, afinal alguém precisa comer esses cupcakes.

— Chocolate belga? Você passa seis semanas na Bélgica e o melhor que consegue trazer são chocolates belgas? — resmungou Holly, sonolenta. Ela fora acordada abruptamente por Tom, que pulara na cama como um cachorrinho animado, anunciando que estava em casa. Eram 2h30 da manhã.

— Mas veja a embalagem! — respondeu Tom bem alto, para garantir que Holly acordasse completamente.

Ela piscou os olhos, ainda tentando ajustá-los à luz forte do quarto, que Tom acendera propositalmente. Seu coração saltava no peito, em parte pelo susto de ser acordada no meio da madrugada, em parte de alegria pelo retorno de Tom. Holly observou a enorme caixa vermelha de chocolates.

— Não está nem embrulhada para presente! — reclamou ela.

Tom abriu os botões de cima de sua camisa e enfiou a caixa de bombons lá dentro.

— E agora? — Ele estava ajoelhado na cama, com uma perna em cada lado de Holly, prendendo-a contra o colchão. Tom se abaixou e beijou a ponta do nariz dela.— Você está fedendo — provocou ela. — Seria como descascar um dente de alho.

— Descasque, então, Senhora Corrigan.

Ela o beijou, suavemente a princípio, e logo com uma voracidade que despontou das profundezas. Na mente de Holly, ela havia afastado as sombras do passado e, mais importante ainda, as sombras do futuro. Tudo o que precisava estava no presente. Tudo o que precisava era Tom.

A caixa de chocolates desapareceu em um mar de lençóis e de roupas ansiosamente arrancadas.

— Senti saudades — sussurrou ela enquanto descansava nos braços dele. Holly enfiou os dedos nos cabelos desalinhados e puxou a cabeça do marido para trás para poder olhar nos olhos dele. Eram os mesmos olhos que vira durante seu pesadelo ao luar, só que estes cintilavam verdes e não guardavam nenhum traço do sofrimento daquele outro Tom, que a mente perturbada dela havia criado. Por mais que tentasse, Holly não conseguia afastar aquela imagem que acabava de voltar à sua mente. O temor pelo futuro que ela tentara ignorar despertou com força, e Holly foi dominada pela dúvida. E se o relógio lunar houvesse conjurado uma visão? E se realmente houvesse mostrado a ela o futuro?

Tom franziu o cenho ao perceber a expressão de tristeza nos olhos da esposa.

— Você deve estar me odiando por ter feito isso com você — falou ele. — Ter arrastado você para o campo para logo deixá-la sozinha. Sou um péssimo marido.

— Você é o melhor marido que eu poderia querer. Sou abençoada por ser tão amada, nunca se esqueça disso. — Holly apertou Tom em seus braços com força e afugentou as lágrimas e as dúvidas. Completamente desperta e concentrada no presente, ela afastou o marido novamente de modo que pudesse encará-lo. — Espere um pouco, por que está aqui? Você não deveria passar esta noite em Londres, para poder ir à emissora amanhã? O que aconteceu?

Tom suspirou e fechou os olhos. Então, inclinou o corpo para a frente e descansou a cabeça junto à de Holly, como se o peso do mundo estivesse sendo demais para ele.

— As notícias são ruins, não é? — ela quis saber, com o coração aos pulos.

Tom ergueu a cabeça e tentou sorrir. O que ele tinha a dizer não seria fácil, Holly já sabia.

— Ainda tenho um emprego, ou ao menos terei — disse ele, mas Holly sentiu que estava apenas preparando o terreno para o golpe maior.

— Diga — pediu ela com delicadeza.

— Peter Richards está se aposentando no fim do ano e querem que eu seja parte da nova equipe de apresentadores.

— Um novo âncora? Eles querem que você seja um âncora? — Holly estava quase caindo na gargalhada. Em parte de alívio, em parte por pensar em Tom atrás de uma mesa, em um terno elegante, lendo as notícias. — E isso é ruim?

Tom fez uma careta.

— Consegue me imaginar usando um terno engomadinho todo dia? Ah, estou vendo por esse sorriso safado no seu rosto que já está imaginando. Mas não, não são exatamente más notícias.

Holly parou de sorrir quando percebeu que havia mais alguma coisa que Tom estava tentando lhe dizer.

— Bem, isso vai acontecer no fim do ano. Quais são os planos deles para você nesse meio-tempo?

— A fusão tem o objetivo de unir forças com outras duas produtoras, e estou sendo "emprestado". Isso significa mais matérias especiais, que vão envolver muitas viagens. A primeira missão é investigar as areias betuminosas do Canadá, e tenho que partir em duas semanas. O impacto ambiental da extração de petróleo, esse tipo de coisa.

— Você vai para o Canadá? — Holly sabia que era uma pergunta idiota, e Tom teve a delicadeza de morder a língua antes de dar uma resposta engraçadinha.

— Por quanto tempo? — continuou ela.

— Pelo menos um mês.

— E depois disso? — Holly sentia o coração apertado no peito.

— Mais viagens. Sinto muito, Holly.

Os olhos de Tom estavam úmidos, e o coração de Holly ficou ainda mais apertado. Não queria ver Tom sofrendo, de novo não. Ela se inclinou e beijou os olhos dele.

— Beije-me — disse a ele, com firmeza.

— Mesmo cheirando a alho? — perguntou Tom com um sorriso débil.

— Isso me deixa ainda mais faminta.

— Então pode me comer. — O sorriso agora chegou aos olhos dele.

Holly riu, e o som da risada diminuiu o desapontamento. Eles tinham um ao outro — sempre teriam —, disse a si mesma. Então se dedicou a saborear cada beijo, cada carícia, e, quando fizeram amor, Holly se agarrou a Tom como se não pretendesse soltá-lo nunca mais.

Mais tarde, quando já estavam exaustos e não tinham mais nada para saciar o apetite além de uma caixa de chocolates agora muito amassados, Tom e Holly se arrastaram para fora da cama e desceram até a cozinha para atacar a geladeira.

— E então, quando vou ver seu ateliê novo? — perguntou Tom.

— Assim que você estiver vestido e decente. Esta é uma cidade respeitável, e não posso deixar que você saia por aí de cueca. Vai assustar os vizinhos.

— Não estamos sendo espionados — retrucou Tom —, e, de qualquer modo, se sua amiga Jocelyn aparecesse por aqui, ela provavelmente ganharia o dia.

— Jocelyn não vai aparecer. Hoje não. Todos sabem que devem ficar afastados por um ou dois dias. Até mesmo Billy.

— Ah, sim, Billy. Não me importaria de falar com ele.

— Por acaso seria para pedir que ele termine aquela sua tentativa lamentável de arrumar o jardim?

— O novo trabalho vai me pagar melhor. Se não posso estar aqui para fazer eu mesmo o serviço, o mínimo que posso fazer é gastar meu dinheiro suado em um belo jardim para a minha esposa. E talvez assim eu tenha tempo para me dedicar a outro projeto que tenho em mente — respondeu Tom, fazendo mistério.

Holly se lembrou do momento em que se vira sob a lua cheia, de pé sobre um gramado bem cuidado e olhando na direção da casa.

— Que tipo de projeto? — perguntou ela, sentindo o agora já conhecido arrepio percorrendo-lhe a espinha. Tinha a imagem do jardim de inverno na mente, e rezou para que Tom não fizesse essa sugestão.

— Será um assunto entre mim e Billy.

Holly deu de ombros. Não queria ouvir nada que fosse tornar sua alucinação mais concreta.

— Faça como quiser, então — disse ela ao marido.

Tom encarou Holly boquiaberto, chocado e um tanto desapontado por ela ter concordado tão rapidamente. Não estava acostumado a vencer com tanta facilidade.

— Farei — falou ele, amuado e petulante como um menino.

Holly sentiu-se culpada por acabar tão de repente com a brincadeira de Tom e procurou distraí-lo.

— Bem, se quiser ter uma noção do talento de Billy, venha dar uma olhada no ateliê. Até deixo que você vá de cueca. Vamos viver perigosamente.

O tempo estava quente e havia no ar um cheiro úmido de terra molhada. Junho estava desabrochando, e os narcisos da primavera davam lugar às flores de verão.

— Os dentes-de-leão estão indo muito bem — comentou Holly, quando escapuliram da casa descalços em direção ao ateliê. Ela vestia apenas uma regata e a calcinha, e fez o possível para se esconder atrás de Tom.

— Opa, as urtigas também... — disse ele, conduzindo-os ao longo de um caminho estreito e de relva alta, que delimitava a casa e o ateliê.

A porta do ateliê ficava de frente para a estrada e era o único lugar onde corriam o risco de serem vistos.

— Bom dia, Senhora Davis! — gritou Tom, casualmente.

Holly engasgou e se agachou atrás de Tom. Então espiou por cima do ombro do marido e lhe deu um safanão.

— Você não conhece nenhuma Senhora Davis — disse ela. — Agora abra a porta antes que alguém realmente nos veja.

Ultimamente Holly passava a maior parte das manhãs no ateliê, e o lugar espaçoso e bem iluminado era uma segunda casa para ela. Tom, por outro lado, vira o ateliê pela última vez quando ainda era apenas um canteiro de obras. Holly o encarou atentamente, para saborear a reação do marido. Os olhos dele se arregalaram de espanto quando viu as paredes brancas e a luz do sol dançando alegremente pelo piso. Para quebrar a monotonia do branco, Holly dispusera uma variedade de seus próprios trabalhos e uma eclética seleção de fotos e outras imagens que a inspiravam. Algumas fotografias haviam sido penduradas nas paredes e outras estavam suspensas por fios no teto, criando pequenos aglomerados de cor espalhados pelo entorno do ateliê.

Tom atravessou o lugar como se estivesse andando por um bosque encantado.

— É incrível — disse ele, por fim. — Nunca imaginei que ficaria assim! — Ele tocou uma moldura que parecia flutuar em pleno ar. Era uma fotografia dele e de Holly rindo. A foto vizinha fora tirada no dia do casamento deles, e outra foto era de Vovó Edith. — Ela ficaria tão orgulhosa de você — comentou Tom.

A atenção dele foi atraída pelos projetos em andamento. Havia bancadas de trabalho alinhadas ocupando um lado inteiro do ateliê e, sobre elas, algumas peças ainda não terminadas. A área principal de trabalho, que aproveitava ao máximo a luz natural, era o centro do ateliê, e ali um lençol cobria a escultura na qual Holly estava trabalhando. Havia um cavalete próximo, mostrando alguns dos esboços que ela fizera.

— Então essa deve ser a escultura para a temida Senhora Bronson — comentou Tom.

— É uma versão reduzida dela, e ainda não estou completamente satisfeita com o resultado. Ainda tenho um mês para que ela aprove o projeto final, e aí terei até o Natal para completar a peça. Então estarei livre da mulher.

— Posso dar uma olhada? — perguntou Tom. Ele sabia muito bem que Holly detestava que ficasse espiando enquanto ela trabalhava e, muitas vezes, ela se recusava a lhe mostrar o trabalho em andamento até que estivesse certa da aparência final da peça. Ela não queria arriscar ser influenciada pelas opiniões de outras pessoas, pois sempre que isso acontecia o trabalho parecia perder o rumo. Holly decidiu arriscar e tirou o lençol para revelar a escultura. Tinha cerca de um metro de altura e estava assentada sobre uma caixa de madeira que a mantinha no nível dos olhos, facilitando o trabalho.

A parte inferior da escultura era feita de gesso pintado de preto, para representar o mármore que seria usado na peça final. Acima das figuras negras serpenteantes que formavam a base, emergia a figura branca da mãe — ou, ao menos, era isso o que se tornaria aquele emaranhado de tela de galinheiro. Holly fizera mais progressos com a imagem do bebê nos braços da mãe. O rosto da criança era liso e branco, os lábios, no formato de coração, perfeitamente desenhados, e as bochechas, rechonchudas. Holly não se inspirara nas fotografias do filho da Sra. Bronson, que estavam largadas em algum lugar sobre as bancadas, mas no bebê que encontrara em sua visão.

Tom acariciou o rosto da criança delicadamente.

— Ela é linda — falou ele.

Holly sorriu, mas uma culpa traiçoeira espreitava seu coração. Sentia-se constrangida ao observar Tom encantado com os lindos contornos do rosto do bebê, principalmente porque já tivera a visão dele segurando e alimentando aquela mesma criança.

— Mal posso esperar para termos um filho — disse Tom, como se lesse a mente da esposa. Ele olhou para Holly e viu a sombra de dúvida nos olhos dela. — Agora que eu sei o que está acontecendo neste ateliê, podemos começar a falar sobre aquele seu plano de cinco anos.

Holly não queria ter essa conversa naquele momento. Sua resolução de ter um bebê e provar que a visão estava errada, que Sam estava errado, havia se desvanecido. Morrera quando Tom colocara em dúvida sua permanência no emprego e o futuro de ambos. Holly ficou parada diante do marido, muda, sem saber o que dizer.

— Você mudou de ideia, não foi? — disse Tom, quase como uma acusação.

— Não sei. Está tudo tão incerto agora, talvez devêssemos adiar um pouco os planos.

O corpo de Tom ficou tenso, e havia raiva em sua voz quando disse:

— Pelo amor de Deus, Holly, será que o momento perfeito um dia vai chegar?

Holly não ficou surpresa com a frustração de Tom, mas a raiva do marido a chocou.

— Qual é o problema? — perguntou ela. Holly conhecia o marido muito bem e sabia que aquela reação não era apenas por causa da indecisão dela sobre ter filhos.

Tom suspirou, e a raiva deixou seu corpo com o silvo de um balão se esvaziando.

— Estou aceitando o trabalho como âncora porque assim posso dar a você e a qualquer criança que viermos a ter uma vida estável e segura. Se eu tivesse coragem, diria a eles para fazerem o que bem entendessem com o emprego e passaria a trabalhar como freelancer. Mas não faço isso porque quero o melhor para nós... como uma família.

— Ora, por que não passa a trabalhar como freelancer? Estou certa de que você teria bastante trabalho, daríamos um jeito. Meu trabalho na galeria está vendendo bem. Tom, podemos fazer isso se você realmente odeia tanto a ideia de ser âncora de telejornal.

— É um bom emprego. "A cavalo dado não se olham os dentes." E, se isso me permitir passar mais tempo em casa quando finalmente formarmos uma família, então é o que quero fazer. Mas quero que você também queira. Sim, vai ser complicado por um ano, mas depois disso sabemos o que vai acontecer e podemos nos planejar.

Holly riu, mas sua gargalhada tinha um toque de histeria.

— Podemos? Realmente sabemos o que vai acontecer? E se não pudermos ter tudo o que queremos, Tom? E se tudo tiver um preço? — Holly tinha consciência de que estava se equilibrando à beira de um precipício e de que bastaria um empurrãozinho de Tom para que ela lhe contasse tudo sobre a visão que tivera.

Ele ergueu as mãos em desespero.

— Eu a amo, Holly. Amo você com todo o meu coração, com o ar que respiro, com cada osso do meu corpo. Não poderia amá-la mais e jamais vou amá-la menos. Mas às vezes você me deixa louco. Porque não consigo convencê-la de que não vai repetir os erros de sua mãe. O que poderia haver de assustador em criar um bebê? Olhe para a escultura em que está trabalhando. Se você consegue fazer isso com tela de galinheiro e gesso, imagine o que conseguirá fazer com amor. O que temos a perder?

Holly sabia exatamente o que poderia perder, mas precisava se agarrar à realidade. O Tom que estava parado diante dela era real, e o bebê que poderiam fazer juntos também seria real.

— Ela é linda, não é? — comentou Holly, enquanto olhava atentamente para a imagem esculpida do bebê. Nesse momento, as brasas de seu instinto maternal que haviam quase se apagado irromperam em chamas. — Acho que estou pronta para colocar aquele nosso plano de cinco anos no papel. Cinco anos para mim, para você e para quem mais vier.

Tom se aproximou da esposa e inclinou o corpo para beijar-lhe a testa, o nariz... E ficou pairando sobre seus lábios, esperando que ela tomasse a iniciativa.

— Não me diga que quer praticar mais — perguntou Holly em um sussurro. Mais do que nunca, ela precisava que Tom a abraçasse, e ergueu o corpo para beijá-lo. Eles caíram sobre o lençol que jazia no chão, e as carícias gentis logo ganharam um ritmo urgente que afastou os medos de Holly em relação ao futuro, substituindo-os por esperança e expectativa.

JOCELYN ESTAVA DETERMINADA a adiar o costumeiro brunch de domingo com Holly enquanto Tom estivesse lá, mas Holly insistiu. Dali a poucos dias Tom estaria embarcando para o Canadá, mas Holly queria muito apresentar o marido à amiga. Sentia-se como se fosse apresentar um novo namorado aos pais... não que ela já houvesse experimentado essa sensação antes ou mesmo considerado a hipótese, para ser franca.

— A que horas ela vai chegar? — perguntou Tom, nervoso, quando saiu para o terraço banhado pela luz doce do verão.

Holly estava arrumando talheres e guardanapos na mesa do jardim.

— Ah, Jocelyn costuma chegar aqui por volta das onze horas. Vai depender do tempo que ela precisar para desenferrujar as juntas e andar até aqui.

— Você deveria ter dito! Vou pegar o carro e buscá-la na cidade — falou Tom, já se virando para entrar novamente na casa.

Holly agarrou o braço do marido e puxou-o de volta.

— Ah, não, você não vai buscá-la. Jocelyn ficaria furiosa se começasse a tratá-la como uma inválida. Ela acredita que a mente pode mais do que o corpo e nem sequer pensaria em diminuir seu ritmo de vida. Acredite em mim, eu já tentei.

— Santo Deus, terei que lidar com outra dama de ferro. Se eu soubesse, teria convidado Billy também, para ficarmos em pé de igualdade.

— Você já vem se encontrando demais com Billy — acusou Holly.

— Bem, você o verá um pouco mais quando eu estiver fora — retrucou Tom. Ele parecia pronto para voltar para dentro de casa, mas Holly ainda estava segurando a manga de sua blusa.

— Conte — exigiu ela. Holly ignorou o fluxo de adrenalina que correu por suas veias. Sabia o que estava por vir, mas agora tinha um novo talismã para afastar qualquer dúvida sobre seu futuro. Ela e Tom haviam colocado no papel um novo plano de cinco anos, como ela prometera. Holly o escrevera com Tom sentado ao seu lado à mesa da cozinha, com vista para a lua cheia e com plena consciência de que o relógio lunar rivalizava por sua atenção. O plano registrava que o resto daquele ano seria colocado de lado por causa das viagens de Tom; no ano seguinte eles planejariam o bebê número um; no terceiro ano, Tom deveria começar a escrever o livro que vinha adiando desde sempre; e, no quinto ano, talvez — apenas talvez —, eles se preparariam para o bebê número dois. Cinco anos completamente planejados e Holly estaria lá, no futuro, com Tom. Estava escrito em preto e branco, e morrer no parto não estava no plano. Isso simplesmente não era uma possibilidade.

— Bem, olhe na direção da mesa do terraço — explicou Tom enquanto guiava Holly mais para longe da casa, para que a esposa pudesse visualizar seus planos. — Vamos dizer, mais para lá, pouco antes da porta da cozinha, passando direto pelos fundos da casa, em frente à sala de estar e então mais adiante, visualize isso. — Tom agora apontava animado para uma linha imaginária que começava no atual terraço e atravessava o jardim. — Imagine, se puder, uma linda estrutura de metal e vidro, perfeitamente ajustada para absorver o calor do sol e ter a quantidade certa de sombra no fim do dia para que se possa tomar um drinque eventual em nosso novo...

— Jardim de inverno. — Holly terminou a frase em um tom inexpressivo. Ela não precisava visualizar o jardim de inverno, já o vira em primeira mão.

— Então, o que acha?

Holly queria dizer a Tom para rasgar aquele projeto, mas, ao olhar para a expressão de filhote abandonado nos olhos do marido, não conseguiu negar. Isso não significava, no entanto, que a visão que tivera se tornaria realidade, e Holly estava prestes a se certificar disso.

— Acho uma ideia adorável, mas tenho uma sugestão a fazer antes que termine seu projeto.

— Sugira; você é a artista da família, afinal — concedeu Tom.

— Não sei onde você está planejando colocar a porta, mas eu adoraria que fossem portas francesas, colocadas na frente do jardim de inverno. Só para o caso de você estar pensando em colocá-las no lado próximo à cozinha... — Holly prendeu a respiração. Não apenas fora ali que vira as portas em sua visão, como também era o lugar mais lógico para colocá-las. Mas ela estava disposta a sacrificar o lado prático para provar que aquele futuro de sua visão sempre estaria restrito à sua imaginação. Se sua mente podia lhe pregar peças, ela poderia fazer o mesmo.

— Mas assim teríamos que dar a volta por trás para chegar ao pátio, que ficaria em frente à cozinha — argumentou Tom.

— Você acabou de dizer que sou eu a criativa aqui. Confie em mim, vai funcionar melhor. Vai criar um fluxo contínuo a partir da sala de estar, através do jardim de inverno, para o jardim mais além.

A explicação pareceu tão boa que a própria Holly quase acreditou em si mesma e Tom não teve oportunidade de questionar porque, nesse exato momento, a campainha soou. Jocelyn havia chegado.

— NÃO CONSIGO IMAGINAR outra família vivendo aqui — comentou Tom. Ele usara seu talento jornalístico para extrair quase tanta informação de Jocelyn quanto Holly conseguira. Isso em menos de uma hora.

— Mal posso imaginar *você* vivendo aqui, Tom — acrescentou Holly, incapaz de resistir à vontade de implicar com o marido.

Com o sol batendo no rosto, Tom apertou os olhos para encarar a esposa com o que pretendia ser um olhar magoado.

— A distância faz o amor ficar ainda maior.

— Bem, as viagens parecem estar levando você tão longe no mundo que está praticamente se encontrando do outro lado. A que distância precisa ir para provar à sua esposa que a ama, de qualquer modo? — retrucou Holly.

— Ah, até o ponto mais distante. — Tom sorriu, antes de perceber que Jocelyn estava sentada calmamente, observando-os. Ele pigarreou, envergonhado.

— Não se incomode comigo — encorajou-o Jocelyn —, já faz algum tempo desde a última vez que vi tanto amor nesta casa.

— Afinal, o que aconteceu com o cretino do seu marido? — perguntou Tom. Holly ficou boquiaberta. Não conseguia acreditar no quanto ele estava se adiantando, mas, antes que pudesse encará-lo com severidade, para sua surpresa, Jocelyn respondeu:

— Ele se matou — disse ela, candidamente.

O silêncio que se passou entre eles deixou o ar gelado, apesar do sol forte.

— Sinto muito, Jocelyn — falou Tom, por fim, para preencher o espaço que abrira uma indesejada conexão com o passado.

Jocelyn olhou para Holly e pareceu ler a mente da amiga.

— Não, não foi nesta casa — assegurou ela. — Quando fui embora com Paul, Harry não tinha mais motivos para viver. Se querem uma resposta sincera, seria ele ou eu. Pelo bem de Paul, fico feliz por ele ter partido, mas também carrego essa culpa comigo.

— Culpa? Do que poderia se sentir culpada? Você me contou o bastante para eu saber que ele era um homem terrível. Harry fez as escolhas dele, e você, as suas. Jamais se sinta culpada — disse Holly com firmeza.

— Você tem uma esposa e tanto — disse Jocelyn a Tom. — Jamais a deixe escapar.

— Não tenho essa intenção — retrucou Tom.

Holly não pôde evitar pensar na facilidade com que as coisas mudam. A vida é tão tênue, e nada pode ser tomado como certo. Nervosa, ela olhou de relance para o relógio lunar que agora estava meio escondido pela relva, ainda mais alta no verão, e pelas ervas daninhas. Jocelyn seguiu seu olhar.

— Ele veio de Hardmonton Hall... O relógio, quero dizer — disse ela se dirigindo a Holly. — Houve um enorme incêndio que destruiu a mansão nos anos 1970, e o relógio foi uma das poucas coisas que restaram.

— Li sobre isso. Na verdade, a família morreu no incêndio — acrescentou Tom.

— Lorde e lady Hardmonton morreram, sim, mas o filho mais novo deles estava fora no momento do fogo. Ele jamais retornou, e o pouco que restou da mansão foi vendido.

— E é aí que chegamos ao relógio lunar — concluiu Tom.

— Agora entendo por que você ganha a vida fazendo perguntas. — Jocelyn riu. — Sim, quando Harry viu o relógio, não sossegou até conseguir comprá-lo. Não porque tenha gostado da peça, mas porque sabia que eu não gostara. A essa altura já estávamos casados havia um bom tempo. Acho que Paul devia ter uns dez anos de idade e a vida não era boa... não mesmo. — Ela se virou para Tom, antes de continuar, pronta para provocá-lo. — É difícil acreditar, mas o jardim era lindo naquela época. Era uma parte da minha vida sobre a qual eu ainda tinha algum controle, uma válvula de escape, mas Harry fazia o possível para estragar isso também. Ele instalou o relógio lunar bem no meio do meu lindo jardim, apenas para maculá-lo.

Todos se levantaram sem aviso e caminharam até o relógio. Tom fez o melhor que podia para abaixar a relva alta e facilitar a caminhada de Jocelyn.

— Vou deixá-lo bonito novamente — prometeu ele em tom de desculpas. — Assim que parar com todas essas viagens, vou restaurá-lo à sua antiga glória. É uma promessa.

— Muito bem, certifique-se de cumpri-la — respondeu Jocelyn.

Holly ficou parada diante do mostrador, mas sentia-se relutante em tocá-lo. Havia evitado chegar perto do relógio desde que sofrera a queda, e nesse instante, ao ver a pedra tão de perto, ao observar o quartzo cintilando ameaçadoramente sob a luz do sol, quase pôde sentir o choque elétrico que recebeu e que subiu por seu braço quando encostara ali da última vez.

Foi Jocelyn que estendeu a mão, hesitante, e tocou o mostrador.

— Você encontrou o mecanismo — sussurrou ela. Holly pensou ter percebido um leve tremor na voz da amiga.

— Sim, mas ele não parece estar funcionando. Tentamos colocar a esfera de vidro entre as garras, mas não se encaixou direito — explicou Tom.

Jocelyn relaxou visivelmente.

— Não funciona, nunca funcionou — disse ela a Tom. — Mesmo assim, é um bom lugar para os passarinhos pousarem.

— Até agora não vi nenhum pássaro pousado aí — comentou Holly, quase para si mesma. Havia acabado de perceber que realmente nunca vira um passarinho sequer chegar perto do relógio.

— O que mais você sabe sobre o relógio lunar? — perguntou Tom à esposa, erguendo a sobrancelha em uma expressão desconfiada.

Holly sentiu o rosto ruborizar de culpa.

— O que quer dizer? — balbuciou ela.

Tom virou-se para Jocelyn.

— Minha esposa andou fazendo suas próprias pesquisas. Venho esperando pacientemente que ela me revele a história obscura do relógio lunar, mas até agora Holly vem mantendo a informação para si. E nem mesmo se desculpou por derramar café em todo o meu computador.

Ele se virou outra vez para Holly, que estava com a boca aberta, mas não conseguia encontrar palavras para esquivar-se dessa conversa, que a deixava cada vez mais desconfortável.

— Você desligou apenas o monitor, não o computador — explicou Tom.

— Estava apenas tentando descobrir de onde veio o relógio lunar — confessou ela. — Desculpe-me pelo café.

— O que descobriu? — perguntou Jocelyn, novamente hesitante.

— Que existiu um lorde Hardmonton no século 19 que foi explorador — explicou Holly. — Ele descobriu algo chamado pedra da lua, no México, e esse artefato desapareceu em sua viagem de volta à Inglaterra. Talvez ele tenha ficado com a pedra e feito o relógio lunar com ela.

Os olhos de Jocelyn permaneceram com a mesma expressão. Se a amiga sabia mais sobre o relógio lunar, pensou Holly, estava disfarçando bem.

— Não apenas isso — acrescentou Tom, ansioso por compartilhar suas próprias descobertas —; havia uma lenda que dizia que a pedra tinha o poder de invocar visões. Parece haver vestígios de que os astecas realmente acreditavam que eram visões do futuro, embora, se me perguntar, acho que tem mais a ver com as drogas alucinógenas que tomavam. Ainda assim, a informação me faz olhar para o relógio de maneira diferente.

Tom passou os dedos pelas palavras entalhadas na borda externa do mostrador.

— Eu tinha lido isso errado — disse ele às duas mulheres, que pareciam haver se transformado em pedra. Ambas estavam pálidas como o quartzo cinza do relógio lunar. — "O reflexo é a chave para a viagem no tempo."

Os três ficaram em silêncio, e a única coisa que Holly ouvia era o martelar do próprio coração no peito.

— Tudo isso não passa de bobagem — desdenhou Jocelyn, quebrando a magia.

— Acho que você deve estar certa — concordou Tom. — Afinal, se o relógio funcionasse para invocar visões do futuro, por que lorde Hardmonton não descobriu que suas novas instalações elétricas iriam provocar o incêndio que reduziria a mansão a cinzas?

O corpo de Holly vibrou com uma descarga elétrica toda sua, que lhe subiu pela espinha e a fez ver estrelas. Ela teve certeza de que iria desmaiar, por isso, apesar de sua determinação, acabou apoiando a mão sobre o mostrador, para se equilibrar. A pedra estava fria, e Holly sentiu um formigamento quase imperceptível entre a palma da mão e a pedra. Quando sua visão clareou, ela desviou o olhar na direção de Jocelyn, que também olhava fixamente para o mostrador e não retribuiu seu olhar.

— Eu me pergunto se esse negócio poderia me dizer se minha esposa vai queimar nosso jantar esta noite... — brincou Tom.

— Pão e água é tudo o que você merece até colocar este jardim em ordem, meu jovem — repreendeu-o Jocelyn. — Esse mato está espetando as minhas pernas.

Foi só quando a gargalhada deles encheu o jardim que Holly sentiu o relógio lunar afrouxar o domínio que tinha sobre ela.

— Hora de outra xícara de chá — disse Holly a Tom, que guiou as duas mulheres com cuidado até a segurança do pátio.

TOM PARECIA MAIS RELAXADO conforme se aproximava o momento de viajar novamente. O encontro com Jocelyn havia diminuído sua culpa e tranquilizado qualquer medo que pudesse ter sobre deixar Holly sozinha na nova casa.

— Desta vez a diferença de fuso horário será maior — avisou à esposa quando começou a arrumar as roupas na mala, preparando-se para partir bem cedo no dia seguinte. Estavam no quarto, e a janela aberta deixava entrar a brisa suave de verão e o cheiro doce da madressilva que abrira caminho pelo jardim descuidado, espalhando-se pela parte de trás da casa. — Acho que só vamos conseguir nos falar uma vez ao dia.

— Sem exceção — avisou-o Holly. Ela estava debruçada sobre a mala aberta, retirando as roupas colocadas de qualquer jeito, dobrando-as cuidadosamente e voltando a arrumá-las na mala.

— Falando em telefonemas... — Tom começou a dizer.

— Falando em telefonemas, você vai finalmente me contar sobre a longa conversa que teve com a emissora de TV esta manhã?

— Já lhe disse, não foi nada ruim. Ainda o mesmo plano. Vou passar um mês no Canadá, então voltarei para casa por pouco tempo e viajarei de novo. Parece que a próxima matéria será no Haiti, e talvez eu fique ainda mais tempo longe, uns dois meses, acho.

— Isso eu já sabia. O que disseram de novo? — perguntou Holly, desconfiada. Tom já lhe adiantara as más notícias sobre seu próximo trabalho alguns dias antes. E, embora ela não estivesse nada feliz com as viagens dele, nem com o lugar para onde iria, o futuro deles dependia daquilo. Estava escrito no plano de cinco anos que haviam feito, portanto estava tudo bem, e Holly acabara aceitando.

— Eles comentaram sobre quanto estão felizes com meu trabalho diante das câmeras — continuou Tom, um pouco tímido.

— Mas...? — quis saber Holly.

— Querem trabalhar a minha imagem.

Não era segredo para ninguém que Tom preferia estar escrevendo em uma mesa em vez de apresentar um telejornal atrás de uma.. E parte dessa relutância tinha a ver com ter que se submeter a certos padrões no que se referia à imagem. Era inevitável que em algum momento a emissora quisesse mudar a aparência dele.

— Bem, eu já havia imaginado... — Holly riu.

Tom arquejou, fingindo horror.

— Obrigada pelo voto de confiança! Vamos, diga logo. Diga que tenho o rosto perfeito para o rádio.

— Você tem um rosto perfeito — disse Holly. — Seus cabelos, por outro lado...

— Eu sei — falou Tom, afastando constrangido um cacho de cabelo que lhe caiu sobre a testa.

Holly subitamente desatou a rir.

— Eles querem cortar seu cabelo, não querem?

— Não tem graça nenhuma — respondeu Tom, muito sério, mas logo começou a rir também. — A emissora quer que eu tenha uma nova imagem antes de começar a gravar minhas entradas no Canadá.

Holly afastou a mala do caminho e engatinhou sobre a cama até onde estava Tom. Ela passou os braços ao redor do marido e começou a acariciar os cachos negros.

— Então acho que vou ter que beijar cada um deles para me despedir — sussurrou ela.

Quando Tom se juntou a Holly na cama, mal percebeu que por uma fração de segundo o corpo da esposa enrijeceu. Ela tinha acabado de se lembrar do Tom de coração partido de sua visão. O cabelo dele era bem curto. Holly estava cansada da peça que o relógio lunar parecia estar pregando em sua mente e, naquele instante, soube que precisava deixar aquele pesadelo de lado de uma vez por todas.

5

No dia em que Tom partiu para o Canadá, Holly mal conseguiu esperar pelo anoitecer. A noite estava quente e úmida, e ela abriu caminho com dificuldade pela relva alta e ficou parada, desafiadora, diante do relógio lunar. Acima dela, a lua minguante resplandecia e buscava seu reflexo na esfera de vidro que Holly segurava firmemente nas mãos. Ela não queria mais tempo para pensar sobre o que estava fazendo, por isso encaixou a esfera apressadamente no mostrador, tomando cuidado para não deixar seus dedos tocarem o mecanismo de metal ou a própria pedra.

A esfera oscilou e então ficou tão parada quanto a noite que se fechava ao redor de Holly, alimentando sua apreensão crescente. Ela tentou ouvir o intrigante tiquetaquear do relógio — o som que acompanhara a violenta explosão de raios de luar que acontecera na última vez em que o usara —, mas o único som que ouviu foi o roçar das folhas altas da relva, embaladas pela brisa suave. A esfera cintilou inocentemente quando refletiu os raios de luar, mas não tinha nenhum poder próprio, nada que existisse além da imaginação de Holly.

A distância, ouviu o canto de uma coruja que imaginou estar rindo dela. Holly não culpava a coruja. Ela ergueu a cabeça para o céu para deixar escapar um enorme suspiro de alívio, mas o sorriso em seu rosto desapareceu quando Holly encarou o céu. Na noite de sua visão, a lua estava cheia, não tinha a face parcialmente escondida atrás da sombra da Terra. As imagens da lua gravadas na superfície do relógio eram todas de círculos perfeitos. Com relutância, ela percebeu nesse momento que, se o relógio lunar realmente tinha algum poder, ele era ativado pela luz da lua cheia. Com cuidado, usando o polegar e o indicador, Holly tirou a esfera do abraço frágil do mostrador e guardou-a novamente na caixa.

Sentia-se derrotada e desanimada. Precisaria esperar três semanas inteiras até a próxima lua cheia, no final de julho, e era como se a vida dela estivesse sendo colocada no limbo. Já havia sido bastante difícil lidar com a devastação emocional de se ver longe de Tom mais uma vez, mas viver com as dúvidas torturantes e a crescente possibilidade de realmente ter tido uma visão do futuro próximo — em que já estaria morta! — era demais para aguentar.

Naquela noite, Holly ficou rolando na cama, sem conseguir dormir, tentando encontrar algum sentido para tudo o que vira — ou pensara ter visto — durante a alucinação, e também para as conexões que fizera com essa visão. Talvez a batida na cabeça, quando caíra no jardim, houvesse causado algum problema mais duradouro. Talvez ela não tivesse visto um jardim de inverno em sua visão original. Talvez não tivesse visto Tom com os cabelos curtos. E se sua mente simplesmente alterou a memória que guardava da visão depois que Tom lhe contara sobre seus planos? Isso não faria mais sentido? Holly sabia que essa hipótese não explicava os paralelos entre a sua própria experiência e a lenda da pedra da lua, mas a ligação entre o relógio lunar e a pedra da lua ainda era tênue. "O reflexo é a chave", era o que dizia a inscrição, mas o que isso significava? A lua refletia a luz do sol na escuridão da noite. O relógio lunar captava aquela luz e a refletia onde? No futuro?

Holly se perguntou se deveria falar com Jocelyn a respeito do relógio. Será que imaginara o desconforto da amiga quando estiveram parados ao redor do relógio lunar? Jocelyn teria mais segredos a revelar? Ela não poderia compartilhar suas ideias até encontrar mais algumas peças do quebra-cabeça e não faria isso até a lua cheia. Holly sacudiu a cabeça para se soltar do emaranhado de teorias que dera um nó em seus pensamentos.

Não foi surpresa que durante cada noite que se seguiu Holly parecesse dormir cada vez menos, enquanto a lua encolhia em um sorriso cada vez mais insinuante, antes de começar a abrir sua boca larga, pronta para engolir a frágil esperança de Holly de que tudo poderia ser explicado por uma simples pancada na cabeça.

ENQUANTO O RELÓGIO LUNAR ocupava os pensamentos dela durante a noite, era a escultura da Sra. Bronson que ocupava seus dias. A imagem do bebê estava irretocável, suas curvas suaves e delicadas guardavam tantas semelhanças com Libby que o coração de Holly ficava apertado cada vez que olhava para ela — o que fazia com frequência. A imagem da mãe também estava quase concluída, e ela segurava o bebê nos braços de um modo que fazia os próprios braços de Holly ansiarem por sentir o peso da criança. A mãe envolvia a figura miúda como se o bebê fosse a mais delicada das flores, mas também havia alguma coisa naquele abraço materno que sugeria uma força férrea.

Holly recuou para examinar o protótipo. Suas mãos estavam cobertas de pó depois de tanto buscar e corrigir imperfeições, para deixar as linhas mais suaves e as curvas mais refinadas. Estava quase terminada, mas ainda assim Holly franziu o cenho ao examiná-la. Ela deu a volta lentamente na escultura, examinando cada centímetro da forma espiralada e dos pontos de transição onde a pedra negra se encontrava com a branca. O protótipo não tinha a elegância que teria a versão final, mas, a não ser por isso, tudo parecia estar como deveria. Sem se dar por satisfeita, Holly afastou-se mais alguns passos até estar praticamente na porta do ateliê, checando o trabalho a uma boa distância. Havia alguma coisa na pose que ela estava achando errada, embora fosse precisamente o que desenhara em seus esboços iniciais.

Os olhos de Holly se desviaram na direção do cinzel, mas ela se deteve antes de pegá-lo. Em vez disso, deixou escapar um suspiro profundo.

— Está bom o bastante para a Sra. Bronson — disse a si mesma com um toque de irritação.

Era meio de julho e, embora o prazo para terminar o protótipo fosse final de julho, a Sra. Bronson não estava conseguindo esperar e vinha perturbando Holly havia dias. Holly sabia que precisava confiar e aceitar que aquilo era o melhor que conseguiria produzir. Ela se encostou na porta do ateliê, com uma expressão resignada. Infelizmente, nesse exato momento, a porta se abriu para fora e o corpo de Holly caiu no vazio.

— Cuidado! — gritou Billy, agarrando Holly antes que ela chegasse ao chão.

Suspensa a menos de meio metro do chão e confiando nos braços de Billy para impedir que ela caísse, Holly levantou os olhos e encontrou o olhar do contramestre, que se debruçava sobre ela. Ele deu um sorriso simpático e balançou a cabeça.

— Não se pode confiar em vocês mulheres quando estão sozinhas — falou Billy, deixando escapar um suspiro.

— Posso cuidar muito bem de mim mesma — retrucou Holly, aborrecida.

— Mulheres… — comentou ele, com um brilho travesso nos olhos.

— Você já pode me soltar, Billy — sugeriu Holly.

— Você manda — falou ele, soltando-a.

Holly aterrissou no chão com as articulações estalando.

— Obrigada, Billy! — disse ela, esfregando os cotovelos enquanto se esforçava para levantar. — A propósito, o que está fazendo aqui?

— Apresentando-me para o dever, madame — Billy fez uma continência. Como Holly o encarou sem entender, ele continuou. — Seu marido me contratou para construir um jardim de inverno.

— Ahã… — Holly franziu o cenho. — É tudo o que eu precisava mesmo…

— Ah, espere até vê-lo pronto. Vai ficar espetacular — falou Billy, efusivo.

— Ah, posso imaginar perfeitamente — disse Holly em um suspiro, imitando o entusiasmo de Billy e acrescentando um toque de sarcasmo que apenas ela tinha como apreciar.

— Bem, imaginar é só o que pode fazer. Concordei com o projeto de Tom, mas não vou mostrá-lo. Você já fez confusão o bastante mudando a posição das portas. Tom quer que o produto final seja surpresa.

— Isso pode ser mais difícil do que você pensa — retrucou Holly.

— Suponho que não haja nenhuma chance de você ficar longe do jardim nas próximas duas semanas, não é?

— Nenhuma — confirmou Holly. — Vou lhe dizer o que vou fazer — acrescentou ela, quando viu os ombros de Billy se curvarem em desapontamento. — Vou desviar os olhos sempre que passar pela obra e prometo não ir espiar.

— Negócio fechado. Vamos começar a trabalhar depois do fim de semana.

— Ótimo. Até a próxima semana, então — despediu-se Holly.

Billy olhou mais além, para a escultura, e obviamente estava prestes a dar sua opinião de especialista.

— Vejo você na segunda-feira — disse Holly, antes que ele tivesse chance de falar.

— Poderia ficar bom se... — começou ele.

— Vá embora, Billy — disse Holly com um pouco mais de firmeza, mas abafando uma gargalhada.

Com o contramestre fora do caminho, ela pegou o telefone e ligou para a Sra. Bronson. Se conseguisse que a cliente fosse ao ateliê na semana seguinte, então estaria adiantada em seu cronograma e teria tempo para trabalhar em algumas outras peças para a galeria, como prometera a Sam. Isso, claro, presumindo que a Sra. Bronson gostasse do protótipo em escala reduzida. Holly continuou a examinar a escultura enquanto agendava o encontro com a Sra. Bronson pelo telefone. E voltou a franzir a testa, incomodada.

Só esperava que fossem suas próprias inseguranças que estivessem fazendo que olhasse para a peça com ligeiro desagrado. O tema "mãe e filho" seria sempre um desafio, mas Holly não tinha imaginado o tamanho desse desafio.

Ela suspirou, afastando os fantasmas do futuro. Com sorte, a Sra. Bronson teria um gosto descomplicado e veria a escultura como Holly pretendera: um retrato simples e idealista da relação entre mãe e filho.

A SEPARAÇÃO ENTRE HOLLY E TOM agora era maior não apenas em termos de distância. Os efeitos emocionais eram mais amplos do que o Oceano Atlântico que se estendia entre eles. Ela estava preparada para as dificuldades que os diferentes fusos horários causariam em seu relacionamento de longa distância, mas não contara com o caos que Tom deixara para que encarasse sozinha, graças ao relógio lunar.

Holly percebeu que fora inocente ao achar que poderia lidar sozinha com a situação bizarra em que se encontrava. Seus pais negligentes a deixaram à deriva, mas, quando Tom surgiu em sua vida, ele se tornou sua âncora. O plano original de cinco anos determinara o curso da vida de Holly, mas fora Tom, e apenas ele, que deu a ela a estabilidade por que tanto ansiara. Os próximos cinco anos deveriam ser de calmaria, e, para Tom, ter um bebê e uma esposa era fundamental para que aquele plano desse certo.

Com a lua cheia a apenas alguns dias de surgir no céu, Holly precisava mais do que nunca do marido. Ela se perguntou como ele reagiria se lhe contasse sobre a alucinação que tivera e como ela estava — mesmo que vagamente — inclinada a aceitar que aquilo fora uma visão do futuro. Ele provavelmente reservaria lugar no próximo voo para casa. Tom lhe daria apoio, é claro, mas jamais entenderia seus medos. Não fora ele que caminhara por uma casa em que o ar estava pesado de luto. Tom não sentira o coração partir diante da visão da pessoa que ele amava desmoronando, e não vira Libby, com os olhos verdes mais lindos e perfeitos, encarando-o de volta, sem ser capaz de tomá-la nos braços naquele momento, ou jamais, caso a visão fosse tão profética quanto ela começava a suspeitar. Por isso, quando Holly pegava o telefone e fazia a costumeira ligação internacional para Tom, ela deixava que o som da voz do marido acalmasse seus medos e não dava nenhuma pista de sua ansiedade crescente.

— Como Billy está indo com meu projeto? — perguntou Tom, ansioso.

Era meio da tarde em Fincross, e o sol estava alto, quebrando recordes de temperatura no ano. Teria sido um lindo dia para sentar no jardim, se Holly tivesse permissão para sair no que agora se tornara um canteiro de obras. O terraço, onde Holly, Tom e Jocelyn haviam desfrutado o brunch de domingo, fora desmantelado, e seus alicerces haviam sido estendidos até o jardim de inverno.

— Estou sob ordens estritas de Billy de não espiar por nenhuma janela ou ir até o jardim, portanto como vou saber o que está acontecendo lá?

— Mas tudo está saindo como o planejado?

— Billy ainda está reclamando sobre a posição das portas e não para de encher meus ouvidos. Tive que recrutar Jocelyn e usar a influência dela para impedir que ele mudasse o projeto sem eu saber.

— Bem, ele não deixa de ter razão. Ainda não estou convencido de que aquele seja o melhor lugar para as portas.

— Eu já lhe disse que sou eu a criativa da família. Sei o que é melhor — tranquilizou-o Holly.

— Por falar em criatividade, você já encontrou com a temida Sra. Bronson?

— Ela foi embora não faz muito tempo — disse Holly a Tom, enquanto se sentava diante da mesa da cozinha e pegava um sanduíche.

— E? — quis saber ele.

— Ela adorou o protótipo, graças a Deus. — Holly se recostou na cadeira para aproveitar a sensação de alívio que se apossou dela. Não conseguia parar de sorrir.

— Não fico nada surpreso. Parecia incrível quando eu vi, mesmo ainda não estando terminada. Você pode me mandar uma foto, por favor?

Ela se recusara a mostrar a peça pronta a Tom até que a Sra. Bronson houvesse aprovado o projeto. Sabia que o marido adoraria, mas a Sra. Bronson era a cliente, e era ela quem precisava gostar.

— Vou mandar — prometeu Holly.

— Então, ela não pediu nenhuma alteração?

— Bem, não saí dessa história assim tão incólume. A senhora Bronson fez questão de ressaltar que seu querido filho tem um rosto mais longo e um furinho no queixo. Tive vontade de lhe dizer que ela deveria se sentir grata por eu ter baseado a escultura em um bebê bem mais bonito, mas o cliente tem sempre razão.

— Portanto, é claro que a escultura final será mais parecida com o filho dela — acrescentou Tom.

— É claro — disse Holly, com um sorriso travesso.

— Mesmo?

— Como você pode duvidar de mim? Se ela quer as feições feias de seu bebê imortalizadas, por que eu faria diferente?

— Talvez porque é o seu trabalho que estará sendo imortalizado?

— Bem, nunca pensei na situação dessa maneira... Talvez eu deva repensar.

— Como se já não tivesse feito isso. — Tom riu. — Bem, espero que não abandone nossos bebês se eles forem feios.

O sorriso de Holly se apagou por um momento, e ela ficou feliz por Tom estar do outro lado do telefone, e não à sua frente.

— Nossos bebês serão lindos — disse Holly, antes que o silêncio ficasse muito eloquente. Ela fechou os olhos, e um rosto familiar surgiu em sua mente.

— Serão, se forem parecidos com você.

— Desde que tenham os seus olhos — falou ela. Ainda de olhos fechados, Holly viu Libby encarando-a e teve que apertar bem as pálpebras para afastar o fantasma daquela imagem.

— Meus olhos, mas seu nariz. E sua boca. E seus cabelos. Lindos bebês que vão crescer para serem tão lindos quanto a mãe deles — continuou Tom com absoluta certeza. — Bem, as garotas serão assim. Pode me chamar de antiquado, mas não tenho tanta certeza sobre meninos com longos cabelos louros.

Holly riu, e o som afastou a tensão que vinha crescendo dentro dela. Era por isso que precisava de Tom em sua vida, para tornar tudo normal, simples e seguro.

— Você já planejou tudo, não foi? Provavelmente até já escolheu os nomes — acusou-o.

— Eu? É você quem gosta de todos esses planos! Embora, já que mencionou o assunto, eu tenha andado mesmo brincando com algumas ideias de nomes — admitiu Tom.

— Não me diga que escolheu um punhado de nomes esquisitos agora que está prestes a se tornar uma celebridade.

— Não me lembre disso… Tenho uma reunião marcada com o cabeleireiro para logo. Não consigo acreditar que a emissora está me fazendo passar por isso. Mas não, sem nomes ridículos. Estava cogitando a ideia de chamar um de nossos meninos de Jack, em homenagem ao meu pai.

— Muito bem — retrucou Holly, cética. — E vou ignorar novamente a referência a termos hordas de filhos.

— E eu gostaria muito, muito mesmo que batizássemos nossa primeira menina com o nome da vovó.

— Edith? — Holly fez uma careta.

— Não, eu não seria tão cruel. O segundo nome da vovó era Elizabeth. Poderíamos chamá-la de Beth, Eliza, ou até mesmo Lizzy, um diminutivo.

— Ou Libby — acrescentou Holly, a tensão retornando ao seu corpo com a sutileza de um soco no peito.

— Ei, é perfeito. Nossa pequena Libby. Já posso até imaginá-la.

— Eu também — sussurrou Holly.

Eles se despediram e, quando desligou o telefone, Holly desejou desesperadamente que a vida pudesse voltar a ser simples como antes. Ela queria acreditar mais uma vez que o amanhã era uma página em branco, pronta para ser preenchida, e que enquanto permanecesse em branco o amor deles poderia criar um novo mundo adiante. Com alguma sorte, a lua estaria prestes a provar que o relógio lunar não passava de um enfeite de jardim e, mais importante que isso, que o futuro de Holly estava escrito apenas em seu plano de cinco anos, em vez de ter sido capturado pelos reflexos de um relógio lunar.

— VOCÊ ESTÁ DIFERENTE — comentou Holly com o marido enquanto examinava a foto que ele mandara para o telefone dela. Na segurança de seu quarto, cercada por um mar de travesseiros e enrolada no edredom, ela se protegia do medo da lua cheia que já subia no céu.

— Diferente de um jeito bom ou ruim? — quis saber Tom. O pequeno eco em sua voz parecia mais nítido nessa hora da noite e enfatizava a distância entre eles.

— Apenas diferente — repetiu Holly. A qualidade da foto não era das melhores, e obviamente fora o próprio Tom quem a tirara, com o braço esticado diante de si e a decoração neutra do quarto de hotel ao fundo.

Ele parecia mais magro e suas feições, mais angulosas, sem o costumeiro halo de cachos. Embora Holly se lembrasse vagamente da imagem de Tom com cabelo curto de sua visão, fora o vazio nos olhos dele que mais chamara sua atenção durante a alucinação. Nas águas tranquilas da realidade, ela estava com a cabeça desanuviada e era capaz de ter uma opinião mais crítica sobre o novo corte de cabelo.

Holly não duvidava que Tom fosse parecer tão bonito como sempre com os cabelos arrumados e um terno combinando, mas ao vê-lo com os cabelos curtos, ela sentiu um inesperado aperto no peito. Estava acostumada com um Tom desalinhado, que era o seu Tom... e que estava indo embora em mais de um sentido.

— Vou me acostumar — acrescentou ela, hesitante.

— Você não gostou — gemeu Tom do outro lado da linha. — E pensar que foi você quem sempre me encheu a paciência para cortar os cabelos.

— No passado, eu sugeri que você o mantivesse aparado e arrumado. E me lembro, sim, de ter arrastado você para o banheiro em certa ocasião para lavá-lo. E admito também que uma vez, apenas uma vez, cortei uns dois cachos cheios de nós enquanto você dormia.

— Você praticamente me escalpelou!

— Você está parecendo elegante, agradável. Os telespectadores vão adorar.

— Agora você só está querendo ser gentil. Fale mais — encorajou-a.

Holly acalmou Tom, que, assim como Sansão, sentia-se emasculado pelo simples ato de cortar os cabelos. Quando puxou as cobertas ao seu redor, o olhar dela foi atraído na direção da janela do quarto. Ela havia acendido todas as luzes ali dentro para neutralizar os raios de luar que tentavam invadir sua paz.

Holly contara os dias até a lua cheia, mas agora considerava confiar apenas em sua razão para descartar a ideia de que houvesse um poder latente no luar. Realmente queria testá-lo?

Enquanto ainda conversava com Tom, Holly saiu relutante da cama e se esgueirou até a janela. Ela afastou as cortinas e tentou abrir a persiana. A face enigmática da lua iluminou-a, e Holly deixou escapar um suspiro de resignação.

— Está cansada? Quer que eu desligue? — perguntou Tom, interpretando o suspiro como um bocejo reprimido.

— Ainda não — respondeu Holly, sentindo um espasmo de medo e ansiedade lhe apertar o peito.

Mas ela não conseguiria manter Tom ao telefone a noite toda. Por isso, fingiu que ele a estava induzindo a um sono tranquilo e deu um último boa-noite com um gosto amargo de culpa na boca.

As paredes pareceram se fechar ao redor de Holly quando ela colocou o fone no gancho. O ar parecia ter sido sugado para fora do quarto, e Holly sucumbiu à necessidade urgente de sair em disparada da casa, levando um casaco e calçando os tênis no caminho. Parando apenas para pegar a caixa de madeira na cozinha, ela seguiu em frente. Só quando suas mãos tocaram a pedra fria do mostrador foi que ela percebeu que não estava correndo *da* casa e sim *para* o relógio.

A CHUVA DE VERÃO que caíra durante o dia deixara a noite de julho pesada e úmida, e, enquanto Holly tentava recuperar o fôlego diante do relógio lunar, o suor já escorria por sua nuca. Ela enrolara o cobertor ao redor da cintura e esperava não precisar dele.

Algumas nuvens brancas estavam espalhadas no céu, e a maior delas escondia a face perfeitamente redonda da lua. Holly pousou a esfera com cuidado entre as garras de metal do mostrador e apertou os olhos com força, esperando por um espetáculo ofuscante de luz e torcendo muito para que ele não acontecesse.

Depois de um ou dois segundos esperando ansiosa, Holly abriu um dos olhos e olhou ao seu redor. Logo percebeu o sussurro reconfortante da relva alta a seus pés. A distância, os galhos das árvores no pomar se curvavam ao peso das frutas que cresciam. Holly, que estava prendendo a respiração, deixou escapar um suspiro de alívio.

— Está vendo, Holly, nenhuma mágica, nenhum vodu. — Ela estendeu a mão para pegar novamente a esfera e nesse momento uma rajada de vento atingiu o jardim, agitando a relva ao redor dela. A nuvem que estivera escondendo a face da lua se afastou e os raios de luar se projetaram avidamente na direção do mostrador.

A ponta do dedo de Holly mal entrara em contato com a esfera quando esta cintilou e reviveu. Finas linhas de luz apareceram na superfície do relógio. Sentindo o dedo tremer, ela afastou a mão no momento em que uma explosão de raios de luar dançava pelo jardim. Holly fechou bem os olhos e segurou com força na borda do mostrador, para se equilibrar, enquanto a realidade lhe escapava pelos dedos e ela se via sugada para dentro de um abismo.

Ela podia sentir o relógio quase zumbir com a eletricidade, mas se manteve agarrada à pedra como se disso dependesse sua vida. Um relógio tiquetaqueou em seus ouvidos até se perder lentamente na distância.

Não foi apenas o choque elétrico que recebeu do mostrador que tirou o fôlego de Holly, nem o espetáculo ofuscante dos raios de luar que dançavam ao redor dela, mas sim a súbita queda de temperatura, quando a brisa morna de verão se transformou em um vento cortante de inverno.

Holly vestiu o agasalho que trouxera consigo e sentiu o suor em sua nuca ficar gelado. Ela piscou várias vezes para tentar afastar as manchas deixadas pela luz em sua vista e enxergar os arredores, mas não precisava da visão perfeita para confirmar as mudanças. A relva alta já não roçava em suas pernas, e era como se seus pés estivessem enfiados em baldes de gelo. Enquanto lutava para clarear a visão, Holly percebeu por que sentia tanto frio. Estava parada sobre meio metro de neve, e as manchas que via não eram efeito das luzes fortes em seus olhos, eram flocos de neve girando ao seu redor.

Holly sentiu-se congelar em poucos segundos e soube que não poderia de forma nenhuma ficar onde estava, por mais que quisesse. Não tinha escolha a não ser buscar abrigo na casa e encarar fossem quais fossem os horrores que a aguardavam. Além do manto branco de neve, a luz da janela da cozinha era como um farol na direção dela. As únicas outras luzes na casa vinham da sala de estar, como um brilho quente parcialmente escondido pelo jardim de inverno. Holly estava determinada demais a alcançar a segurança da casa e o calor que esta prometia para se preocupar com o que estava acontecendo ou prestar atenção nos detalhes ao seu redor. Foi só quando alcançou a lateral da casa que ela finalmente parou por um instante para organizar os pensamentos.

Não havia dúvida alguma de que, fosse o que fosse que ela estivesse vivenciando, era a mesma coisa que lhe acontecera antes. Holly não queria usar o termo *viagem no tempo*, mas o que estava acontecendo não poderia ser explicado por algo tão simples como uma alucinação. Dessa vez não houvera nenhuma batida na cabeça ou trauma físico. Ela sabia onde estava, só não sabia exatamente em que momento do tempo. Com certeza não era em uma agradável noite de verão.

O olhar dela se desviou na direção do jardim de inverno, e a primeira coisa que percebeu foi que as portas francesas, que ficavam na lateral da estrutura em sua última visita, já não estavam lá. Do ponto onde estava, ela não conseguia ver a frente do jardim de inverno, mas não precisava. Holly sabia que era lá que estariam as portas... afinal, era onde ficariam na estrutura que Billy estava terminando de construir. A mente dela ainda se esforçava para encontrar uma explicação racional para tudo isso. Se essa era uma visão do futuro, então ela conseguira mudá-lo de algum modo. Da mesma forma, se fosse uma visão criada por sua própria imaginação, então obviamente as portas teriam mudado de lugar. Ou seja, a posição das portas não provava nada.

Holly deu uma última olhada na direção do relógio lunar enquanto se preparava para entrar na casa, como se o estivesse desafiando a lhe dar alguma pista de seus poderes. O relógio se recusou a encará-la de volta, havia se recolhido sob o manto de neve. Holly estava prestes a se virar quando algo lhe chamou a atenção e ela precisou de alguns segundos para descobrir o que era. Um par de pegadas marcava a grossa camada de neve que separava a casa do relógio, mostrando o caminho que ela tinha seguido na direção da porta dos fundos. Holly espiou entre os flocos de neve para olhar as pegadas mais de perto, em especial as que estavam mais distantes, perto do relógio. Embora estivesse nevando bastante, a quantidade de neve que caía não deveria ser o bastante para cobrir as pegadas dela tão rapidamente; as marcas diante de seus olhos estavam sendo apagadas devagar. As pegadas que estavam mais perto da casa foram as últimas a desaparecer, e Holly observou incrédula enquanto a neve cobria os buracos em forma de pé com absoluta precisão. Em um instante, a camada de neve sobre o gramado parecia intocada, como se Holly nunca houvesse caminhado sobre ela.

Holly se virou rapidamente e abaixou a maçaneta da porta dos fundos, mas sua mão escapuliu. Ela se lembrou do esforço que fora necessário para abrir a porta da última vez e agarrou a maçaneta com urgência renovada. Precisava se afastar o mais rápido possível da tempestade de neve que estava invadindo não apenas os arredores, mas também seu cérebro.

A cozinha estava aquecida, segura e, felizmente, vazia. Holly fechou os olhos e se apoiou contra a porta. Podia sentir os flocos de neve derretendo em seus cabelos e escorrendo por seu rosto.

Era como se fossem lágrimas, mas Holly não se arriscaria a chorar naquele momento. Precisava estar forte para enfrentar o que a esperava.

Ela estremeceu e tentou afastar a tensão que ameaçava paralisá-la. Quando abriu os olhos, a cozinha estava exatamente como ela temia: um caos de pratos sujos e coisas de bebê. A mesa da cozinha estava uma bagunça e havia um jornal meio aberto ameaçando cair pela beirada. Holly pegou o jornal e procurou a data de publicação. Era janeiro de 2012, dali a 18 meses. Ela soube então que não podia mais negar que viajara no tempo, mas seu objetivo principal nesse momento era simplesmente continuar firme para atravessar o mais rápido possível esse pesadelo e chegar ao outro lado.

Ela estava prestes a recolocar o jornal no lugar quando percebeu uma mancha circular de queimadura na mesa. Holly esfregou os dedos na madeira, mas a marca parecia ser um ferimento de guerra permanente — o qual ela jamais vira. Embora o tique-taquear do relógio que marcara sua chegada houvesse desaparecido, Holly ainda sentia o tempo correr. Precisava de respostas, e sua única esperança de entender o que estava acontecendo — ou, para ser mais precisa, o que poderia acontecer no futuro — era seguir em frente, explorando os arredores.

Ela deixou a cozinha e parou do lado de fora da sala de estar. A porta estava entreaberta, e, embora não houvesse muito ruído, a sombra dançando pelas paredes pertencia a Tom, disso Holly tinha certeza. O coração dela martelava contra o peito, mas Holly sabia que precisava entrar na sala. Não importava se essa situação tivesse sido provocada pelo relógio ou pela mente dela, a verdade era que estava ali por uma razão e precisava encarar o futuro.

Holly atravessou a porta da sala de estar e ficou parada o mais próximo da parede que era fisicamente possível. Tom estava olhando em outra direção, ajoelhado sobre um trocador. Libby estava deitada no trocador, as perninhas chutando furiosamente o ar, e Tom lutava para vesti-la com um macacão rosa. Holly ficou grata por estar tão colada à parede, porque, quando Libby se virou e sorriu diretamente para ela, suas pernas ficaram bambas e a parede foi um apoio bem-vindo.

Tom acompanhou o olhar da filha e se virou na direção de Holly, mas apenas franziu o cenho, curioso. Holly sentiu o coração pesado por ele não perceber a presença dela mais uma vez.

— Para o quê está olhando, sua monstrinha? — brincou Tom, fazendo cócegas na barriga de Libby. A menina arquejou e riu com prazer.

Bastou o sorriso de Libby para aquecer Holly por dentro, e ela desejou se ajoelhar ao lado de Tom e se juntar à brincadeira. Sabia, no fundo do coração, que Libby era realmente sua filha e sentiu uma vontade desesperadora de segurar o bebê no colo. Constatar que o impulso de segurar Libby era mais forte do que o de fugir desse pesadelo deixou Holly intrigada.

— Agora fique aqui enquanto vou preparar sua mamadeira — disse Tom a Libby, depois de vesti-la.

Quando ele se levantou e se virou na direção dela, Holly ficou aliviada por ver relances de seu antigo Tom, não o homem assombrado pelo sofrimento que vira da última vez. Os cabelos dele ainda estavam curtos e bem penteados, embora suas roupas — jeans e camiseta — estivessem mais surradas e amassadas que da última vez. Mas foram os olhos dele que mais tranquilizaram Holly: eram verdes e brilhantes, talvez um pouco vermelhos, mas não vazios ou desesperados.

Incapaz de lidar com a sensação de ser completamente ignorada pelo marido, Holly fechou os olhos quando ele passou por ela. Com Tom fora da sala, Holly se abaixou no chão, perto de Libby, para olhar melhor a menina. Libby havia crescido desde a primeira vez em que Holly a vira, mas os olhinhos continuavam muito verdes e as bochechas, gorduchas. Holly não sabia o bastante sobre bebês sequer para arriscar a idade de Libby agora. Haviam se passado três meses desde a última visão provocada pelo relógio lunar, e Holly não duvidava que a menina estivesse três meses mais velha. Mas não saberia dizer se Libby teria quatro ou nove meses. Pelo canto dos olhos, ela percebeu um urso de pelúcia cor-de-rosa. Era o mesmo que comprara em sua ida a Londres para se encontrar com Sam e a Sra. Bronson.

Holly franziu o cenho.

— Você não deveria estar brincando com isso. Posso não saber muita coisa, mas sei que com certeza você não tem dois anos de idade — disse ela a Libby. A menina arquejou e se agitou, empolgada, ao ouvir a voz de Holly. Ela acariciou-lhe a bochecha, e Libby esticou o bracinho e agarrou o dedo de Holly com um sorriso.

Holly levantou a mão pequenina e beijou-a delicadamente.

— Olá, linda — disse Holly. Ainda segurando seu dedo com firmeza, Libby começou a chutar as perninhas para o alto novamente, e Holly copiou a brincadeira de Tom e fez cócegas na barriga da menina.

Holly soltou o dedo e passou as mãos sob o corpo de Libby. Não sabia como Tom reagiria ao ver a filha sendo carregada pelo ar por uma mulher invisível, mas Holly não se importava, precisava desesperadamente segurar Libby no colo. O corpo da menina, no entanto, parecia colado ao chão. Assim como na última visão, por mais que se esforçasse. Holly não conseguia erguer a filha nos braços. Ela sentiu lágrimas de frustração arderem em seus olhos.

— Desculpe, desculpe... Gostaria de saber o motivo, mas simplesmente não consigo segurá-la no colo — sussurrou Holly.

O sorriso no rosto de Libby se apagou e foi substituído por um cenho franzido quando ela ergueu os olhos para a mãe. Holly forçou um sorriso e esticou a língua para fora. Libby gorgolejou satisfeita em resposta, e seu sorriso voltou.

Holly acariciou os cabelos louros e macios da filha, mas logo ouviu Tom voltando da cozinha.

— Amo você, Libby — sussurrou Holly, dando um beijo na testa da menina. As palavras saíram antes que Holly tivesse tempo para pensar no que estava dizendo, mas pareciam certas. Fosse Libby fruto da sua imaginação ou não, ela sabia que estava experimentando o mais puro amor materno pela primeira vez na vida.

Quando Tom voltou, Holly se colocou em um canto da sala e observou enquanto o marido pegava Libby.

— Hora de se despedir e ir para a cama, minha fofinha — falou ele. E virou-se para sair da sala, levando a mamadeira em uma das mãos e Libby apoiada em seu ombro. Sendo carregada em direção à porta, Libby estendeu a mão na direção de Holly, tentando agarrar a mãe antes que ela desaparecesse de vista.

— Boa noite, durma bem, meu anjo — disse Holly em um sussurro.

Sozinha novamente, Holly se sentiu perdida e assustada de novo e se perguntou o que deveria fazer. Ela olhou ao redor da sala, que era muito semelhante àquela com a qual estava acostumada. Havia algumas coisas a mais que poderiam ser atribuídas à chegada de Libby, e também novas almofadas espalhadas e um tapete que era exatamente da cor que Holly vinha procurando em diversas lojas. Também havia uma pilha de cartões abandonada sobre a prateleira, perto do gato de porcelana que Tom havia comprado para ela em Covent Garden, no primeiro encontro oficial dos dois.

Holly tentou mas não conseguiu retornar o sorriso do gato, quando sua atenção se voltou para a pilha de cartões. Ela pegou o que estava por cima com quase a mesma dificuldade que tivera para pegar Libby, mas acabou conseguindo. Quando percebeu, com um estremecimento, que era um cartão de condolências, deixou-o cair. Uma nuvem de poeira a envolveu como um manto.

Ela se afastou rapidamente e foi na direção da lareira, onde correu o dedo sobre o topo do console, como se fosse uma enfermeira-chefe inspecionando a limpeza de uma enfermaria. O console também estava coberto por uma camada de poeira. Tom obviamente tinha mais coisas com que se preocupar além das tarefas domésticas, mas Holly não conseguia deixar de pensar que não era bom para Libby ficar em um cômodo tão empoeirado. Incapaz de se conter, ela puxou a manga do agasalho para limpar a poeira da melhor forma possível. Quando recuou para admirar o serviço, viu com horror uma nova camada de poeira se assentar em segundos.

Holly sentiu que não pertencia àquele lugar, mas estava determinada a não fugir apavorada. Talvez sua vida dependesse disso. Havia poucas coisas na sala que poderiam lhe oferecer alguma pista, e ela decidiu continuar sua exploração no escritório. Holly se esgueirou para fora da sala de estar e apurou os ouvidos, tentando ouvir Tom. Ele estava no andar de cima, dando mamadeira a Libby, e Holly resistiu à vontade de subir e assistir ao ritual dos dois antes de dormir. Em vez disso, passou pela escada e entrou no escritório, que estava envolto em sombras, iluminado apenas pelo luar que atravessava a janela. Holly se arriscou e acendeu um abajur, surpresa ao perceber a facilidade com que mexeu no interruptor. Talvez sua presença estivesse se fortalecendo, assim como sua determinação em descobrir sentido em tudo aquilo.

A escrivaninha de Tom parecia mais ocupada do que ela jamais vira. Holly espiou as folhas soltas de trabalho e viu várias anotações de pesquisa e roteiros que combinavam com a nova posição de âncora que ele já teria assumido, caso ela estivesse realmente 18 meses no futuro. Havia anotações a lápis nas margens de algumas folhas na letra de Tom — embora a agudeza das notas e a dureza dos comentários não lembrassem em nada o estilo dele. Havia uma raiva tangível naquelas notas.

Holly finalmente achou o que procurava na prateleira de uma estante de livros. Era uma caixa, com uma única palavra escrita a mão na lombada. Dizia apenas *Holly* e, diferentemente das anotações nos roteiros, Tom sem dúvida se empenhara em escrever cada letra com perfeição. Dentro da caixa estavam documentos oficiais e cartas, tudo relacionado à morte de Holly, mas havia apenas um documento que apontaria a ela o seu destino.

As mãos de Holly tremiam quando ela desdobrou o atestado de óbito. O documento dizia que a causa da morte fora um aneurisma em 29 de setembro de 2011, acompanhado de complicações no parto. Holly respirou fundo e se concentrou na sensação do sangue fluindo em suas veias e no coração batendo acelerado no peito. Definitivamente, estava viva.

— Não se pode acreditar em tudo o que se lê — disse a si mesma, forçando um sorriso e ignorando o peso que aquela descoberta colocava em seus ombros.

Ao ouvir passos suaves descendo as escadas, Holly rapidamente colocou os documentos no lugar e apagou o abajur. Ela saiu para o corredor no exato instante em que Tom entrava na cozinha. Ele voltou em segundos com um copo em uma das mãos e uma garrafa de uísque na outra. Holly o seguiu até a sala de estar, embora com certa relutância. Algo na expressão do marido causara nela um mau pressentimento.

Tom se sentou pesadamente no sofá e encarou a garrafa em sua mão. Ele parecia esvaziado, assemelhava-se menos com o homem que havia deixado a sala com Libby nos braços e mais com o fantasma da visão anterior de Holly. Ela o observou da porta, incomodada com a sensação de desolação que se espalhava por toda a sala e vinha em sua direção. Sentiu a necessidade de manter uma rota clara de fuga, para o caso de precisar usá-la. Tom se serviu de uma dose generosa de uísque e girou o líquido dourado no copo, o olhar perdido em suas profundezas.

Ele arquejou de repente, como se estivesse reprimindo um soluço. Holly se assustou e esbarrou na porta, que fechou um pouco. Tom olhou diretamente em sua direção e, por um segundo, Holly sentiu o olhar do marido sobre ela, mas a conexão não durou muito tempo. O rosto de Tom se ergueu imperceptivelmente, como se em expectativa, mas logo uma onda de dor varreu qualquer sombra de esperança.

Ele balançou a cabeça e voltou novamente sua atenção para o copo.

— Olá, Holly — sussurrou ele. — Sei que está me vendo. Sei que está balançando a cabeça e me dizendo para me aprumar. Então por que não entra por essa porta agora? Por que não entra e me diz para arrumar toda essa bagunça?

— Arrume essa bagunça, Tom — ordenou Holly. Embora falasse em um sussurro, ela desejou que o marido a ouvisse.

Tom não deu o menor sinal de que a tivesse ouvido, mas ainda assim respondeu:

— Não consigo. Não consigo nem limpar o pó, porque fico imaginando suas digitais em cada superfície, em tudo o que você deve ter tocado, e não posso suportar tirar isso da minha vida... Do mesmo modo como *você* foi arrancada da minha vida.

Holly teve que sufocar a tristeza que as palavras dele lhe causavam e sentiu-se dividida entre a vontade de correr até Tom e a de correr para longe dele. Mas não fez nenhuma das duas coisas; ficou parada onde estava, enquanto ele continuava a falar com seu fantasma.

— Eu deveria ter sido ator. Sei fazer as pessoas acreditarem que estou bem. Voltei ao trabalho e, desde que haja alguém por perto para me ver atuar, pareço ótimo. Sou bom com essa fantasia de estoico. Mas aquele não sou eu de verdade, Holly. Só você conseguiria enxergar o meu *eu* de verdade nessa atuação. Ah, Holly, Deus, como eu amo o som do seu nome! Você não acreditaria na quantidade de pessoas que simplesmente evitam dizê-lo. Devem achar que vou me debulhar em lágrimas se disserem seu nome na minha frente. Eu, me debulhar em lágrimas? Isso é uma piada.

Tom riu, mas o som parecia oco. Holly tinha se aproximado mais enquanto ele falava, enquanto ele tentava alcançá-la. Ela se sentou com cuidado ao lado dele e colocou a mão em seu ombro, movendo os dedos em uma carícia delicada na nuca de Tom. O pescoço estava rígido de tensão e, quando Holly tentou aliviar um pouco a dor, ele se inclinou alguns milímetros na direção da mão dela e seu corpo relaxou.

Ele fechou os olhos.

— Ainda não vou chorar — disse Tom, quase em um soluço. Então um breve sorriso surgiu em seus lábios trêmulos. — Você conhece essa sensação, não é, Hol? — O sorriso estremeceu e o desespero logo voltou às feições dele. — Não vou permitir. Não posso permitir. — Tom se inclinou para a frente, como se estivesse tentando se enrolar sobre si mesmo, como uma bola. A cabeça estava apoiada contra o copo em sua mão, e ele rolou o copo contra a testa, como se tentasse esfriar os pensamentos. — Não —

sussurrou ele entredentes. — Não! — repetiu, as palavras saindo como soluços furiosos. — Não vou chorar.

Holly passou os braços ao redor de Tom e o apertou com força, desejando que ele sentisse sua proximidade. Todo o corpo dele estremeceu e as primeiras lágrimas escorreram, silenciosa e suavemente pela rachadura da represa que ele havia construído contra a tristeza. Então o choro veio em uma torrente, eram lágrimas que nem mesmo Tom poderia conter.

O corpo dele estava retorcido de dor. O copo balançou, e a bebida respingou no chão.

— Não consigo nem beber até esquecer! — gritou ele, deixando o copo de lado, perto da garrafa no chão.

— Você vai ficar bem, Tom — disse Holly, enquanto o embalava nos braços. Ela também sentia um enorme aperto no peito. Sentia a pressão de uma vida inteira de lágrimas crescendo em seu íntimo, e cada soluço de Tom era como um martelo arrebentando sua própria fortaleza emocional. — Deixe a dor ir embora, não a reprima. Deixe ir — falou Holly, dando a Tom o conselho que ela mesma se recusava a seguir.

— Eu amo você, Holly — balbuciou Tom. — Nunca lhe disse o bastante o quanto eu a amo. Gostaria de poder voltar no tempo e lhe dizer o quanto a amo só mais uma vez, só mais uma. Ainda a amo, Holly. Sempre vou amá-la.

Tendo os soluços se abrandado e o sofrimento de Tom aliviado por um instante, o tiquetaquear de um relógio ecoou pela sala. Holly ainda o abraçava, embalando-o suavemente, como se ele fosse um bebê que ela não podia segurar nos braços. Seu peito estava pesado, e seu corpo parecia drenado de toda força. Então o corpo de Tom ficou rígido quando outro som cortou o ar. Libby estava chorando. Ela acordara com os soluços do pai.

Holly sentiu o coração bater com mais força ao ouvir o choro da filha, mas o aperto em seu peito também era consequência do relógio puxando-a de volta no tempo. O choro de seu precioso bebê ecoou nos ouvidos de Holly até que restasse somente o sussurro suave da brisa em uma noite de verão.

6

Nos dias que se seguiram à lua cheia, Holly ficou surpresa ao ver como vinha conseguindo se sair bem. Depois de sua última visão, estava de tal modo dominada pela onda de emoções desorientadoras que parecia entorpecida pelo choque. Não conseguia sequer começar a ver sentido em sua viagem impossível e implausível ao futuro, por isso nem tentou. As conversas com Tom ao telefone eram tão doces e despreocupadas quanto sempre haviam sido e, ao menos uma vez na vida, Holly não sentia culpa. Estava em profunda negação, e, se mentia para alguém, era para si mesma. Sentia-se ótima e não precisava procurar sentido no que lhe acontecera; tinha seu plano de cinco anos, e um dia completaria a lista que fizera, então olharia para trás e riria daquele instante de insanidade.

Na maior parte do tempo, Holly era deixada por sua própria conta. Billy já havia terminado a parte principal da obra do jardim de inverno e passou para outros trabalhos enquanto o reboco das paredes secava. Sam Peterson entrara em contato, desesperado para que Holly completasse logo as obras que lhe prometera para a galeria. Ela lhe assegurou que logo o abasteceria com um novo estoque. Na verdade, Holly ansiava mesmo por passar mais tempo no ateliê, empenhando sua mente no trabalho — especialmente trabalhos que não tivessem nada a ver com maternidade. A encomenda da Sra. Bronson permaneceu intocada.

Foi apenas no domingo depois da lua cheia que o abençoado isolamento de Holly chegou ao fim. Jocelyn era aguardada para o costumeiro brunch. Holly sequer considerou a hipótese de desmarcar e optou por se esforçar em preparar uma manhã perfeita. Ela decidiu assar um bolo para Jocelyn. O que poderia ser mais normal do que assar um bolo?, pensou, com um sorriso fixo que estava começando a fazer os músculos de sua face arderem. Holly desconfiava que se acostumara a usar aquela máscara até dormindo.

Meia hora antes do combinado para a chegada de Jocelyn, o bolo estava no forno, e Holly preparava uma calda de caramelo. Ela fizera o mesmo bolo antes, sob o olhar vigilante da mãe de Tom... Mas, para ser sincera, fora Diane quem fizera a maior parte do trabalho. Parecera bastante simples na época, mas, assim que Holly desviou os olhos do fogão, a calda começou a borbulhar e, depois disso, tudo desandou.

Quando Jocelyn chegou, Holly estava encolhida em um canto da cozinha, com os joelhos colados no peito e a cabeça abaixada. Ela havia passado dias fugindo do futuro e agora não conseguia nem lidar com o presente, por isso recuou para dentro de si.

Lembranças de sua infância inundaram sua mente, levando-a a um tempo em que ficar encolhida de medo em um canto era normal. Às vezes fazia isso para tentar bloquear as discussões regadas a álcool entre os pais, mas também havia outros motivos. Holly aprendera rapidamente a se refugiar no quarto quando as festas de sua mãe estavam a pleno vapor; mas às vezes essas festas duravam dias e ela precisava deixar a segurança do próprio quarto e se esgueirar pelo andar inferior em busca de algo para comer. Na maioria das vezes ela tinha sorte, mas, se a mãe a visse de relance, a atmosfera da festa congelava no mesmo instante e a mulher avançava bêbada na direção da filha. Para os convidados, ela parecia uma mãe extremosa, que estava levando a filha para um canto a fim de verificar se estava tudo bem. Mas as mãos supostamente amorosas que ela pousava nos braços de Holly afundavam com força na carne e o olhar preocupado não escondia a reprovação. Em um rosnado quase inaudível, a mãe a agredia com palavras violentas, enquanto Holly implorava para que ela a soltasse. Mas a mãe não soltava não até Holly estar chorando como um bebê. Só então ela largava a filha encolhida no canto mais próximo. A mãe então se afastava, rindo, dizendo às pessoas ao seu redor que a filha viera com defeito, que estava com um vazamento, e perguntava se poderia pedir uma troca. A sala explodia em gargalhadas, e Holly encolhia mais o corpo, como uma bola, tentando abafar as lágrimas. Ela ficava ali até que alguém tivesse pena dela — normalmente um estranho, nunca o pai ou a mãe — e a tomasse pela mão, dando-lhe a mais curta rota de fuga da multidão. Holly então disparava para o seu quarto, onde enfiava a cabeça sob os travesseiros, em uma tentativa de bloquear o barulho, principalmente o das risadas.

Não foram gargalhadas que ela ouviu agora, mas o som familiar de uma voz amiga, quando uma mão foi estendida para ajudá-la a se levantar.

— Holly? Você está bem? O que aconteceu aqui? — perguntou Jocelyn, preocupada.

Holly levantou os olhos, desamparada. Quando encontrou o olhar da velha senhora e a sensação de segurança que ele lhe passava, conseguiu trazer os pensamentos de volta para o presente. Holly até deu um sorriso quando olhou para a mão estendida, sabendo que se aceitasse o gesto era mais provável que Jocelyn acabasse sendo puxada para baixo em vez de ajudá-la a se levantar.

Holly ficou de pé sem ajuda e respirou fundo.

— Queimei o bolo — contou ela. Ela estava com os punhos cerrados com força e suas unhas deixavam marcas na palma das mãos. Para Holly, a dor era bem-vinda, porque impedia seu cérebro de pensar demais. As lágrimas queimavam seus olhos, mas ela se recusava a deixá-las cair.

Jocelyn franziu o cenho, mas deu tempo para que Holly se acalmasse virando-se para a porta da cozinha e abrindo-a para deixar sair o cheiro da calda de caramelo e do bolo incinerados.

— Foi bom eu ter trazido alguns bolinhos da casa de chá— falou Jocelyn, depois que um pouco da fumaça ácida havia se dissipado. Ela retirou uma caixa de bolinhos de sua sacola antes de se voltar novamente para Holly. — O que aconteceu? — repetiu a pergunta, esperando por uma resposta adequada dessa vez.

Holly ergueu um pano de prato que estava sobre a mesa da cozinha e revelou uma marca circular de queimado na madeira.

— Ah, entendo — comentou Jocelyn, com cautela. Ela sabia que mesmo aquele desastre não era o bastante para justificar o estado quase catatônico de Holly, mas não disse mais nada. Em vez disso, preferiu ganhar tempo e se ocupar arrumando parte da bagunça em que ficara a cozinha depois do desastre culinário de Holly. Com a facilidade de uma dona de casa experiente, Jocelyn conseguiu dar um jeito no caos e preparou um bule de chá bem forte em questão de minutos.

Com as mãos trêmulas, Holly levou a xícara de chá aos lábios e deu um gole na bebida quente. Ela olhou para Jocelyn por cima da borda da xícara e se perguntou não apenas por onde deveria começar, mas se teria coragem para fazer isso. Como iria explicar o motivo de uma marca de queimado na madeira da mesa tê-la enchido de tamanho terror?

— Preciso que Tom volte para casa — sussurrou Holly.

— Está com saudades de Tom? Ah, querida, logo ele estará de volta. Deve vir para casa logo, não é? Ou alguma coisa mudou? É por isso que você está chateada?

Holly negou com a cabeça. Até ali, se recusara a buscar sentido em suas visões. A cada vez que algo em sua vida atual criava uma conexão com suas visões ela procurava outra explicação. O jardim de inverno, o corte de cabelo de Tom, as portas mudando de posição, até mesmo o urso de pelúcia rosa; ela explicara tudo isso como coincidências, ou como peças que sua mente lhe pregava. Mas a marca na mesa era diferente. Aquela marca de queimado era o prego que faltava em seu caixão. Entre o caos do caramelo queimado e a atitude impensada de transferir a panela quente do fogão para a mesa, Holly não mudara o seu futuro, ela o confirmara.

Ainda tentando afastar esses pensamentos, Holly continuava a se agarrar a uma necessidade.

— Só precisava que Tom estivesse comigo agora — disse a Jocelyn.

— A viagem dele não vai durar para sempre, e você mesma vive dizendo o quanto isso vai ajudar na carreira dele. No fim, valerá a pena, quando ele conseguir um bom emprego em Londres. Então, vocês terão o resto de suas vidas para recuperar o tempo perdido. E, quando você tiver a casa cheia de crianças, de vez em quando vai lembrar do passado e sentir saudades da paz e da quietude que tem agora — acrescentou Jocelyn com uma risada jovial, que tinha a intenção de deixar o humor de Holly mais leve, mas que só conseguiu fazê-la afundar ainda mais em desespero.

Holly colocou a xícara de volta no pires, mas suas mãos tremiam tanto que a asa escapou de seus dedos e o que sobrara do chá se espalhou pela mesa.

— Por que sou tão atrapalhada? — choramingou, levantando-se para pegar um pano de prato antes que a bebida derramada alcançasse o lado de Jocelyn na mesa.

Quando se virou de volta, Jocelyn já estava ao seu lado. Ela pegou o pano da mão de Holly, deixou-o sobre a mesa e abraçou a amiga.

— Conte-me o que há de errado — pediu Jocelyn.

— Não posso — sussurrou Holly. — Estou tão assustada, Jocelyn! Nunca me senti tão assustada em toda a minha vida.

Jocelyn abraçou Holly com mais força quando sentiu o corpo da amiga tremer de medo. E começou a esfregar as costas dela.

— Está tudo bem, estou aqui. O que quer que esteja acontecendo, vai ficar tudo bem, eu prometo.

Holly levantou os olhos para Jocelyn. Como sua vida teria sido diferente se tivesse uma mãe como ela. Mas ao menos a amiga estava com ela agora, e Holly não teria que lidar sozinha com seu pesadelo, não mais.

— Estou ficando louca, mas sei que, se disser em voz alta, só tornarei tudo real, e não quero que seja real — explicou Holly, lutando para reprimir as lágrimas.

— Querida, conte-me o que está acontecendo. Não pode ficar guardando tudo para si mesma. Eu prometo que não vou julgá-la.

Holly prendeu a respiração em um esforço para controlar o corpo trêmulo e deixou escapar um soluço reprimido. Ela olhou dentro dos olhos de Jocelyn, e a segurança que encontrou na expressão da amiga lhe deu força para falar o impronunciável.

— Eu vou morrer — sussurrou Holly — Vou morrer, mas não quero morrer. Não quero deixar Tom destroçado. Não quero deixar Libby sem mãe.

Ela finalmente respirou fundo, mas assim que parou percebeu que o corpo de Jocelyn ficara tenso. A amiga soltou-a e recuou um passo para também encarar Holly nos olhos.

— Como você sabe de tudo isso? — perguntou ela, hesitante.

— Foi o que eu vi. Não sei como. — Holly soluçou. — Não sei como funciona, mas tem alguma coisa a ver com o relógio lunar. Ele não está quebrado. Está funcionando, e acho que mostrou o meu futuro. Mostrou que vou morrer no parto, em 29 de setembro do ano que vem.

— Você precisa de um copo d'água para curar esses soluços — disse Jocelyn, virando-se para a pia da cozinha.

— Você ouviu o que eu disse? Ou estou ficando completamente louca, ou o relógio lunar me fez viajar no tempo e me mostrou que vou morrer — sussurrou Holly, horrorizada com a ideia de estar fazendo papel de doida. É claro que Jocelyn pensaria que ela estava louca, o que mais deveria pensar?

A mão de Jocelyn tremeu quando ela passou um copo cheio de água fria para Holly, que estava perturbada demais para perceber. Ela pegou o copo, mas, em vez de beber a água, levou o vidro à testa para esfriá-la. Não conseguia encarar Jocelyn nos olhos.

— Ajudaria se eu lhe dissesse que eu também morria?

O copo escorregou entre os dedos de Holly, mas ela o salvou bem a tempo de evitar mais danos à mesa. Holly voltou a se sentar, pois suas pernas pareciam estar prestes a ceder.

— Não estou entendendo — disse ela, quase gaguejando. Uma fagulha de esperança se acendia em seu coração.

— Eu também usei o relógio, Holly. — Jocelyn se sentou na cadeira ao lado da amiga e tomou as mãos dela entre as suas. — Sinto tanto, tanto. Eu deveria ter dito alguma coisa quando vi que tinha ressuscitado o relógio, mas tive a esperança de que você não descobrisse com ele funcionava, que não precisasse usá-lo.

— Você viu sua própria morte e mudou isso? — Holly apertou as mãos de Jocelyn, agarrando-se à esperança que agora parecia cintilar. Já era quase suficiente saber que não estava ficando louca, que tudo aquilo não era apenas um desvario de sua mente. E mais: Jocelyn não estava apenas dizendo que o relógio lunar tinha o poder de mostrar o futuro, mas também que o futuro poderia ser modificado.

Jocelyn assentiu, e Holly experimentou uma sensação de controle que não sentia havia dias.

— Conte-me, conte-me o que aconteceu. — Ela mordeu o lábio e esperou pela explicação.

Jocelyn soltou a mão de Holly e afundou o corpo visivelmente na cadeira. Ela permaneceu calada por um bom tempo, e Holly não teve certeza de que iria realmente falar. Quando começou, foi em um sussurro trêmulo, quase inaudível.

— Eu já lhe contei sobre Harry, sobre como ele era e por que o abandonei. Bem, isso é apenas meia-verdade. Harry era uma pessoa má, mas foi através do relógio lunar que vi como as coisas poderiam ficar piores, muito piores... — A cabeça de Jocelyn estava abaixada, e ela encarava as próprias mãos, como se estivesse se lembrando do tempo em que morava na casa da guarda. — Foi então que o deixei, entende? Para evitar os problemas que viriam.

Holly continuou sentada, como hipnotizada, enquanto Jocelyn erguia os olhos na direção da janela da cozinha. Podiam estar no auge do verão, mas o dia parecia frio e fúnebre do lado de fora. De onde estava, Jocelyn não conseguia ver o relógio lunar, mas obviamente sentia a presença dele.

— Isso foi há muito tempo, e tentei me convencer de que fora apenas um sonho esquisito e complicado — disse Jocelyn. — Era muito mais fácil do que viver com a culpa. — Jocelyn olhou de relance para Holly e deu um sorrisinho débil antes de voltar os olhos novamente para a janela.

— O que aconteceu? — perguntou Holly.

— Fiquei horrorizada quando Harry cravou o relógio no meio do jardim, o que era exatamente a intenção dele. O jardim era meu refúgio, a única parte da minha vida que eu podia controlar, e ele também queria destruir isso.

— Por que você ficou com ele?

— Eu era uma dona de casa sem amor e sem nenhum talento especial, e Harry passara muitos anos destruindo a minha autoconfiança. Simplesmente eu não acreditava que conseguiria me virar sozinha e, mais importante, que conseguiria sustentar Paul.

— E o relógio lhe mostrou que você seria capaz? — perguntou Holly.

— Não, o relógio lunar me mostrou o que aconteceria se eu não fosse. — Jocelyn fez uma pausa, ainda tremendo de medo. — Para encurtar a história, vi um futuro em que eu não era mais capaz de aguentar a tortura física e mental de Harry. Tirava minha própria vida, Holly. Foi o ato máximo de egoísmo, principalmente porque, sem ter a mim para ridicularizar e humilhar, Paul se tornou o próximo alvo de Harry.

Apesar do horror pelo que Jocelyn lhe revelava — uma história que havia acontecido nessa mesma casa —, Holly sentiu o coração mais leve.

— Então é possível mudar o futuro que o relógio lunar lhe mostra? — Holly sabia que estava se repetindo, mas vira um lampejo de esperança e precisava se agarrar a ele.

— Não é fácil. Tudo tem um preço.

Holly balançou a cabeça, desprezando o aviso de Jocelyn.

— Eu faria qualquer coisa para mudar o que vi. Em minha visão, entrei nesta casa e tive que assistir a Tom sofrendo demais, sofrendo por mim. A pior parte foi ficar parada lá, bem na frente dele, sem que Tom pudesse me ver. A lembrança dele olhando através de mim me provoca arrepios na espinha.

— Ah, lembre-se de que "o reflexo é a chave". É assim que o relógio lunar funciona. A luz do sol é refletida sobre a superfície da lua, e é essa luz emprestada que é refletida no futuro através do relógio lunar. Mas você é um reflexo, não está ali realmente.

— Então é por isso que Tom não pode me ver. Mas ainda não entendo... Porque Libby pode me ver, estou certa disso.

— Libby? Ela é o bebê que você teve?

— Ah, Jocelyn, ela é linda. Você precisava vê-la. Na verdade, já viu, ela é o bebê em que baseei minha escultura — acrescentou Holly, com orgulho.

Jocelyn sorriu.

— Então, sim, ela é linda. Holly, gostaria de poder lhe explicar por que sua filha consegue ver você, mas não sei tudo. Até mesmo Charles Hardmonton nunca entendeu exatamente como funcionava o relógio.

— Ele era o explorador sobre o qual eu li a respeito, não é? Então ele realmente usou a pedra da lua para fazer o relógio lunar.

Jocelyn assentiu.

— Sei que sua presença é mais forte quando está diretamente sob a luz da lua, mas acho que às vezes não importa o quanto o reflexo seja forte, as pessoas se recusam a ver o que está bem diante delas. Um adulto, principalmente, não consegue aceitar o que não deveria estar ali, mas uma criança talvez consiga.

— Paul podia vê-la?

Jocelyn negou, balançando a cabeça.

— Ele era mais velho e estava muito, muito furioso.

— Porque você o havia abandonado?

Foi a vez de Jocelyn abafar um soluço.

— Ele tinha razão de me odiar, ainda tem.

— Por que ele ainda teria razão para odiá-la? Você o salvou, não é verdade?

— É complicado. Há muito mais coisas que você precisa saber sobre o relógio lunar e suas regras. — As lágrimas escorriam livremente pelo rosto de Jocelyn.

Em uma inversão de papéis, agora era Holly que tentava acalmar Jocelyn. Ela foi até o armário da cozinha e pegou um pedaço de papel-toalha.

— Muito bem — falou Holly —, sou toda ouvidos. Diga-me tudo o que preciso fazer para mudar as coisas.

— Há tanta coisa... Por onde devo começar? — disse Jocelyn, quase para si mesma. Ela estava olhando para o papel em suas mãos, que torcia sem parar com os dedos trêmulos. — Há o diário, é claro. Ele me foi dado pouco depois de Harry comprar o relógio e explica tudo o que se sabe sobre como ele funciona. Não olho para esse diário há quase trinta anos, nunca mais quis vê-lo. Quando deixei esta casa, não quis mais ver o relógio ou qualquer coisa que tivesse a ver com ele.

Agora foi a vez de Holly segurar a mão trêmula de Jocelyn.

— Preciso saber. Tenho um plano de cinco anos a cumprir, lembra? Como posso me tornar mãe se não vou viver o bastante para segurar o meu bebê no colo?

Holly deu um tom jovial à voz, com a intenção de acalmar o choro de Jocelyn, mas apenas intensificou os soluços dela. Jocelyn levantou os olhos para encarar Holly com uma expressão desesperada e balançou a cabeça, em desalento.

— Sinto muito, Holly, sinto muito. Eu deveria ter destruído o relógio, ou ao menos o mecanismo. Não deveríamos interferir em nossos futuros, é um fardo pesado demais para carregar.

— Não chore, por favor. — Holly procurou acalmar Jocelyn, determinada a não deixar que o medo da amiga invadisse seus próprios pensamentos.

— Temos uma à outra, agora podemos dividir esse fardo.

— Quero fazer isso. Ah, Holly, quero ajudá-la e vou fazer isso — prometeu Jocelyn, ainda chorando muito.

Holly se levantou e foi correndo até Jocelyn, que parecia estar se despedaçando diante de seus olhos. Ela passou os braços ao redor da amiga, com medo de que ela pudesse estar à beira de um colapso ou de algo pior.

— Está tudo bem, Jocelyn. Eu compreendo, você não precisa dizer mais nada. Pelos meus cálculos, devo conceber Libby no final de dezembro, portanto ainda tenho alguns meses para clarear minhas ideias e decidir, com a sua ajuda, o que preciso fazer.

Holly falava com uma generosidade que não sentia. Na verdade, queria todas as respostas e as queria nesse instante, mas não poderia deixar Jocelyn ainda mais nervosa, sofrendo tanto, ao menos não nesse dia. As palavras dela pareceram atingir o objetivo. Lentamente, os soluços angustiados de Jocelyn começaram a ceder e o corpo dela relaxou um pouco.

— Presumo que não tenha contado a Tom — Jocelyn fungou.

— Não pude contar a ele porque não sabia o que estava realmente acontecendo e não queria preocupá-lo. Ainda acho que não posso contar nada a Tom, ao menos enquanto ele estiver viajando tanto a trabalho. Não até eu saber tudo o que preciso saber.

— Ao menos logo ele estará em casa — falou Jocelyn. — Aproveite o tempo que tiver com Tom aqui e, enquanto isso, vou procurar o diário. Está em uma das caixas que mantenho na casa da minha irmã… Não tenho espaço no meu apartamento. Lisa está morando lá agora e ela pode me ajudar a encontrar.

— E então?

— Então eu prometo que vamos conversar. Mas da próxima vez não vou chorar como manteiga derretida. Desculpe-me, Holly, estou me sentindo uma boba, decepcionei você. Achei que eu fosse mais forte.

— Você não me decepcionou, e é a mulher mais forte que conheço. — Holly sorriu. — E, agora que tenho você, essa coisa toda já não está me assombrando tanto.

— Fico feliz por isso. Mas, por favor, prometa que não fará nada para mudar o futuro até conversarmos sobre isso.

— Prometo. — Holly sorriu. — Bem, não farei nada mais sério. Mas há uma coisa que eu gostaria de resolver. — Holly pegou uma sacola ao lado da mesa e retirou de dentro um urso de pelúcia rosa. — Você pode doar isso para o próximo bazar? E certifique-se de que não vá para nenhuma criança com menos de dois anos. Detestaria que fosse parar em mãos erradas.

— TEMOS MESMO QUE SAIR? — reclamou Tom. — No que me diz respeito, já posso ver o bastante do mundo daqui mesmo.

Tom e Holly estavam de pé no meio do novo jardim de inverno. As paredes ainda estavam apenas emassadas, com delicados redemoinhos de rosa e creme aqui e ali. Holly sentiu os dedos dos pés tocando o concreto duro e frio e sorriu feliz. A voz de Tom ecoou pelo jardim de inverno, sobrepondo-se ao distante canto matinal dos pássaros. O lugar tinha um cheiro gostoso de poeira e brisa do verão. Holly estava pronta para saborear cada detalhe e prestava muita atenção no marido, parado atrás dela, com os braços nus envolvendo-lhe a cintura.

— Você está cheirando a suor — disse ela.

— Fruto de uma boa causa — retrucou Tom, beijando a nuca de Holly.

— Por acaso estou reclamando? — sussurrou ela. — E, sim, temos que sair. Você já provou que superou perfeitamente o *jet lag*.

— Hummm... perfeitamente.

— Sim, foi perfeito — concordou Holly. — Mas já moramos na cidade há quase seis meses e você não conhece quase ninguém.

— Como eu lhe disse, posso ver tudo o que preciso daqui mesmo, e também posso ver quem eu quero ver.

— Preciso passar no consultório do médico para marcar uma consulta — disse Holly, ignorando as mãos que passeavam por seu corpo e que, nesse instante, estavam sob a camiseta que ela roubara dele. Os dedos de Tom traçaram cada curva da barriga dela antes de encontrarem o caminho em direção aos seios.

— Por quê? Não há nada de errado com você, não é?

— Não, apenas acho que nós dois deveríamos fazer um check-up antes de providenciar um bebê.

— Se você quiser que eu lhe faça um exame completo, sempre posso cuidar disso — ofereceu Tom.

— Um exame médico, se não se importa. Eles devem fazer isso, não acha?

— Holly, sou o retrato da saúde, e você também. Não precisamos que um médico nos diga isso. Além do mais, já estou fazendo todos os tipos de exames médicos como preparação para a viagem ao Haiti. Acho que não aguento mais ser espetado e apalpado — reclamou ele, amuado.

— Se vou planejar uma família, gostaria de planejar tudo direito — retrucou Holly com firmeza.

Desde que conversara com Jocelyn, ela finalmente encontrara forças e esperanças para pensar sobre o futuro e, em particular, sobre o que precisava fazer para se salvar. Na verdade, acabara não pensando em muitas outras coisas. A resposta óbvia seria evitar ficar grávida em dezembro, o que parecia ser uma solução bem simples — mas e se o aneurisma que a mataria acontecesse em outro momento? Além do mais, havia Libby. Se o instante da concepção fosse adiado, então ela estaria apagando Libby do futuro deles. Talvez tivessem outros filhos, mas nenhum seria a filha pela qual ela já estava se apaixonando. O primeiro plano de ataque de Holly era procurar reduzir os riscos de complicações pós-parto.

— Não poderíamos simplesmente ligar para você marcar uma consulta? — implorou Tom. — Tenho a forte impressão de que há um telefone no quarto.

— Bom dia! — disse Billy alegremente do lado de fora do jardim de inverno.

Holly puxou a camiseta para baixo até ficar a uma altura respeitável de três centímetros abaixo de seu traseiro, e Tom foi abrir a porta do jardim de inverno para cumprimentar Billy. Eles se abraçaram como dois irmãos há muito tempo separados.

— Desculpem a invasão, mas ouvi dizer que Tom estava em casa e eu estava passando por aqui — explicou Billy, desculpando-se com Holly.

— Juro que acho que Billy sente tanta saudade quanto eu quando você está fora, Tom — disse Holly.

— Você sabe que é bem-vindo aqui a qualquer hora, Billy — disse Tom ao contramestre. — Fez um excelente trabalho no jardim de inverno, eu adorei.

— Ahn, obrigado, eu sabia que iria gostar. Agora só precisamos pintar as paredes e instalar o piso e ficará perfeito. Mas é uma pena essas portas — resmungou Billy, dirigindo um olhar reprovador a Holly.

— Mulheres... — resmungou também Tom, com um muxoxo. Holly tomou emprestado o olhar reprovador de Tom, transformou-o em uma expressão ameaçadora e virou-se para o marido, que sorriu envergonhado.

Billy pigarreou para chamar a atenção de Holly.

— Espero que não esteja pretendendo sair vestida assim, Senhora Corrigan — disse ele.

Holly estreitou os olhos para ele, mas ignorou o comentário.

— Então, o que podemos fazer por você, Billy? — perguntou ela.

— Bem, agora que vocês têm as portas erradas e nenhuma outra escolha a não ser passar por cima dos arbustos, estava pensando que talvez Tom quisesse conversar sobre a expansão da reforma.

— Alguém vai me dizer do que estão falando? — perguntou Holly.

— Ahn... Você não acha que é melhor ir se arrumar? Temos que ir até a cidade, lembra? — retrucou Tom.

Holly encarou os dois homens, desconfiada.

— Homens! — foi a vez de ela resmungar, já virando-se para sair. — Mas, o que quer que esteja planejando para o jardim, não toque no relógio lunar.

— Ela sempre interfere em seus planos? — disse Billy em voz alta quando Holly já saía pelas novas portas do pátio e voltava para a sala de estar.

— Posso ouvir você balançando a cabeça, Tom Corrigan — gritou Holly, deixando os homens com seus planos secretos. Afinal, ela também tinha seus próprios planos secretos. Holly tinha mais de uma razão para ir até a cidade. Estava com a esperança de que, àquela altura, Jocelyn já houvesse encontrado o diário de que falara.

A CASA DE CHÁ DE JOCELYN estava cheia, e alguns olhares curiosos acompanharam Tom e Holly enquanto eles passavam pelos clientes até chegarem à última mesa disponível.

— Bom dia, Senhora Johnson — cumprimentou Holly, enquanto se inclinava sobre uma das clientes para passar por um espaço estreito entre duas mesas. A Sra. Johnson era uma mulher bastante grande, e o pequeno espaço que não era ocupado por ela estava cheio com toda sua parafernália, incluindo um pesado cardigã de lã, um guarda-chuva e várias sacolas de compras. — Como estão as coisas na fazenda? — grunhiu Holly, enquanto se espremia para conseguir passar.

— Ah, os carneiros estão indo bem, querida. Eu não poderia querer mais nada além disso, depois de um inverno tão duro.

— Não esqueça que me prometeu aquela receita de pernil de carneiro — acrescentou Holly, finalmente conseguindo passar e já estando próxima da mesa que queria alcançar. Tom vinha logo atrás dela, mas tropeçou em uma sacola e praticamente caiu por cima da Sra. Johnson.

— Esse deve ser ele, então — disse a Sra. Johnson, olhando desconfiada para Tom, que estava praticamente nariz a nariz com a mulher.

— Prazer em conhecê-la. — Tom sorriu, envergonhado.

A Sra. Johnson apertou a bochecha de Tom e sacudiu a cabeça dele de um lado para o outro.

— Ele é um amor de cordeirinho — disse ela a Holly. — Um prato cheio.

— Tire suas mãos, ele é meu. — Holly riu e puxou Tom de volta a um lugar seguro.

Depois de mais alguns bons-dias e apresentações, Holly e Tom finalmente conseguiram chegar à mesa. Lisa estava ocupada trabalhando atrás do balcão, enquanto uma garota mais nova, que Holly nunca vira antes, trabalhava como garçonete. Ela devia ter pouco mais de 20 anos, e seus cabelos escuros e curtos lhe davam uma aparência de fada. Seus olhos castanhos e profundos lembravam os de Jocelyn. Quando olhou de Lisa para a garota, Holly percebeu outras semelhanças e imaginou que aquela devia ser Patti, a filha de Lisa, sobrinha-neta de Jocelyn. Pelo que Jocelyn lhe contara, Patti estudava literatura na universidade. Seu ano sabático acabara se transformando em três anos viajando pela Europa, mas a garota finalmente resolvera se dedicar aos estudos. Patti era a primeira da família a frequentar uma universidade, e tanto Jocelyn quanto Lisa estavam muito orgulhosas dela.

— O que posso lhes servir? — perguntou Patti, com um sorriso animado.

— Dois chás com pãezinhos e creme, eu acho — disse Holly, olhando para Tom para ver se ele concordava. Ele assentiu. — Jocelyn não está? Estava com esperança de encontrá-la aqui hoje — continuou Holly, ansiosa.

— Ela está fora, visitando o filho. Só volta daqui a algumas semanas. Você não é Holly, é? — perguntou a garota, com um tom de reconhecimento na voz.

O coração de Holly afundou no peito enquanto ela assentia educadamente.

— Ela não deixou nada para mim, não é? — perguntou Holly, ainda com alguma esperança.

— Desculpe, é verdade, tia Joss lhe deixou uma mensagem. Ela pediu desculpas porque não terá a oportunidade de se encontrar com Tim, mas se encontrará com você quando voltar.

— Ah, então você deve ser Patti — retrucou Holly, ignorando a confusão que a garota fizera com o nome de Tom. — Como está indo na faculdade?

— É uma longa história, mas eu meio que joguei a toalha. Devo voltar para meu último ano, mas não tenho certeza de que esse é o caminho que quero seguir. Estou tentando convencer minha mãe de que eu poderia trabalhar aqui e escrever em meu tempo livre, fazer carreira como escritora por conta própria, em vez de estudar como uma escrava para receber um pedaço de papel que não vai me garantir emprego nenhum no final das contas.

— Você não deveria desistir — interrompeu Tom.

— Desculpe, esse é meu marido, Tim, quero dizer, Tom — Holly sorriu. Tom encarou a esposa com alguma severidade, e o rosto de Patti ficou muito vermelho.

— Sou jornalista, e o mundo lá fora não é fácil. Um diploma pode abrir portas, mesmo que não lhe garanta um emprego. Vai se arrepender se desistir agora, ainda mais se está tão perto de se formar. Prometo que, se você conseguir o tal pedaço de papel e estiver procurando por um emprego, posso ajudar com alguns contatos.

Patti ficou boquiaberta com as credenciais de Tom e se agarrou com entusiasmo a cada palavra que ele dizia. Quando voltou para o balcão para fazer o pedido deles, Holly a observou pelo canto dos olhos. Mãe e filha conversavam concentradas.

— Que homem prestativo! — disse Holly.

— Gosto de ajudar carreiras que estão desabrochando sempre que posso — comentou Tom, com orgulho.

— Espero que não saia por aí oferecendo seus serviços a todas as garotas bonitas que encontra em suas viagens.

— Só tenho olhos para você — falou Tom, e a certeza em seu olhar levou conforto a Holly.

— Eu sei, estou só implicando. Confio em você de alma e coração, não importa a que distância esteja de mim. — Ela esticou a mão e puxou um minúsculo cacho de cabelo na nuca dele. — E não importa quão elegante e atraente eles tentem deixá-lo.

Tom segurou a mão da esposa entre as suas.

— Soa muito ridículo se eu disser que sinto falta dos meus cachos?

— Também sinto falta deles. — Holly acalmou-o. — Mas você precisa que o público desmaie por você se quiser se tornar âncora. — Ela fez uma pausa, com um brilho travesso nos olhos. — Quero dizer, ao menos o público feminino.

Tom tentou sorrir, mas os lábios não esticaram até o fim do caminho.

— Eu estava feliz na minha zona de conforto... Estou feliz na minha zona de conforto — tentou explicar. — É que essa nova persona que a emissora está tentando criar me faz sentir... — Pela primeira vez, Tom parecia não encontrar as palavras certas.

— Desconfortável? — Holly tentou ajudar.

— Deus, é como tentar me espremer dentro de um terno que não cabe direito em mim.

— Apertado demais nos ombros?

— Apertado demais no saco — retrucou Tom, bem no momento em que Patti voltava com os chás. Se ela ouviu o último comentário, não demonstrou.

— Esses são por conta da casa — disse a garota a eles. — Mamãe insiste.

— Você vai voltar para a universidade? — perguntou Holly, animada, sabendo quanto Jocelyn e Lisa ficariam felizes com a notícia.

— Hmmm, ainda não decidi exatamente, mas concordei em sentar e conversar direito sobre isso com mamãe. E, se eu realmente der uma nova chance para a faculdade, vou voltar procurando por aqueles contatos — disse ela a Tom.

— Palavra dada — concordou ele.

Quando Patti se afastou, Tom suspirou.

— Ah, como é bom ser jovem e cheio de esperança...

— Bem, voltando a você. Quando vou ver sua nova imagem em ação? — perguntou Holly. O material que Tom preparara sobre as areias betuminosas do Canadá estava em edição e ainda não havia ido ao ar.

— Na próxima semana. Na véspera da minha próxima viagem, na verdade.

— É melhor eu espalhar a notícia. Sua mãe e seu pai estão loucos para ver também. Agora coma, ainda tenho que passar no consultório médico, lembra?

— Sim, mamãe — retrucou Tom, antes de colocar um bolinho recheado de creme na boca.

NÃO PARECEU A HOLLY que ela tenha precisado esperar muito para ver as matérias de Tom na TV, pois os dias passaram em uma velocidade alarmante. Na noite em que a primeira matéria foi ao ar, Tom e Holly estavam aconchegados no sofá, prontos para assistir ao telejornal com uma garrafa de vinho e uma travessa de pipoca. Holly estava aliviada por Tom ainda estar em casa. As noites de verão eram deliciosas enquanto agosto se aproximava de setembro e, mesmo sentada na relativa segurança de sua sala de estar, Holly sabia que a lua cheia estava projetando sua luz emprestada sobre o relógio lunar. Mas, nessa noite, a sedução da lua não era páreo para a segurança dos braços de Tom — o seu Tom, esse que não tivera o coração partido pela morte da esposa.

Era uma experiência estranha, ficar sentada no sofá, assistindo a um Tom mais elegante, muito profissional, na tela, enquanto o Tom da vida real comentava o que acontecera nos bastidores. E era ainda mais estranho porque a imagem na tela não combinava com o homem sentado ao lado dela, que, apesar do cabelo mais curto, ainda era o velho e desmazelado Tom que ela conhecia e amava. Holly não sabia se gostava da versão arrumada e elegante da tela. Era refinado e distante demais para o seu gosto. Tom estava entrevistando o porta-voz de uma companhia de petróleo e parecia diferente, mais duro.

— Então, o que achou? — perguntou Tom, hesitante, assim que o programa terminou.

— Você parecia... — Holly começou a dizer, mas não conseguiu achar as palavras certas. — Parecia muito profissional.

— Você não gostou, não é? — perguntou ele; havia uma nota de desapontamento na voz de Tom que fez o coração de Holly se apertar.

— É diferente — tentou explicar. — É como se não fosse exatamente você.

Tom suspirou.

— Eu sei, você está certa. Estou fazendo o melhor que posso para me adaptar. Todos na emissora estão me enchendo de elogios, mas ainda não tenho a sensação de que está bom. É estranho como as pessoas reagem de maneira diferente quando você está usando um terno e tem aquela aparência engomadinha. Os políticos e os profissionais de imprensa experientes que entrevisto ainda me olham de cima, mas algumas pessoas fora desses círculos... acho que as intimido.

— E é isso mesmo que a emissora quer de você? Que saia por aí intimidando as pessoas? — perguntou Holly. Ela procurou manter um tom de voz leve, mas realmente não gostava de ver Tom forçado a se comportar diferentemente do repórter afável que costumava ser.

— Ainda não assumi o cargo de âncora. Talvez quando isso acontecer, eu possa relaxar um pouco esse estilo. Pelo menos eles não estão insistindo para que eu use terno no Haiti.

— Vou sentir tanta saudade sua... — gemeu Holly.

— Eu ainda não parti. E logo estarei de volta. Todo esse sofrimento vai valer a pena se pensarmos no que significará para nós o próximo ano. No ano que vem eu poderei ter um bebezinho que vai me amar não importa o tipo de terno idiota que eu tenha que usar. E agora, que você recebeu carta branca do médico, não há nada que nos detenha.

— Eu sei — respondeu Holly, tentando esconder sua frustração. Ela mencionara a batida na cabeça, esperando que o médico a mandasse fazer uma ressonância magnética e que, desse modo, talvez descobrissem o aneurisma e pudessem tratá-lo. Assim ela teria Libby, livre de qualquer risco. Mas ele só pedira os exames de saúde básicos, portanto o risco permanecia. Ao que parecia, a única coisa que Holly podia fazer para evitar morrer no parto era evitar conceber Libby. — Desde que consigamos passar o resto de nossas vidas juntos.

— Você não vai se livrar de mim tão fácil — falou Tom, beijando o topo da cabeça de Holly.

— Você também não vai se livrar de mim tão fácil. Só não vá sair por aí bancando a celebridade, para acabar fugindo com a primeira cabeça de vento que aparecer.

— Você sabe que eu não faria isso — assegurou Tom.

— Sim, sei que você não faria — respondeu Holly. O relógio lunar ao menos lhe dera essa certeza.

— De qualquer modo, tenho uma longa viagem amanhã — disse Tom, erguendo os braços e bocejando alto. — Você se incomoda de ir deitar cedo?

— Posso levar minha pipoca? — provocou Holly.

— Desde que mastigue em silêncio, meu sono agradece — avisou Tom, ainda bocejando com vontade.

— Ah, não vai ser a pipoca que o deixará acordado — retrucou Holly. Ela ergueu as sobrancelhas sugestivamente, um truque que aprendera com Billy.

— Senhora Corrigan, não sei o que quer dizer.

— Então deixe que eu explique melhor — disse Holly, subindo no colo do marido. — Não acho que precisemos ir mais cedo para a cama.

Quando finalmente Tom e Holly chegaram no quarto, a luz da lua que brilhara através da janela já se havia desvanecido e apagado. Os pés de Holly estavam firmes no presente.

7

Jocelyn chegou às 11 horas em ponto, com uma cesta de vime cheia de tesouros escondidos.

— Achei que poderíamos aproveitar ao máximo este fim de verão e fazer um piquenique, está disposta? — propôs ela.

— Se estou disposta? O que a deixou nesse bom humor? — perguntou Holly, realmente surpresa.

— Bem, acho que devo agradecer ao seu Tom por persuadir Patti a voltar para a universidade.

— Ela decidiu voltar? Jocelyn, que notícia fantástica! Mas, por favor, não dê todo o crédito a Tom. Tenho certeza de que Patti acabaria chegando sozinha à mesma conclusão — assegurou Holly.

Fazia pouco tempo que Jocelyn voltara da visita ao filho, e essa era a primeira chance que as duas tinham de colocar a conversa em dia. Holly passara todo esse tempo impaciente para descobrir o possível sobre o relógio lunar, mas, chegada a hora, de repente sentia-se nervosa demais para levantar o assunto. E sabia que Jocelyn compartilhava de sua relutância.

Holly conseguira dar trégua a todos os pensamentos e teorias que a vinham atormentando desde que cruzara com o relógio lunar. Não conseguira descobrir todas as respostas, nem fizera todas as perguntas, mas ainda tinha esperança de que as respostas estavam ao seu alcance e, mais importante, que talvez conseguisse arrumar um modo de assegurar também o futuro de Libby. Ainda não estava pronta para simplesmente desistir da filha.

Mas, por mais positiva que tentasse ser, ela não conseguia afastar todos os seus medos. As experiências que tivera com o relógio lunar a haviam levado a extremos de amargor e doçura. Para cada gota de esperança que revelara, parecia haver um quilo de dor. Jocelyn dissera que havia um preço a pagar por mudar o futuro, e Holly não tinha certeza de que estivesse preparada para ouvir os segredos que a amiga prometera revelar.

— Espero que tenha pensado em algo melhor do que fazer o nosso piquenique no jardim — disse Holly, fazendo uma careta. Embora ela tentasse manter o jardim sob controle, para que o trabalho duro de Tom não se perdesse completamente com o crescimento da vegetação em mais um verão, esse não era nem a sombra do cenário exuberante que o jardim poderia ser. Por isso, Holly ainda sentia uma pontada de culpa toda vez que Jocelyn a visitava.

— Estava pensando em fazermos um passeio até as ruínas de Hardmonton Hall.

— É mesmo? Não sabia que podíamos subir até lá de carro — comentou Holly. Ela se envergonhava por nunca ter ido ver as ruínas mais de perto. Até ali só vira o que sobrara dos muros que delimitavam os antigos limites da propriedade e que levavam direto à casa da guarda, onde ela morava. Mesmo na época do incêndio, a extensão da propriedade já não era tão grande quanto no passado, pois a maior parte das terras já havia sido vendida, urbanizada ou tomada por fazendeiros. Apenas a área imediatamente ao redor das ruínas permanecera intocada.

— Não podemos subir até lá de carro — disse Jocelyn, em tom de repreensão. — Essas crianças de hoje querem ir de carro a toda parte. Minhas juntas estão bem lubrificadas hoje, e, se você conseguir fazer a caminhada, eu com certeza consigo.

— Você quer me mostrar onde o relógio lunar ficava originalmente, não é? — perguntou Holly, sentindo um frio na boca do estômago só por dizer o nome em voz alta.

— Parece o lugar ideal para debatermos os prós e os contras de viajar no tempo — brincou Jocelyn, mas Holly percebeu o falso tom de coragem na voz da amiga.

— Bem, o que devo levar? — perguntou Holly, em pânico. Ela começou a abrir a esmo os armários da cozinha. — Já preparei um bule de chá. Há uma garrafa térmica aqui em algum lugar. Você trouxe comida? Tenho algumas coisas na geladeira. E precisamos de talheres. Você trouxe talheres? — Ela ofegava ao final de cada frase, conforme o pânico se instalava.

— Eu trouxe uma garrafa térmica — acalmou-a Jocelyn — e comida suficiente para alimentar um exército. — Holly estava prestes a dizer mais alguma coisa, mas Jocelyn a deteve. — Também trouxe um lençol e todos os utensílios de que podemos precisar.

— Tem certeza? — perguntou Holly, dócil.

Jocelyn tomou as mãos trêmulas de Holly nas suas para acalmá-la.

— Não estamos prestes a fazer uma cirurgia cerebral — disse ela. — Vamos apenas conversar, só isso. Apenas o tanto que nós duas conseguirmos aguentar.

— Talvez eu devesse mudar de roupa — sugeriu Holly.

Jocelyn suspirou.

— Você está ótima do jeito que está.

— Guarda-chuva?

Jocelyn ergueu uma sobrancelha, silenciando qualquer outra tentativa de atrasá-las.

— Vamos jogar a cautela ao vento, certo? A vida é feita para correr riscos — disse ela a Holly.

HOLLY E JOCELYN COMEÇARAM a caminhada em silêncio, conforme seguiam a trilha cheia de mato que no passado fora um caminho imponente até a mansão. A trilha abandonada estava escondida por anos de decadência e negligência. O silêncio apenas era interrompido pelo estalo ocasional de um galho quebrado sob os pés delas ou o canto doce de um pássaro que animava a manhã, apesar da tensão crescente entre as duas mulheres.

As árvores antigas que protegiam a vista de Hardmonton Hall erguiam-se acima delas, ficando cada vez mais densas conforme as duas continuavam sua peregrinação. O sol de setembro brilhava de vez em quando através da copa das árvores, seus raios iluminavam o caminho à frente de Holly e Jocelyn. Holly tentou apreciar a mistura de luz e sombra e o contraste entre a vegetação em decomposição sob os pés dela e o verde cintilante acima. As folhas ainda não exibiam as cores do outono, mas, quando a brisa soprou mais forte, Holly ouviu o farfalhar seco que sugeria a nova estação.

— Então, como foi sua visita a Paul? — perguntou Holly, ansiosa para quebrar o silêncio.

— Tão boa quanto se podia esperar.

— Isso não parece muito bom — comentou Holly.

Jocelyn suspirou.

— Paul me deixou fora de sua vida por muito tempo. Na verdade, desde que o pai morreu — confessou Jocelyn. — Ele era adolescente quando deixei Harry e nunca soube o que tive que passar… E certamente nunca soube o que eu vira do futuro. Eu o protegi o máximo que pude da crueldade de Harry e, de um modo perverso, Harry acabou fazendo o mesmo. Meu marido era um homem incapaz de amar, mas fingia muito bem. Ele achava divertido alimentar a afeição de Paul e usava isso contra mim. Portanto, quando decidi abandoná-lo, Paul nunca entendeu o motivo.

— Ele culpa você pelo suicídio de Harry? — perguntou Holly, embora a resposta estivesse clara.

Jocelyn riu.

— Ah, Holly, sim. Sim, ele me culpa, e tem todo o direito de fazer isso.

— Mas você sabe que não é verdade. Harry teria levado você ao suicídio. Ele se matou em vez de você. Como pode sequer pensar em se sentir culpada a esse respeito?

O olhar de Jocelyn se perdeu na distância, onde a copa das árvores começava a rarear e a luz do dia podia ser vista em toda a sua glória, marcando a chegada delas às ruínas.

— Ah, a luz no fim do túnel — disse ela a Holly, evitando responder à pergunta.

— Ou um trem se aproximando — suspirou Holly.

Jocelyn apertou a mão da amiga para tranquilizá-la.

— Estou aqui para ajudar. Vai ficar tudo bem — assegurou Jocelyn. Mas a tristeza em seus olhos contava outra história.

As ruínas faziam jus a esse nome. A mansão não passava de uma série de paredes solitárias, semidemolidas, cobertas por hera e líquen. Holly quase conseguia acreditar que estava caminhando sobre um cemitério gigantesco, com lápides imensas.

— Você se lembra de como era Hardmonton Hall em seu auge? — perguntou ela a Jocelyn.

— Lorde Hardmonton... Isto é, o antigo lorde Hardmonton, costumava organizar uma festa por ano nos jardins, e toda a cidade era convidada. Eram ocasiões magníficas, pelas quais passávamos o ano inteiro esperando. Depois da morte do velho lorde, seu filho, Edward, aquele que morreu no incêndio, continuou com a tradição, mas eu era casada nessa época e nunca vim às festas.

— Por causa de Harry? — perguntou Holly.

Jocelyn simplesmente assentiu.

— E por que o incêndio aconteceu, afinal de contas? Tom estava certo, mesmo sem saber o motivo. Se eles tinham o relógio lunar e podiam ver o futuro, por que não viram o que estava prestes a acontecer? Edward Hardmonton não usava o relógio? — Holly sabia que Jocelyn a estava conduzindo lentamente em direção às revelações enquanto ela própria queria alcançar o mais rápido possível a linha de chegada. Precisava saber de tudo, e as perguntas não paravam de surgir em sua mente.

— Ah, mas Edward Hardmonton usou o relógio — disse Jocelyn, sem dar mais explicações. — Venha. Pelo que me lembro, o lugar onde ficava o relógio lunar é bem ali.

Holly mordeu o lábio para evitar fazer mais perguntas e deixou que Jocelyn a guiasse na direção do que um dia teriam sido os jardins ornamentais. Os jardins ainda eram magníficos, apesar da negligência. A relva e os arbustos exóticos haviam lutado por supremacia sobre a arquitetura abandonada e parcialmente demolida e conseguiram uma gloriosa vitória. Os vários tons de vermelho, laranja e amarelo do outono haviam chegado cedo ali, e a vista era de tirar o fôlego. Holly desejou ter visto aqueles jardins mais cedo, no verão, no auge das flores da estação.

Ela reconheceu o lugar onde ficava o relógio lunar por causa dos projetos arquitetônicos que já vira. A borda externa do círculo era feita de pedra cinza, embora sua maior parte estivesse escondida pelos arbustos circundantes. No projeto, em cada um dos quatro segmentos que saíam do círculo principal fora plantada com uma variedade diferente de folhagens e arbustos, provavelmente escolhidos para representar as quatro estações. Ao longo dos anos, os espécimes mais delicados haviam sido consumidos por seus companheiros dominantes, ou simplesmente tinham secado e morrido. Diferentemente de outras partes do jardim, o terreno ali parecia lúgubre.

— O que é isso? — perguntou Holly, pisando em um dos quatro caminhos que levavam ao círculo central de pedra, onde antes ficara o relógio lunar. Ela afastou grossas camadas de musgo sob os pés e descobriu a inscrição que havia sido gravada na pedra.

— Há inscrições em cada um dos quatro caminhos — disse Jocelyn. — Um poema com quatro estrofes. Foi por isso que eu quis trazer você aqui. Os versos explicam como o relógio lunar funciona, e, se me lembro bem, o primeiro está aqui.

Quando atravessaram o centro do círculo, Holly colocou no chão a cesta de vime que trazia consigo.

— Espere, preciso de uma coisa que está aí — falou Jocelyn. Ela procurou na cesta e pegou uma escova metálica.

Holly limpou o chão com cuidado e revelou os versos do primeiro caminho.

Por uma hora, ainda que seja,
Debaixo do mais pleno luar,
O reflexo do sol é a chave
Que desperta o relógio lunar.

— Bem, isso não é nada que eu não pudesse ter descoberto sozinha — disse Holly, amuada, incapaz de esconder seu desapontamento pelo fato de o verso não revelar nenhum segredo oculto. — Já tinha percebido que a visão dura cerca de uma hora, e também notei que é preciso que a lua esteja cheia. Tentei usar o relógio uma vez quando não era lua cheia e a esfera mal piscou.

— Vamos ler a próxima estrofe — sugeriu Jocelyn.

Não havia musgo sobre o caminho seguinte, portanto foi relativamente fácil para Holly ler a segunda parte do poema.

Com este relógio inigualável,
Veredas se abrirão ao luar,
E a sua sombra projetada
Um dia vindouro irá tocar.

A referência ao relógio despertou uma lembrança em Holly. Dessa vez, ela realmente tinha uma pergunta:

— O luar refletido no centro da esfera de vidro criou o que pareciam ser ponteiros de um relógio que ficavam girando, e eu pude ouvir também um tiquetaquear. Mas, se é um relógio, como funciona? Como determina a distância a que seu reflexo chegará no futuro?

— Acho que isso sempre será um mistério. O diário mostra como o mecanismo de metal foi projetado, mas o relógio era um instrumento para contar as horas, não determinava onde o reflexo levaria. Está claro pelas anotações que é o próprio mostrador de pedra que faz a escolha. Como isso acontece eu sinceramente não sei, mas ele parece escolher um ponto crítico na vida do viajante do tempo.

— Ou na morte — acrescentou Holly, falando devagar. — Você trouxe o diário?

— Não se preocupe, está na cesta. Assim que terminarmos nosso piquenique, você poderá ficar com ele. De qualquer modo, não o quero mais.

— Afinal, como você conseguiu esse diário?

— O senhor Andrews, antigo jardineiro da mansão, veio me visitar pouco depois de Harry comprar o relógio lunar. Embora ele mesmo nunca tivesse usado o relógio, havia sido confidente de Edward Hardmonton. Eu vou lhe contar mais sobre isso daqui a pouco, mas acho que você precisa ler todo o poema primeiro. Pronta para a próxima estrofe? — insistiu Jocelyn.

O próximo caminho também estava praticamente limpo, com belas pencas de líquen nas beiradas, mas estas não chegavam a esconder a gravação.

> Como um toque no espelho d'água,
> Nenhuma marca é deixada,
> Como a gota de chuva na vidraça
> Nem sempre escolhe a jornada.

Holly observou as palavras, buscando sentido nelas. Um arrepio passou por seu corpo quando ela se lembrou das pegadas na neve e do pó sobre o console da lareira durante sua última visão. Então ela percebeu que os dois primeiros versos se encaixavam perfeitamente em sua própria experiência. Visitara o futuro, mas não deixara nenhum rastro; qualquer marca que fazia desaparecia exatamente como dizia o poema, como uma mão passando sobre a água. O significado dos versos seguintes, no entanto, estava lhe escapando, ou talvez ela não estivesse querendo vê-lo.

— Nem sempre escolhe a jornada? O que isso significa? Quer dizer que não tenho livre escolha ou seria outra coisa? Você disse que havia um preço a pagar.

— Um pouco de ambas as coisas, eu acho. A melhor maneira de explicar é imaginar as gotas de chuva na vidraça de uma janela, como diz o poema.

Holly não estava convencida de que imaginar uma vidraça resolveria sua confusão, mas acatou a sugestão e deixou que Jocelyn guiasse a imagem que se formava em sua mente.

— Já tentou seguir uma gota em particular quando ela desce pelo vidro?

Holly assentiu, concordando. Quando era criança, passava horas observando a chuva se derramar como lágrimas contra a janela de seu quarto.

— Quando a chuva atinge a janela — continuou Jocelyn —, você poderia imaginar que cada gota está traçando sua própria jornada. Mas, em determinado ponto, uma gota cruza o caminho de outra. Você pode não ser capaz de ver esse caminho e pode achar que ele nem sequer está lá, mas então, de repente, sua gota de chuva vira em uma nova direção. Está seguindo a que veio antes, não está mais em sua própria jornada, mas em uma que já fora traçada.

Holly não percebeu, mas havia fechado os olhos enquanto acompanhava a gota imaginária escorrendo pela janela de seu antigo quarto de menina. Quando abriu os olhos, Jocelyn a estava observando, o olhar cheio de tristeza.

— Ao que parece, a vida exige certo equilíbrio. Mesmo quando você acha que está escolhendo um novo caminho, ele às vezes pode acabar levando-a ao mesmo lugar.

— Ah, meu Deus — Holly disse em um arquejo. — Não importa quantos exames de saúde eu faça, se ficar grávida de Libby, não vou conseguir evitar minha morte no parto. É isso que está tentando me dizer, não é?

— Sinto muito, Holly. Gostaria de poder dizer que a última estrofe lhe dará alguma esperança, mas não posso. As regras do relógio lunar são cruéis, não há como suavizar a pancada. Lembre-se apenas de que o relógio está lhe dando uma chance de salvar sua vida. Tente não perder isso de vista. Tente ver como um presente. — A voz de Jocelyn soava como os murmúrios ao fundo de um velório.

— Um presente? Como esse horror a que estou sendo forçada pode ser chamado de presente? — questionou Holly, sentindo a raiva queimar no fundo de sua garganta.

— Se isso a mantiver em segurança, e sei que o fará, então, sim, é um presente. Vamos, venha ler a última estrofe — falou Jocelyn, o tom ainda suave e enervantemente simpático.

O último caminho estava coberto por uma grossa camada de musgo, e, quando Holly escovou a pedra, sentiu o coração afundar no peito.

E, se da morte tentar escapar,
O saldo não se altera jamais.
Vida por vida: o preço a pagar,
Nunca a menos e nunca a mais.

— Vida por vida — repetiu Holly. — O que significa "o saldo não se altera jamais"?

Ela fez a pergunta, mas Jocelyn não respondeu, simplesmente ficou encarando Holly e esperou que a amiga interpretasse por si mesma o poema.

— Minha vida pela de Libby? Tenho que apagar a vida da minha filha linda para salvar a minha? Por favor, Jocelyn, por favor, diga-me que estou interpretando errado.

O silêncio continuado de Jocelyn confirmou a resposta que Holly não queria ouvir, e ela caiu de joelhos como se houvesse recebido um soco no estômago que a deixara sem ar.

— Ah, Jocelyn, acho que não consigo mais suportar isso! — gritou ela. Então fez algo que nunca antes se permitira enquanto adulta: chorou sem restrições. Em questão de segundos se entregou a lágrimas e soluços guardados havia muito tempo.

JOCELYN ARRUMOU O PIQUENIQUE no jardim das rosas. Ela escolheu aquele lugar porque dali não se via o antigo círculo do relógio lunar. A comida permaneceu intocada, mas Jocelyn insistiu para que Holly bebesse um pouco de chá, que estava, como sempre, doce e quente.

Holly havia controlado as lágrimas e, apesar do choque, queria ouvir mais sobre o relógio. Precisava entender como ele fora usado no passado. Precisava ter certeza de que não tinha outra opção antes de desistir completamente de Libby.

— Conte-me o que aconteceu com você, Jocelyn — pediu ela. — Você me contou como seria levada a cometer o suicídio, mas como as regras se aplicaram no seu caso?

Jocelyn estava brincando com a xícara de chá, girando o líquido como se pudesse encontrar ali um caminho de volta para o passado.

— Acho que preciso começar do princípio. Pode ser? — perguntou ela, os olhos já brilhando com lágrimas não derramadas.

— Leve o tempo que precisar. Também estou aqui para apoiá-la — ofereceu Holly, inclinando-se para apertar a mão da amiga.

— O Senhor Andrews não mencionou a viagem no tempo na primeira vez em que me visitou na casa da guarda. Ele simplesmente apareceu para me entregar a caixa de madeira e o diário... E fez isso com certa relutância, devo dizer. Acho que ficou dividido entre deixar o segredo do relógio lunar morrer com os Hardmonton ou deixar que os novos donos decidissem a respeito. Ele me recomendou ler o diário primeiro e não ressuscitar o relógio lunar a menos que estivesse preparada para aceitar as consequências. Quando o Senhor Andrews voltou a aparecer na casa da guarda, alguns meses depois, eu não apenas tinha lido o diário como também já havia experimentado em primeira mão o poder do relógio lunar.

— O relógio escolheu levá-la para aquele ponto no tempo em que você cometeria suicídio.

Jocelyn assentiu.

— Vivi o mesmo pesadelo que você provavelmente viveu, questionando minha própria sanidade. O diário parecia confirmar tudo o que eu experimentara, mas, mesmo assim, eu estava disposta a encarar o que acontecera como uma fantasia. Quando o Senhor Andrews percebeu que eu vira meu futuro, ele me ajudou a aceitar que aquilo realmente poderia acontecer. Fizemos essa mesma caminhada juntos até a mansão e o círculo de pedra, onde ele me ajudou a interpretar o poema, exatamente como eu fiz com você.

— A gota de chuva na vidraça — confirmou Holly.

— Quando percebi que a regra "vida por vida" significava que outra pessoa teria que morrer em meu lugar, simplesmente me resignei à minha sorte e por dois anos não fiz nada. — Jocelyn apenas deu de ombros, como se não fosse necessária mais nenhuma explicação.

— Mas aí você usou novamente o relógio e viu o que Harry faria com Paul. Foi por isso que mudou seu destino. Mas e a regra de uma vida por outra? — perguntou Holly, mas deu-se conta da resposta assim que as palavras saíram de sua boca. — Ah, entendo. Foi Harry. Ele acabou se suicidando. É por isso que você se sente tão culpada, não é?

— Isso não é nem metade do problema — confessou Jocelyn. — Quando você evita a morte, a vida que será sacrificada não é necessariamente uma escolha sua. A vida escolhida é sempre a de um membro próximo da família, não precisa ser de um parente de sangue, mas alguém dentro do círculo familiar. Você não pode simplesmente sair e matar um estranho aleatoriamente e esperar com isso acertar as contas.

— Você disse que as regras do relógio lunar eram cruéis, Jocelyn, mas cruel é muito pouco para descrever isso!

As duas mulheres estavam olhando na direção do lugar onde costumava ficar o relógio, incapazes de fitar o olhar assombrado uma da outra. A manhã deslizou silenciosamente em direção à tarde e, embora o sol firme de setembro lutasse para abrir caminho através das nuvens que se acumulavam, ainda havia calor o bastante para aquecer a brisa suave. Mesmo assim, Holly estremeceu.

— Eu não poderia evitar a morte sem colocar em risco a vida de outro membro da minha família. O relógio lunar exige uma vida, e meu maior medo era de que fosse a vida de Paul que eu estivesse colocando em risco. Foi por isso que não fiz nada por dois anos, até ver o que aconteceria com Paul se eu não tentasse mudar o futuro.

— Por favor, não me diga que você matou Harry — arquejou Holly, meio de brincadeira, mas com medo de que ainda houvesse surpresas desagradáveis a serem reveladas entre as ruínas da mansão.

Jocelyn sorriu, mas estreitou os olhos quando uma lágrima começou sua viagem solene pelo rosto abaixo.

— Praticamente — confessou ela. — Eu vi o que ele faria a Paul e senti uma fúria imensa crescendo dentro de mim. Uma fúria que talvez apenas uma mãe consiga sentir. Nunca me rebelara contra os abusos de Harry. Não poderia ter sido mais submissa mesmo se tentasse. Mas, quando vi a crueldade de Harry sendo dirigida a Paul, destruindo meu filho como certamente me destruíra, aquela fúria me consumiu, e acho que eu teria sido, sim, capaz de assassinar, se as coisas tivessem chegado a esse ponto.

Holly fez o melhor que podia para se concentrar nas experiências de Jocelyn. Embora estivesse se esforçando para não pensar em como todas aquelas informações ditariam seu próprio caminho, podia sentir as costumeiras inseguranças em relação à maternidade voltando para assombrá-la mais uma vez. Holly achou que estivesse aprendendo a ser mãe, mas agora se perguntava se conseguiria imaginar a fúria que a amiga descrevera.

Jocelyn estava tremendo enquanto ressuscitava os espectros de seu passado, e parecia ter chegado a um ponto de onde não conseguiria mais continuar. Holly, por sua vez, precisava ouvir mais para conseguir entender.

— Se você não o matou, como se certificou de que a vida a ser tirada seria a de Harry? — perguntou Holly em voz baixa.

— Eu comecei a reagir a ele — sussurrou Jocelyn, como se tivesse medo de acordar os fantasmas que pareciam estar se aglomerando ao redor delas. — Harry sem querer me deu as armas para combatê-lo. É claro que, ao contrário de mim, Harry não era nem um pouco submisso, portanto, quando comecei a provocá-lo, sua reação foi explosiva. Os abusos e a crueldade que ele me infligia se tornaram piores, e as agressões físicas, mais frequentes, mais intensas.

— Ah, Jocelyn, nunca imaginei que tivesse sido tão terrível — comentou Holly, genuinamente chocada com os horrores que a amiga enfrentara na casa que agora era o seu lar.

— Acho que o ditado " o que não mata fortalece" com certeza se aplica a mim. E, durante todo esse tempo, Harry ainda conseguiu que todos os abusos e agressões fossem mantidos longe da vista de Paul. Minha vergonha teria permanecido secreta se eu não tivesse percebido que poderia usar isso em minha vantagem. Certifiquei-me de que outras pessoas soubessem. Aos poucos, mas sem trégua, Harry começou a perder trabalho, porque as pessoas passaram a se recusar a fazer negócios com ele. Os moradores da cidade se transformaram em aliados silenciosos, e, com a ajuda da minha irmã, Harry acabou caindo no ostracismo. Ele estava perto de um colapso, então comecei a me perguntar se eu não teria ido longe demais, se não acabaria morrendo pelas mãos de Harry em vez de pelas minhas próprias. Foi a intervenção de um amigo querido, meu cavaleiro de armadura brilhante, que pesou a balança novamente a meu favor e colocou meu futuro em um novo caminho.

— E quem era esse cavaleiro de armadura brilhante?

— Alguém que você já conhece — respondeu Jocelyn, de um jeito misterioso. — Ele ainda visita a casa da guarda com regularidade.

— Billy? — arquejou Holly.

Jocelyn assentiu.

— Billy era um rapaz na época. Ele apareceu na casa da guarda para cobrar um dinheiro que Harry estava lhe devendo. Era por volta do meio-dia, e Paul estava na escola, portanto Harry estava aproveitando o máximo de tempo que tínhamos sozinhos para me bater. Em um instante, eu estava encolhida em um canto, e, no instante seguinte, Billy estava lá. No final do dia, era Harry quem estava cheio de hematomas e costelas quebradas.

— Muito bom, Billy! — Holly estava sorrindo e sentindo uma admiração renovada pelo contramestre.

— O mais difícil para Harry suportar não foi a surra, mas a humilhação. E eu fiz questão de reforçar a vergonha por que ele passara a cada oportunidade que tinha. Quebrei o espírito dele, e, quando Harry estava no fundo do poço, soube que era a hora de abandoná-lo.

— E foi então que o relógio lunar lhe mostrou que isso levaria Harry ao suicídio? — perguntou Holly, incrédula. Ela sempre soubera que Jocelyn era muito, muito mais forte do que seu frágil corpo sugeria, mas ainda assim era difícil imaginar a amiga usando a crueldade do marido em proveito próprio.

— Havia apenas uma coisa que eu precisava fazer primeiro. O relógio lunar precisa de um evento específico como catalisador, para mudar de uma visão de futuro para outra, e, para mim, esse evento foi sentar e escrever uma carta para Harry, dizendo a ele que eu o estava abandonando. Na carta, eu disse que ele falhara em tudo, e que o mundo seria um lugar melhor sem ele, embora eu ache que talvez não tenha colocado a questão de forma tão sutil. Com a carta escrita e as malas prontas, usei o relógio lunar uma última vez. A visão do futuro daquela vez confirmou que todos que eu amava ficariam a salvo, que seria Harry, e não eu, quem cometeria suicídio e que era seguro para mim partir. — Jocelyn ergueu a cabeça e olhou diretamente para Holly. — Portanto, voltando à sua pergunta original, sim, de certo modo eu realmente matei Harry.

— E você nunca contou a Paul.

— Não — disse Jocelyn. — Eu não poderia contar a ele antes que Harry morresse porque tinha medo de que isso pudesse alterar o futuro, e, depois da morte de Harry, fiquei arrasada pela culpa. Não conseguia justificar o que havia feito nem para mim, quanto mais para Paul.

— Você deixou Paul acreditar que o pai era inocente. — Holly balançou a cabeça e tentou reprimir a raiva que sentia.

— Quando retiraram as coisas de Harry da casa da guarda, Paul encontrou a carta que eu escrevera para o pai dele. Nessa altura, eu estava oficialmente divorciada e não tinha direito nenhum à propriedade, Paul herdou tudo. Quando tinha idade suficiente, meu filho me deixou e partiu da cidade. Ele se alistou no exército e viajou o mundo, aceitando qualquer missão que o levasse o mais longe possível de mim.

— Deve ter sido difícil para vocês dois. Mas, e agora, vocês estão bem?

Jocelyn balançou a cabeça, e mais uma lágrima escorreu por seu rosto.

— Eu tentei. Por anos tentei entrar em contato com Paul, mas ele estava determinado a me varrer de sua vida... como se eu mesma tivesse morrido. Cada carta ou cartão que eu mandava para ele voltava sem ter sido aberta. Não consegui falar com meu filho por anos, até o mês passado.

— Eu presumi que você visitasse Paul com regularidade. Mas você realmente esteve com ele, não é? Ficou fora por mais de uma semana — perguntou Holly, somando a confusão a tantas outras emoções que ferviam em seu peito.

— Você me deu o empurrão de que eu precisava para tentar uma última vez. Eu o rastreei por meio de um amigo do exército que também é de Fincross. Praticamente acampei na porta de Paul até que ele não pudesse mais me ignorar.

— O que você disse a ele?

— Não contei a ele sobre o relógio lunar, se é a isso que você está se referindo. Acho que teria sido um passo grande demais. Mas contei que o pai dele havia me levado à beira do suicídio. Contei que deixara Harry para proteger tanto a ele quanto a mim.

— E ele a ouviu?

Jocelyn sorriu, e as rugas de cansaço em seu rosto se suavizaram.

— Acho que ouviu o bastante. Não acertamos todas as nossas diferenças, mas pelo menos acertamos algumas.

Jocelyn sorriu enquanto as lágrimas secavam, mas o fantasma dessas lágrimas permanecia, e Holly sabia que a amiga não seria capaz de se livrar da culpa que carregava havia 30 anos.

As nuvens agora dominavam o céu, e a brisa quente tinha adquirido um toque cortante. Os jardins gloriosamente desmazelados que as cercavam haviam perdido o lustro, e Holly não hesitou quando Jocelyn sugeriu que voltassem para casa.

— Acho que esse piquenique não foi uma boa ideia, não é? — suspirou Jocelyn. — Nós acabamos perdendo o apetite, e, detesto dizer, minhas juntas estão me matando. Não sei nem se conseguirei me levantar.

Holly sorriu enquanto se levantava e estendia os braços para ajudar a amiga a se levantar também.

— Bem, não posso deixar você aqui e não consigo encarar tudo isso sem você.

Esse foi o jeito de Holly pedir ajuda, e Jocelyn encontrou determinação suficiente para se colocar de pé e abraçar a amiga.

— Eu não deixaria você encarar tudo isso sozinha — assegurou-lhe Jocelyn.

A volta para casa foi mais lenta, e o caminho estava bem mais escuro. Os matizes coloridos que outrora haviam iluminado o caminho delas até Hardmonton Hall haviam dado lugar a uma nebulosidade fria. A jornada de Holly até as ruínas havia sido marcada por uma mistura de medo e esperança, mas no retorno ela trazia apenas o medo, além de uma sensação de vazio que se infiltrara em seu corpo quando todas as lágrimas haviam secado.

— E se houver uma exceção à regra? — perguntou ela a Jocelyn, conforme se aproximavam da casa da guarda. Era a primeira vez, na volta desoladora para casa, que se falavam, a não ser pelos xingamentos ocasionais que Jocelyn deixava escapar quando suas juntas doíam demais.

— Não há como barganhar com o relógio lunar — alertou Jocelyn. Ela parou e se virou para Holly. Era difícil dizer se a careta no rosto da velha senhora era de dor ou de preocupação com Holly assumir algum risco em relação ao próprio futuro.

— Então, por que usá-lo? — explodiu Holly, sem estar certa se sua raiva era dirigida a Jocelyn ou ao relógio lunar. — Por que você não o destruiu ou ao menos destruiu o mecanismo que o faz funcionar? Por que o deixou de lado para que alguma tola como eu aparecesse e o colocasse para funcionar de novo?

Uma nova onda de culpa pareceu puxar os ombros de Jocelyn para baixo, e subitamente ela pareceu muito velha e frágil.

— Não sei por quê, Holly, realmente não sei. Assim como o Senhor Andrews, não achei que tivesse o direito de destruir o relógio lunar. Eu escondi a caixa em uma das paredes da oficina de Harry e pensei que estaria segura ali. Com certeza, seria o último lugar em que Harry olharia. E guardei o diário comigo, lembra? Pensei que ninguém mais descobriria por conta própria como juntar o mecanismo ao relógio.

Quando Holly viu a expressão de sofrimento no rosto de Jocelyn, imediatamente se arrependeu da explosão, e sua raiva desapareceu tão rápido quanto surgira. Ela sabia que estava sendo injusta e, além do mais, não podia ignorar o fato de que o relógio seria útil para evitar que ela morresse de parto.

— Desculpe, Jocelyn. Eu não devia ter dito isso. Você é tão vítima do relógio quanto eu. — Ela passou o braço pelo da amiga, e começaram a caminhar mais uma vez em direção à casa da guarda. — Conte-me tudo o que sabe sobre o diário, então — falou Holly, procurando afastar a conversa de suas acusações impensadas.

— Foi escrito por Edward Hardmonton e descreve em dolorosos detalhes como ele ressuscitou o relógio e as decisões que foi forçado a tomar. Ele sabia que a tragédia se aproximava, mas não havia muito o que pudesse fazer para mudar os eventos futuros.

— Como a gota de chuva na vidraça, que nem sempre escolhe a jornada — recitou Holly.

— Você se lembrou perfeitamente do poema.

— Não é algo que eu deva esquecer — suspirou Holly. — É a única coisa que tenho para me ajudar a superar esse pesadelo.

— Não é a única coisa. Também estou aqui para ajudar... A menos que esteja preparada para conversar com Tom a respeito disso.

Foi a vez de Holly se sentir culpada. Acabara de perceber que estava prestes a tomar decisões que poderiam mudar a vida deles, e Tom tinha o direito de estar envolvido.

— Primeiro preciso ter tudo muito claro em minha mente. Um dia contarei a ele.

— Mas não hoje — sugeriu Jocelyn.

— Ou amanhã — acrescentou Holly. — Talvez não até tudo isso estar terminado e não haver mais decisões a serem tomadas.

As árvores começaram a rarear, e Holly percebeu o alívio de Jocelyn quando a casa da guarda surgiu mais adiante.

— Vou levá-la de carro para a sua casa — insistiu Holly.

— Já lhe avisei que não vou deixar essas juntas me vencerem — falou Jocelyn com um olhar severo.

— Então me deixe ao menos acompanhá-la até em casa. Sem discussão.

— Quem está discutindo? — perguntou Jocelyn, com um sorriso carregado de dor.

EMBORA JOCELYN TIVESSE FICADO ALIVIADA quando pararam em frente à casa de chá, ela não parecia muito ansiosa para se despedir de Holly. Não queria deixar a amiga sozinha para lidar com o futuro. Ambas sabiam que só havia um caminho que Holly poderia tomar se quisesse sobreviver, e isso significava um futuro sem Libby. A filha ainda não existia no presente, talvez jamais viesse a existir, mas Jocelyn podia ver a dor da perda nos olhos de Holly.

— Eu poderia colocar algumas coisas na mala e ficar com você até Tom voltar — ofereceu Jocelyn. Ela tirara o diário da cesta, mas parecia relutante em entregá-lo a Holly.

— Vou ficar bem, não se preocupe — assegurou Holly, pegando o diário das mãos hesitantes de Jocelyn. — Tenho esse diário para ler e ainda tenho muitas outras coisas para me manter ocupada. O mármore para a escultura da Senhora Bronson deve ser entregue na próxima semana, e Billy prometeu voltar para terminar o jardim de inverno. Além do mais, você também tem coisas a fazer.

— Sim, a cidade sempre fica cheia na época da colheita, mas estou certa de que poderia passar muito bem sem mim. — Jocelyn ainda não fizera menção de entrar na casa de chá.

— Jocelyn, vou ter que arrastá-la pelas escadas até seu apartamento? — perguntou Holly, fingindo severidade, mas com um sorriso travesso. Mesmo que a amiga fosse a única pessoa com quem pudesse conversar sobre o relógio lunar, Holly precisava desesperadamente de um tempo para ficar sozinha.

QUANDO HOLLY VOLTOU PARA CASA, o lugar parecia vazio e árido. Ela tivera um relance de como seria a maternidade, vira o rosto da criança que conceberia com Tom e se deixara encantar pela possibilidade de ter aquilo tudo. Presumira que o relógio lunar, em sua mística benevolência, havia lhe mostrado os perigos que a aguardavam para que ela pudesse evitá-los, para que pudesse sobreviver — para que *todos* pudessem sobreviver.

Holly colocou o diário sobre a mesa da cozinha e ficou olhando para ele. Estava encadernado em couro marrom-escuro, com o monograma E.H. impresso no canto superior esquerdo. Uma faixa de couro estava presa ao redor dele, para manter no lugar os pedaços de papel que haviam sido enfiados entre as páginas desmazeladas. Holly sentiu-se tentada a deixar o diário fechado, ainda mais agora que Jocelyn havia descrito que seu conteúdo era doloroso... Já ouvira histórias dolorosas o bastante nesse dia. Mas o diário exigia sua atenção, e ela sabia que não descansaria até sua tortura estar completa.

8

Edward Hardmonton sentira-se intrigado pelo relógio lunar desde que era bem pequeno. Para o resto da família, o relógio não era nada além de uma curiosidade nos jardins de Hardmonton Hall, meio esquecido por quase um século. Mas o jovem Edward sentira-se irresistivelmente atraído pelo círculo de pedra que se erguia orgulhoso, cintilando ao sol. O garoto passava intermináveis tardes de verão brincando lá. Ele conhecia cada centímetro da superfície gravada do relógio e cada palavra do poema que o circundava, mas, sem o mecanismo para liberar o poder, o relógio lunar mantivera seus segredos só para si.

Quando Edward partiu para a universidade, estava empolgado demais com o mundo que o aguardava para pensar no que estava deixando para trás, e logo se esqueceu do relógio lunar. Depois de receber seu diploma em agronomia, Edward viajou pelo mundo para fazer o que muitos de seus colegas estavam fazendo nos anos 1960: autodescobrir-se. Ele sabia que tinha sorte, não apenas porque possuía os meios financeiros para ir e vir conforme sua vontade, mas também porque seu pai apoiava sinceramente seu desejo de viajar. Ambos sabiam que Edward, como filho único, um dia assumiria o papel de seu pai na administração da propriedade, e, embora tivesse consciência de seu dever e o aceitasse, enquanto a hora não chegava, Edward pretendia aproveitar sua liberdade, com a bênção do pai.

A busca de Edward pelo autoconhecimento chegou ao fim quando seu pai morreu subitamente de um ataque cardíaco. Edward viajava pela Itália na época, e a notícia foi devastadora para ele. Ele lamentou profundamente não estar ao lado do pai e, mesmo sem haver dúvidas de que retornaria para casa em Hardmonton Hall, essa foi uma decisão mais difícil de ser tomada do que imaginara. Edward havia conhecido uma pessoa. Era uma jovem de uma pequena cidade rural da Itália, mais bonita do que qualquer outra mulher que ele já tivesse conhecido, com a pele cor de oliva e os olhos castanhos muito escuros. Edward a conhecia havia um mês apenas, mas já sabia que Isabella era a mulher de sua vida. Não conseguiu suportar a ideia de deixá-la para trás, por isso arriscou-se a pedi-la em casamento na véspera de seu retorno à Inglaterra. Eles jamais voltariam a se separar.

Apenas cinco anos mais tarde, por uma reviravolta do destino, a atenção de Edward seria novamente atraída para o relógio. Nessa época, Edward e Isabella tinham um filho de dois anos, Lucas, e, com o futuro da família garantido pela nova geração, Edward voltou seus pensamentos para o passado. Pesquisando nos arquivos da família, ele se deparou com uma coleção de escritos e rabiscos do oitavo lorde Hardmonton. Os registros documentavam as explorações do trisavô de Edward por terras ancestrais, e ele finalmente foi capaz de recompor a história do relógio e entender sua ligação com a abominável pedra da lua.

Com o interesse renovado pelo relógio, Edward começou um diário para registrar suas descobertas. Além de suas próprias notas, Edward incluiu parte dos arquivos originais. A pesquisa dele provou, entre outras coisas, que os rumores sobre seu predecessor estavam corretos. Quando Charles Hardmonton foi relegado ao ostracismo pela comunidade científica sob a suspeita de ter roubado um precioso artefato, as evidências que Edward descobriu mostravam que sua punição fora merecida.

O item desaparecido era a pedra da lua, um altar sagrado que fora a peça central de um templo asteca em honra à deusa da lua, Coyolxauhqui. Naquele tempo, Charles já havia tornado pública sua desaprovação ao saque sistemático de antiguidades, e a pedra da lua provou ser a gota d'água. Charles secretamente retirara a pedra da lua do navio cargueiro — o mesmo que colocaria em dúvida a reputação dele — e a transferira para outro navio.

Depois de toda uma vida dedicada às descobertas científicas, Charles se dispusera a sacrificar tudo pelo que trabalhara pela posse de um único tesouro. Por quê? Porque durante sua última expedição ele não apenas descobrira a lenda do relógio, mas também viera a acreditar em seu poder.

Foi Charles Hardmonton quem transformou a pedra da lua no relógio. Ao que parece, o projeto do mecanismo que canalizaria o poder da lua cheia e acordaria o relógio levara vários anos: os esboços encontrados nos arquivos mostravam vários projetos diferentes das engrenagens, das garras de metal e da esfera no centro. Depois que o mecanismo fora aperfeiçoado e o poder da pedra da lua, canalizado, Charles usou-o para ver seu próprio futuro e, com a disciplina de um cientista experiente, coletou evidências para estabelecer a extensão do poder do relógio lunar, bem como suas limitações. Ele usara seu conhecimento para escrever o poema que seria gravado nos caminhos que cercavam o relógio.

O poema fora o modo que Charles encontrara de fornecer um manual de instruções do relógio lunar para as futuras gerações, que ficaria à mostra para que todos vissem. Seus registros, no entanto, não davam nenhuma pista de por que Charles teria deixado instruções para que a esfera que criara para o centro do relógio fosse enterrada consigo. A localização do restante do mecanismo nunca foi documentada, e, assim, o relógio acabou abandonado.

A primeira tarefa de Edward, portanto, era localizar o mecanismo e encontrar um substituto adequado para a esfera. O mecanismo fora relativamente fácil de localizar, uma vez que Edward sabia o que estava procurando. A caixa de madeira que continha o conjunto de engrenagens e suportes fora guardada junto a uma coleção de relógios, que estavam acumulando poeira no amplo sótão da mansão. Apesar de seus antepassados terem inferido que aquela era apenas uma caixa de peças de reposição, as gravuras entalhadas na superfície da madeira atraíram a atenção imediata de Edward.

Encontrar um substituto para a esfera provou ser um pouco mais difícil, já que Edward rejeitava a ideia de profanar o túmulo de Charles Hardmonton. Sua primeira tentativa foi usar a tampa de uma garrafa de cristal, adaptada para se encaixar nas garras do mostrador do relógio. De certo modo, a tentativa funcionou, mas a visão revelada a Edward era apenas uma impressão fantasmagórica do mundo ao redor, um mundo sombrio, com feições que ele mal podia reconhecer. A tentativa deu a Edward provas substanciais de que a lenda do relógio era verdadeira, mas ele percebeu que precisaria de uma peça mais poderosa para substituir a esfera.

Edward, então, desenvolveu a ideia de um prisma e encomendou uma esfera feita a partir de seu projeto. Enquanto esperava que a esfera ficasse pronta, sua empolgação aumentava. Mas toda a animação se transformou em profundo desespero quando ele testou a nova esfera no mecanismo pela primeira vez. Agora, em uma visão clara, a esfera revelou por que na visão anterior o mundo ao redor lhe parecera tão desolado. A mansão fora completamente destruída pelo fogo, fazendo desaparecer séculos de história da família. Toda a propriedade parecia ter sido abandonada à própria sorte, embora, para horror de Edward, houvesse uma área em particular que parecia ainda ser cuidada com carinho. O cemitério da família fora limpo e lá havia um novo túmulo. A lápide continha o nome da esposa e do filho dele, a data da morte era a mesma: havia menos de um ano.

Durante os meses que se seguiram, Edward se viu dominado pelo medo e tentou desesperadamente descobrir como o fogo começara. Seus esforços iniciais foram frustrados, já que o relógio lunar o levava sempre de volta ao terreno abandonado, sem vida, e não lhe dava nenhuma pista que o ajudasse a evitar a tragédia. Edward percebeu que precisaria de ajuda, de alguém que estivesse no futuro, esperando por ele no lugar onde ficava o relógio lunar, para lhe garantir a informação crucial que ligasse o presente ao futuro. Obviamente, ele mesmo sobrevivera ao fogo e poderia estar lá para conduzi-lo, mas Edward não poderia e não iria encarar a si próprio no futuro. Em vez disso, ele escolheu como confidente o Sr. Andrews, o jardineiro cuja família trabalhava na propriedade havia gerações. O Sr. Andrews conseguiu encontrar Edward — ou ao menos o reflexo de Edward revelado pelos raios do luar — em sua visita seguinte ao futuro. O Sr. Andrews sobrevivera à tragédia e pôde explicar a Edward que o fogo fora causado por um problema na fiação elétrica, já muito antiga, da mansão.

A essa altura, Edward já estava bem familiarizado com as regras do relógio lunar. Ele sabia que seria difícil mudar o destino de sua família, mas ainda assim estava disposto a tentar. Edward tomou todas as precauções possíveis para prevenir o fogo: renovou as instalações elétricas da mansão e até instalou alarmes de incêndio e pulverizadores de água. Ele financiou as reformas com o dinheiro que ganhou com apostas em corridas de cavalos — mais uma vez, usando informações fornecidas pelo Sr. Andrews, que continuava a se encontrar com ele por meio do relógio lunar, armado com todas as informações que julgava úteis para tentar salvar os Hardmonton.

Cada visita ao futuro confirmava que todas as suas precauções eram vãs. As interferências de Edward haviam provocado mudanças sutis nas ruínas, que, àquela altura, já haviam se tornado um cenário familiar em suas visões do relógio lunar, mostrando que a origem do fogo tinha sido alterada, embora as ruínas continuassem a existir. Para piorar as coisas, a fortuna que Edward acumulara para financiar as reformas fora drenada por um imposto inesperado. As tentativas seguintes que ele fez para levantar mais dinheiro também acabaram frustradas por alguma calamidade inesperada. O relógio lunar não permitiria que aqueles que o utilizavam alterassem seus destinos com facilidade, e isso incluía as finanças. Havia um caminho a ser seguido, e o relógio não permitiria nenhum desvio de seu curso.

Edward se recusava a aceitar a derrota, e começou a planejar uma fuga com a família; pretendia escapar para outro país. A mansão estava destinada a se transformar em cinzas, e Edward deixaria que queimasse, mas ele e sua família não precisavam estar ali quando acontecesse. Mais uma vez, as tentativas de Edward de salvar sua família pareciam destinadas ao fracasso. Cada vez que voltava ao relógio lunar, o Sr. Andrews aparecia em sua visão para lhe dizer que alguma nova tragédia havia se abatido sobre sua amada esposa e seu filho.

As regras do relógio eram rígidas e assombravam Edward. Uma vida por outra vida estava provando ser a mais cruel das regras. O destino estava prestes a lhe roubar duas vidas, sendo que Edward tinha apenas uma para dar em troca. Jamais seria capaz de salvar ambos — a mulher e o filho.

A raiva crescente de Edward era dirigida ao relógio lunar por levá-lo aos limites da insanidade. Ele estava determinado a destruir o mecanismo, fazê-lo em pedaços, mas, apesar de sua repugnância pelo relógio, Edward não conseguiu fazer o que pretendia. Em vez disso, confiou ao Sr. Andrews a tarefa de decidir o destino do relógio lunar. Enquanto isso, Edward se apegava desesperadamente à esperança de que a visão fosse falsa.

Apenas em seu último registro, na véspera do incêndio, ele finalmente aceitou seu destino:

> Eu me perguntei com frequência por que meu trisavô permitiu que o relógio pelo qual sacrificou sua carreira e sua reputação fosse arruinado. Agora sei o que Charles Hardmonton também devia saber em seu leito de morte. Não devemos alterar o destino. É um fardo pesado demais para qualquer homem o poder de ver o futuro e então aceitar que aquele caminho que tomamos não é o de nossa escolha. Como uma gota de chuva que escorre pela vidraça de uma janela, o futuro que vemos deixará uma marca à qual os destinos que reescrevermos voltarão inevitavelmente. Charles desejou que o segredo do relógio lunar fosse enterrado consigo, e meu último desejo é que agora ele morra comigo.
>
> Arrependo-me do dia em que ressuscitei o relógio, mas tenho que aceitar que meu tormento trará alguma consequência boa, meu filho Lucas será testemunha disso.
>
> Meu único alívio é que meu fardo agora foi compartilhado, um ato egoísta, mas também um mal necessário. Isabella estava atormentada e parte meu coração vê-la sofrer, mas o tempo está correndo. Eu precisava prepará-la para o que nos aguarda e também precisava da ajuda dela para garantir que nosso lindo Lucas ficará são e salvo.

Eu deveria ter imaginado que Isabella seria a mais forte de nós dois. Assim que soube, compartilhou de minha convicção de que nossa sorte está selada, e não se debateu no sofrimento. Isabella tem apenas um propósito em mente, que é providenciar todo o possível para Lucas. Ao fazer isso, ela tranquiliza minha culpa, meus medos. Sou abençoado e amado. E, mais, estou preparado para encarar o amanhã e descansar nos braços da mulher por quem eu teria dado a minha vida de bom grado, se já não a houvesse prometido ao nosso amado Lucas.

Holly fechou o diário cuidadosamente, quase com reverência, e voltou a amarrar a fita de couro ao redor das páginas soltas. Sentia-se completamente drenada. A história de Edward Hardmonton exaurira as poucas reservas de força que lhe restavam, o pouco de esperança que ainda tinha. Ela não se levantara da mesa da cozinha por duas horas e, quando finalmente o fez, suas juntas pareceram gritar em reclamação. A dor era quase um alívio para o torpor que dominara seu corpo e sua mente.

Holly saiu da cozinha quase em transe, mas uma nova sensação começava a surgir dentro dela. Uma raiva profunda começou a crescer em seu peito, e, quando ela entrou na sala de estar, o lugar onde compartilhara momentos preciosos com Libby, deixou escapar o primeiro grito de fúria. Ela olhou para além do espaço vazio no chão e viu Libby, deitada sobre o trocador, chutando as perninhas. Olhou para além do espaço vazio no sofá e viu Tom alimentando a filha. Em todo lugar para onde se virava, via o fantasma da filha que ainda não havia nascido.

— Não pode fazer isso comigo! — gritou ela. — Não pode me fazer escolher entre a minha vida e a de Libby!

Ela examinou a sala, procurando respostas para as perguntas que inundavam sua mente. Então viu o gato de porcelana sorrindo para ela na estante. Ele sobrevivera em um futuro onde Holly não sobrevivera, e sobreviveria em um futuro onde Libby não sobreviveria. E continuava a sorrir.

— Se Libby não pode viver, então por que você deveria? — gritou para o sorriso do gato. Em um ataque de fúria cega, Holly agarrou o gato e o arremessou para o outro lado da sala. Ela ouviu o estouro da cabeça se partindo juntamente com o corpo quando o bibelô bateu na parede e caiu atrás do sofá, fora da vista.

Holly ficou parada no meio da sala, tentando respirar em meio à fúria. Sua mente ainda parecia girar enquanto tentava dar sentido a tudo, mas havia um único pensamento que seguia chamando sua atenção. Era um verso do poema, e ela recitou as palavras em voz alta: "Vida por vida: o preço a pagar, nunca a menos e nunca a mais". Se não fosse a vida dela a ser sacrificada, seria a de outra pessoa, um membro da família, alguém que ela amava. Holly fechou os olhos enquanto as palavras ecoavam em sua mente. Sua vida pela de Libby... realmente não havia outra escolha.

No fim, a fúria de Holly foi se apagando e lhe restou apenas um refúgio.

— Alô. Você está ocupado? — perguntou Holly.

— Não, estava apenas mexendo em alguns papéis. Qual é o problema, Hol? — A voz de Tom demonstrava preocupação. Era início da noite para Holly, mas no Haiti era meio-dia, e Tom não esperava falar com ela até mais tarde.

Holly adiara a ligação o mais que pôde, mas, enquanto permanecia sentada à mesa da cozinha, observando o sol se pôr, parecia que a luz desvanecente levava consigo não apenas os sonhos e esperanças de Holly, mas também os de Tom — se ao menos ele soubesse...

— Não há nada errado, só quis lhe fazer uma surpresa — mentiu Holly. — Se estiver ocupado, pode dizer, eu desligo e ligo mais tarde. Queria apenas ouvir sua voz, e agora já ouvi. Precisava saber se você estava bem, e agora já sei.

— Não, não desligue. Estava precisando de uma distração agradável neste momento. Pensava em tirar uma soneca agora que terminei de fazer minhas anotações sobre as entrevistas desta manhã, mas sei que acabaria ficando acordado, pensando no que tenho para resolver.

— Achei que fazer anotações ajudasse você a esvaziar a mente — disse Holly, encarando o diário.

— Bem, até agora isso não está funcionando — disse Tom. — Estou amando e odiando este emprego ao mesmo tempo. Estar aqui realmente está abrindo meus olhos para outro mundo. Gostaria que você conhecesse algumas das pessoas que eu conheci. Algumas das histórias que elas têm para contar iriam deixá-la boquiaberta, mas não consigo evitar me sentir culpado. Estou cercado por milhares e milhares de sem-teto, de pessoas desesperadas, e sei que posso voltar a qualquer momento para a minha linda casa e para a minha linda esposa. Tenho o tipo de segurança na vida com a qual eles não podem nem sonhar. Não passarei fome, terei o atendimento médico de que precisar, sempre que precisar. Quando tiver filhos, não terei que me preocupar com a possibilidade de eles precisarem lutar para sobreviver dia após dia. Creio que nunca mais vou enxergar minha vida do mesmo jeito, como se essas coisas fossem garantidas.

Houve um longo silêncio enquanto Holly se perguntava como responder a Tom. Ela imaginou os planos e esperanças que Edward Hardmonton tivera para o seu futuro antes de o relógio lunar selar seu destino.

— Você está certo. Não deveríamos assumir nada como garantido. Devemos apreciar o que temos agora. Sei que temos um plano de cinco anos, mas estou começando a perceber o quanto isso é arrogante. Deveríamos passar mais tempo aproveitando as coisas que temos, saboreando o que conquistamos, em vez de ficar procurando sempre por mais.

Holly sabia que estava plantando a semente de uma decisão — adiar a ideia de terem filhos em um futuro próximo —, mas parou antes de dizê-la. Se dissesse isso em voz alta, poderia mudar o futuro e apagar Libby para sempre... Isso era algo que Holly ainda não tinha forças para encarar.

— Estamos ficando dois velhos muito filosóficos — observou Tom. — Sei que não aprecio o que tenho, não o bastante. Não aprecio você o bastante. Veja, estou do outro lado do mundo, pedindo para que você deixe sua vida em suspenso. Não mereço você.

— Quero que você seja feliz, mais do que qualquer coisa no mundo. Sei que não posso lhe dar tudo o que quer. — Holly fez uma pausa, tentando sufocar a onda de emoção que ameaçava dominá-la. — Mas o trabalho que você está fazendo é importante e o colocará no caminho certo pelo resto de sua carreira.

— Ele me colocará sentado atrás de uma mesa e diante de uma câmera por toda a minha vida, é isso o que quer dizer?

— Sentado atrás de uma mesa escrevendo seu livro soa melhor para mim — sugeriu Holly, já perfeitamente consciente da resistência do marido a se tornar âncora de telejornal.

A voz de Tom logo ficou animada quando ele começou a falar sobre o tipo de livro que pretendia escrever, e a empolgação dele trouxe vida de volta ao coração congelado de Holly. Valera a pena ligar para Tom. Ouvi-lo fez com que ela se lembrasse de que ainda havia muitas coisas na vida que ambos queriam conquistar, coisas que não estavam presas às regras do relógio lunar.

Houve uma longa pausa no telefone, e Holly percebeu que havia perdido o fio da conversa.

— Estou entediando você? — perguntou Tom.

— Desculpe — respondeu ela. — E não, você não está me entediando, está me fazendo perceber que ainda há muito por que ansiar, principalmente o fato de que voltará para casa em poucas semanas. Estou com saudades.

— Também estou com saudades — sussurrou Tom. — Amo você, Senhora Corrigan.

— Também amo você. Volte a salvo para casa.

Holly desligou o telefone e olhou através da janela da cozinha para o relógio lunar, que cintilava ao crepúsculo.

— Você não vai me derrotar — disse ela. — Não pode apagar tudo. — Ela chegara a pensar que não havia mais esperanças, mas Tom a lembrou de que ainda tinham um futuro. Havia esperança, tinha que haver, e ela não deixaria que o relógio lunar lhe tirasse isso, ao menos não completamente.

9

O ateliê estava em um frenesi de atividade, e Holly estava imersa em muito trabalho, envolta por calor, pó e um barulho ensurdecedor. A peça de mármore que escolhera para a base da escultura da Sra. Bronson era linda, mesmo antes de começar a ser trabalhada. Era quase uma pena lapidar os veios multicoloridos que emprestavam vida à pedra negra. Mas Holly fez o que era preciso. Três dias haviam se passado desde sua caminhada fatídica até as ruínas com Jocelyn. Holly começara a aceitar que deveria renunciar aos seus sonhos de segurar Libby nos braços, de vê-la crescer e completar a família que Tom desejava tão desesperadamente — que ela desejava tão desesperadamente. Mas a dor da perda, a pontada de culpa por tomar aquela decisão sem Tom, a vergonha de sacrificar a vida da filha para manter a sua própria; essas eram emoções que ela não estava certa de que conseguiria aceitar.

O pó voava ao redor de Holly, obscurecendo sua visão, enquanto ela usava uma motosserra para esculpir a pedra. Lenta mas precisamente, a espiral foi tomando forma, tornando-se uma base dramática para as imagens da mãe e do filho que emergiriam acima. Apesar do progresso que vinha conseguindo, Holly não encontrava alegria no trabalho. Tinha uma encomenda a ser entregue, só isso.

Holly sentia-se o pior tipo de hipócrita. Não houvera laço nenhum entre ela e sua própria mãe, nenhuma base sobre a qual construir um futuro, e agora não haveria Libby para quem construir um futuro. Estivera certa em duvidar de si mesma o tempo todo. Jamais seria uma boa mãe. Estava disposta a trocar a vida da filha pela própria vida. Holly lera e relera o poema vezes sem conta. Examinara cada página do diário atentamente, na esperança de descobrir algum segredo que a ajudasse a burlar a regra de uma vida pela outra, mas seus esforços eram em vão e ela sabia disso. Se houvesse alguma maneira de evitar o sacrifício que deveria ser feito, Edward Hardmonton sem dúvida teria descoberto.

Enquanto descartava grandes pedaços de pedra, Holly brincava com a ideia de voltar a usar o relógio lunar. O relógio talvez houvesse transformado a vida dela em um caos, mas acabara dando a Holly um modo de passar algum tempo com a filha que estaria sacrificando. Talvez Jocelyn estivesse certa. Talvez fosse um presente, e Holly não deveria recusá-lo tão rapidamente.

Nem tudo o que aprendera sobre o relógio era desagradável. Holly agora sabia que a presença dela ficaria mais forte sob a luz direta da lua. Ela se lembrou de ter folheado os papéis de Tom no escritório, com a lua cheia cintilando através da janela. Por isso achara tão mais fácil mover as coisas naquele cômodo. Talvez pudesse encontrar um modo de finalmente pegar Libby no colo. Cada nervo do seu corpo parecia implorar para segurar a filha nos braços. Mas então seus pensamentos se voltaram para Tom. Ela teria que encarar o sofrimento dele, o olhar do marido passando através dela, sem vê-la. E não se achava capaz de suportar isso.

Também havia outros receios. Não tinha como saber se a decisão que tomara — a decisão de não ter Libby — já reescrevera seu futuro. Se fosse esse o caso, Holly não estava preparada para enfrentar o que o relógio lunar poderia revelar. Não, não usaria o relógio, ainda não. No entanto, mesmo relutante, ela sabia que ainda havia algo a saber sobre seu futuro. Ainda havia uma pergunta que precisaria ser respondida em seu devido tempo. Se o relógio mantinha as contas empatadas, então Holly estaria sacrificando apenas a vida de Libby, ou também suas chances de algum dia vir a ser mãe?

A pergunta nesse momento era quase irrelevante. Holly não achava que merecia ser mãe, e sentia-se tentada a destruir o relógio lunar do mesmo modo como agora despedaçava o mármore à sua frente.

— Já pensou em trabalhar no ramo da construção? — Billy estava parado à porta do ateliê, e teve que gritar para se fazer ouvir acima do zumbido da serra de Holly.

— Já está na hora do almoço? — perguntou ela. Holly estava acostumada a ser arrancada do trabalho para alimentar a horda de operários famintos que estavam dando os retoques finais no jardim de inverno.

— Almoço? Está quase na hora de ir para casa! São três e meia.

— Desculpe, Billy, acho que acabei perdendo a noção do tempo.

— Foi o que pensamos, mas não se preocupe. Trabalhamos direto, sem intervalo, e vamos sair mais cedo, se não se incomodar. Está um dia lindo lá fora, talvez o último dia bonito do ano. Você deveria sair, pegar um pouco de sol de vez em quando.

— Bem, se você não tivesse desaparecido por semanas e me deixado com um jardim de inverno inacabado, eu poderia estar pegando sol lá — disse Holly, fingindo severidade. Billy subira muito no seu conceito desde que ouvira a história de Jocelyn, mas ela não iria deixar que ele soubesse disso.

— A espera vai valer a pena — declarou ele, orgulhoso.

— Então, quando você vai terminá-lo?

— Mais alguns dias e estará pronto. Mas você não vai ficar livre de mim. Ainda estou terminando o projeto para o jardim.

— Então Tom vai contratá-lo para arrumar o jardim! — exclamou Holly.

Billy deu com a palma da mão na testa, em desespero, e seu rosto ficou vermelho de constrangimento.

— O que eu fiz? O segredo já não é mais segredo... Seu marido vai ficar tão irritado comigo...

— Bem, quem tinha a obrigação de fazer o trabalho era ele. Mas suponho que, se ele está fazendo fortuna viajando o mundo, o mínimo que podemos fazer é gastar o dinheiro para ele. — Holly suspirou.

— Quando aquele seu marido volta para casa? Já cansei de dizer que ele não deveria deixá-la sozinha por tanto tempo. Precisa de alguém que cuide de você, não importa se você concorda ou não.

— Tom estará de volta em duas semanas, mas não por muito tempo. Ele já tem planos de voar para algum lugar na América do Sul logo em seguida.

Billy balançou a cabeça lentamente, desaprovando a ideia.

— Você nunca pensou em ir com ele nessas viagens?

— Não pense que não me senti tentada — retrucou Holly. E seu corpo se encolheu com uma nova onda de culpa. Ela remexeu os dedos dos pés, buscando a firmeza do chão para ancorá-la, mas acabou pisando sobre os estilhaços de pedra cortante descartados sob seus pés.

Holly ansiava por Tom mais do que nunca. Billy estava certo, ela precisava que tomassem conta dela, e ninguém fazia isso melhor do que Tom. Mas queria poupar Tom do tormento pelo qual estava passando. Sua decisão de apagar Libby do futuro seria um problema para a consciência dela, não para a dele. Não contaria nada ao marido até o ano seguinte, quando ele voltaria para casa em definitivo, e então a data prevista para a concepção de Libby já teria passado.

— Bem, se precisar de companhia, sabe onde estou — disse Billy, arrancando-a de seus pensamentos. — Se não se importa que eu diga, você está diferente. Deveria sair mais. Não é bom para ninguém ficar trancada assim.

— Vou sempre até a cidade, tenho os pais de Tom, e estou sempre com Jocelyn — retrucou Holly. — Além do mais, falo com Tom todos os dias.

— Você pode estar em uma sala lotada de pessoas e ainda assim estar só — respondeu Billy.

— Sábias palavras — concordou Holly, ligeiramente abalada pela seriedade do comentário de Billy. — Terei isso em mente.

— E, na próxima vez que falar com aquele seu marido, diga a ele que o jardim de inverno que encomendou estará pronto para a grande inauguração assim que ele voltar.

— Devo dizer a ele que o jardim também estará pronto?

— Hmm... — Billy pousou nela um olhar severo, que logo se transformou em um sorriso presunçoso. — Quanto menos comentar a respeito, melhor.

EMBORA A CASA DE CHÁ não recebesse tantos clientes nessa época do ano, Jocelyn estava mais atarefada do que nunca. Quando não estava fazendo o trabalho do dia, tinha atividades extras mais que suficientes para mantê-la ocupada. Ela parecia participar de quase todos os comitês e grupos de voluntários da região. Com a época da colheita, a agenda dela estava tão lotada que Jocelyn não conseguiu se afastar da casa de chá para seu costumeiro brunch de domingo na casa da guarda, mas, como não pretendia deixar Holly fora de suas vistas com tanta facilidade, convidou-a para tomar o café da manhã na casa de chá dessa vez. Holly desconfiava de que Billy houvesse compartilhado suas preocupações sobre seu estado de espírito com Jocelyn, e simplesmente não havia maneira de recusar o convite.

A atmosfera na cidade estava fresca com o ar do final de setembro, um forte contraste com a atmosfera empoeirada do ateliê, e Holly se sentiu revigorada enquanto caminhava até a casa de chá. Só desejava que Tom estivesse em casa, para acompanhá-la.

Ele voltaria para casa dentro de uma semana, e, embora Holly soubesse, graças ao relógio lunar, que o marido retornaria são e salvo, ainda assim se preocupava. Cada vez que se falavam ao telefone, Tom parecia mais perdido. Ele era apaixonado pelo trabalho e se lançara ao desafio de fazer matérias sobre questões ambientais e políticas do mundo, mas não se havia se preparado para a tragédia humanitária que vinha testemunhando no Haiti. Tom estava cada vez mais frustrado com sua própria incapacidade de mudar alguma coisa.

Estava claro para Holly que a atual viagem seria mais do que um trabalho qualquer. O tempo no Haiti estava mudando a perspectiva que Tom tinha da vida, e isso sem dúvida afetaria a carreira dele. Apesar do relance que tivera do futuro de Tom, Holly não conseguira ver além do sofrimento do marido para entender o que estaria ou não acontecendo na vida profissional dele. Tom obviamente assumira a função de âncora do telejornal, a julgar pela papelada que ela vira no escritório dele, mas Holly também vira as anotações furiosas em seus roteiros sugerindo que aquele não era um emprego de que ele gostava, e agora ela compreendia o motivo.

Quando chegou à casa de chá, Holly colocou de lado seus medos por Tom. Ele não era o único que lhe causava preocupação.

— Estamos preocupados com você — disse-lhe Jocelyn.

Elas estavam sentadas a uma das mesas da casa de chá. A loja estava em um momento de rara calmaria, entre a loucura do café da manhã e a correria da hora do almoço. Lisa cozinhava nos fundos, e os únicos outros clientes estavam bem servidos de bebida e comida. A casa de chá recendia aos aromas acolhedores de croissant recém-assado.

— Por acaso, a outra pessoa seria Billy?

— Se alguém tão socialmente inapto quanto Billy pode sentir que há alguma coisa errada, então devo mesmo me preocupar — retrucou Jocelyn.

— Bem, ambas sabemos exatamente o que tenho para me preocupar. — Holly estava beliscando migalhas dos pães doces que Jocelyn a estava forçando a comer.

— Você já decidiu o que vai fazer nos próximos meses? — Foi a vez de Jocelyn parecer preocupada.

— Tenho que evitar a concepção de Libby, sei disso e não vai ser difícil. Tomo injeções contraceptivas a cada três meses e a próxima está marcada para novembro. O que eu e Tom combinamos foi que eu pararia de tomar as injeções e começaríamos a tentar um bebê no final deste ano. Agora, graças ao relógio lunar, tenho que manter as injeções, certo?

— O relógio lunar abre uma janela para que veja o futuro, mas cabe a você tomar as decisões que mudarão a sua vida — comentou Jocelyn. — É uma grande responsabilidade, sei disso, e estarei aqui sempre que precisar de mim, mas não posso tomar as decisões por você. Não farei isso, não quando a sua vida está em jogo.

Holly sabia que Jocelyn era a única pessoa capaz de entender a tortura por que estava passando. Para Holly, as opções eram de certo modo mais fáceis de serem colocadas em prática do que havia sido no caso de Jocelyn, mas o peso da decisão ainda era enorme.

— Você teve que decidir sozinha? O jardineiro era a única pessoa que sabia?

— Nem mesmo o Senhor Andrews sabia de tudo. Eu me sentia envergonhada demais para contar a ele exatamente o que vi. Por muito tempo, guardei para mim mesma o segredo do meu futuro, mas acabei contando para a minha irmã, Beatrice. Ela me ajudou e me influenciou até onde podia, mas coube a mim fazer meu próprio caminho. O fardo era meu, só meu.

— Eu compreendo, e também não deixaria que você assumisse o meu fardo. Você não iria querer a vida de outra pessoa pesando em sua consciência — concluiu Holly, mas então ruborizou quando percebeu como seu comentário fora infeliz, dadas as circunstâncias.

— Não quero a morte de mais ninguém pesando na minha consciência. Uma é o bastante.

— Passei a última semana tentando encontrar um modo de me livrar desse negócio com o relógio lunar. Não fique tão preocupada — acrescentou Holly, vendo a expressão alarmada no rosto da amiga. — Sei que não posso tentar manter a vida de Libby sem arriscar a vida de outra pessoa. Não estaria arriscando apenas a minha vida. Sei que poderia muito bem estar colocando Tom em risco.

— É por isso que não vou lhe dizer o que fazer. Sinto muito, Holly, você tem que fazer suas próprias escolhas e viver com as consequências. Mas não brinque com o relógio, e não baixe sua guarda. Por favor, Holly, não quando está jogando com a vida de outras pessoas.

— Preferia jamais ter descoberto aquela coisa maldita.

— Se sua vida for salva por causa do relógio, então ele é um presente, não uma maldição, mas tenha cuidado. Não esqueça que nem sempre escolhemos a jornada. Lembre-se daquela gota escorrendo na vidraça — alertou Jocelyn.

— Você acha que vai precisar mais que de uma simples consulta médica para evitar que eu conceba Libby? — Holly agora tinha o cenho tão franzido quanto o de Jocelyn.

— Às vezes, você muda as circunstâncias ao redor dos eventos, mas ainda assim eles acontecem. Lembra-se do que aconteceu com Hardmonton Hall? Edward tomou várias atitudes para impedir o fogo, mas tudo o que conseguiu foi mudar a causa do incêndio.

— Você não está conseguindo me tranquilizar, Joss! — Holly riu, mas a risada era vazia e tinha um toque de medo.

Jocelyn suspirou em silenciosa submissão à vontade do relógio lunar.

— Apenas acredito que há um equilíbrio universal e sei, sem sombra de dúvida, que mudar o futuro não é fácil. Se o relógio lunar me ensinou alguma coisa, foi que há menos caos no mundo do que podemos imaginar. As pessoas passam tanto tempo pensando se devem virar à esquerda ou à direita, e não percebem que de qualquer modo vão acabar chegando ao mesmo lugar.

— Mas o futuro pode ser mudado — argumentou Holly, com uma sensação familiar de pânico crescendo em seu peito.

— Sim, e é por isso que há um preço a pagar.

— Estou assustada, Jocelyn — confessou Holly. — Estou assustada com a possibilidade de passar o resto da minha vida pagando esse preço. Estou assustada com a possibilidade de o relógio lunar tomar de mim não apenas Libby, mas qualquer outro filho que eu pudesse vir a ter. Que tipo de vida vou levar se jamais puder ter filhos? Será que Tom ainda vai me amar?

— Posso ter encontrado seu marido apenas uma vez, mas aquele homem sempre vai amá-la, disso eu tenho certeza — respondeu Jocelyn com firmeza.

Antes que Holly tivesse a chance de insistir em seus medos, o sino acima da porta da casa de chá tilintou, anunciando novos clientes. Lisa estava no outro extremo da pequena cozinha, ainda ocupada picando legumes.

— O dever me chama — falou Jocelyn com um suspiro, colocando-se de pé. Ela fez uma careta de dor e acrescentou: — Acho que ainda estou me recuperando daquela nossa caminhada. Eu não deveria mais me arriscar com distâncias tão grandes. — Embora já estivesse com mais de 80 anos, Jocelyn trabalhava tão duro quanto qualquer pessoa com metade da sua idade e, apesar de suas juntas enferrujadas, a casa de chá parecia recarregar suas energias, em vez de consumi-las.

— Você deveria arrumar mais pessoas para ajudar aqui — sugeriu Holly.

— Se isso é uma oferta, então eu aceito — respondeu Jocelyn com um ar de triunfo. Holly abriu a boca para falar, mas acabou parecendo um peixe preso no anzol, com a boca aberta à procura de ar, enquanto tentava pensar na melhor maneira de sair da armadilha que Jocelyn lhe arrumara.

— Se eu não a conhecesse, Jocelyn, diria que acabo de cair em uma armadilha.

— Se não me conhecesse, diria *não* e voltaria para casa, para chafurdar em sua tristeza.

Holly estreitou os olhos enquanto avaliava a oferta e tentava ao máximo ignorar os gemidos exagerados de Jocelyn, que arrastava os pés enquanto deixava a mesa.

— Ainda preciso das minhas manhãs livres para trabalhar no ateliê. E você tem alguma ideia do quanto sou inexperiente na cozinha? — advertiu Holly.

— Mais uma razão para começar a ganhar prática — retorquiu Jocelyn.

— Gostaria que eu começasse agora? — ofereceu Holly.

— Não, amanhã à tarde estará ótimo.

Holly sentia-se relutante em partir. Ela olhou de relance para a jovem família que se acomodava a uma das mesas e examinava o cardápio.

— Então, preciso apenas sobreviver à lua cheia desta noite — falou Holly, por fim.

Jocelyn voltou a se sentar com um baque surdo.

— Como eu sou idiota! Desculpe, Holly, não percebi que estava tão perto. Você vai usar o relógio?

— Não, de jeito nenhum. Já vi o bastante do meu futuro para o resto da vida. — Embora conseguisse dar um sorriso corajoso, o coração de Holly estava apertado e o estômago, pesado. — Já joguei um lençol por cima do relógio. No que me diz respeito, ele pode ficar fora da vista até um futuro a perder de vista.

Ambas riram do trocadilho fajuto de Holly.

— Tem certeza de que vai ficar bem? — perguntou Jocelyn.

Holly se levantou.

— É claro que sim. Vejo você amanhã.

Jocelyn se levantou da mesa uma segunda vez e deu um abraço apertado em Holly.

— Você vai ficar bem. É uma mulher forte. Mais forte do que eu jamais fui.

— Duvido. Ficaria feliz em ter metade da sua força — falou Holly. — Você é uma mulher muito especial.

— Não seja tola — retrucou Jocelyn, empurrando Holly para fora da loja, com o rosto vermelho de embaraço. — E não ache que paparicar a chefe vai tornar as coisas mais fáceis para você. Quero que esteja aqui amanhã, às treze horas em ponto!

Quando Holly saiu da casa de chá, ficou surpresa ao perceber que seu passo estava leve. A volta para casa foi um passeio agradável, e ela se sentia no controle da própria vida como não acontecia havia muito tempo. Tinha sido forte uma vez e poderia ser de novo. Não baixaria a guarda e superaria essa situação pelo seu próprio bem e pelo de Tom.

Naquela noite, Holly venceu sua primeira batalha contra o relógio lunar e ignorou a atração persistente que ele exercia sob seu manto improvisado.

HOLLY AGITAVA PANELAS e frigideiras enquanto corria ao redor da cozinha, fazendo malabarismos para evitar que os legumes cozinhassem demais ou as batatas assadas queimassem. Ela insistira em convidar os pais de Tom e Jocelyn para o almoço de domingo, em comemoração à volta de Tom, mas estava começando a se arrepender seriamente de sua decisão. E provavelmente também não fora uma boa ideia abrir uma garrafa de vinho para ganhar coragem.

— Tem certeza de que não precisa de ajuda? — perguntou Diane, espiando da porta da cozinha e fazendo o melhor que podia para não demonstrar nenhum sinal de horror diante da bagunça em processo de criação.

— Não, está tudo bem — insistiu Holly, jogando um pano de prato sobre a marca de queimado na mesa da cozinha. Ela já havia confessado o que fizera à sogra, que levara na esportiva.

Diane olhou para o pano de prato, e estava prestes a dizer alguma coisa, mas desistiu. Holly não dava mostras de querer consolo.

— Se tem certeza... — falou Diane, mais como uma pergunta do que como uma declaração.

— Tenho certeza — retrucou Holly entredentes e com um leve toque de histeria na voz. — Vá ficar com Tom. Estou certa de que vocês têm muitos assuntos para colocar em dia.

— Está certo, então — falou Diane, com um sorriso não muito convincente. Ela não parecia ansiosa por sair dali, mas nesse momento a campainha tocou.

— Deve ser Jocelyn — arquejou Holly, olhando ao redor em pânico e imaginando por quanto tempo poderia deixar o fogão sozinho sem que toda a cozinha explodisse. Jocelyn ainda não conhecera os pais de Tom, e mal conhecia o próprio Tom. Holly seria uma anfitriã terrível se não fizesse as apresentações. Ela fez uma estranha dança no meio da cozinha, enquanto ia de um lado para o outro.

— Está tudo bem? Posso tomar conta da comida enquanto você atende a porta — sugeriu Diane, entusiasmada.

Por um instante, Holly sentiu-se realmente tentada a escapar da cozinha com sua garrafa de vinho e deixar o almoço em mãos mais capazes. Devia haver algo que Diane pudesse salvar em meio ao caos, se bem que ela teria um trabalho difícil para recriar as couves-de-bruxelas a partir daquele purê verde borbulhante na panela escondida na parte de trás do fogão.

— Não, fui eu que fiz essa confusão e sou eu que vou cozinhar até sair dela. Você poderia atender Jocelyn para mim?

— Se você prefere — concordou Diane, com certa relutância. Ela saiu da cozinha sem se virar, como se estivesse com medo de dar as costas àquele caos borbulhante.

Dois minutos mais tarde, Jocelyn enfiou a cabeça pela porta.

— Diane disse que você está determinada a fazer tudo sozinha, mas... — Jocelyn lançou um olhar preocupado ao redor da cozinha. — Tem certeza de que não quer ajuda?

— Estou bem — retrucou Holly com um sorriso fixo que já estava começando a doer nas bochechas. Já seria difícil o bastante não perder de vista os pequenos desastres que surgiam a cada minuto se não precisasse batalhar constantemente para manter as boas samaritanas longe. — Desculpe não poder sair daqui para apresentá-los devidamente.

— Ah, não se preocupe conosco. Diane e Jack são encantadores, e estou recuperando o tempo perdido com o seu lindo marido. Você não devia me deixar sozinha com ele...

— Confio em você — disse Holly, sorrindo. — Agora, se não se importa, tenho que ressuscitar um jantar.

— Você sabe onde estou, se precisar — disse Jocelyn, enquanto também saía da cozinha sem dar as costas. — Talvez devesse checar o forno. Acho que estou sentindo cheiro de queimado — gritou ela antes de sumir da vista da amiga.

Holly abriu a porta do forno e uma nuvem de fumaça a acertou bem nos olhos. Ela estava ocupada abanando a fumaça com porta da cozinha quando Tom apareceu.

— Como estão indo as coisas? — perguntou ele.

Holly estava a ponto de gritar para que o marido saísse da cozinha, mas ele pegou a garrafa de vinho e tornou a encher o copo dela.

— Eu não deveria — falou Holly —, mas mais um copo não vai fazer nenhum mal. Acho que tudo o que poderia dar errado já deu.

— O cheiro está delicioso — falou Tom alegremente. Ele estava evitando fazer contato visual com Holly ou olhar na direção da fumaça que ondulava para fora do forno.

— Você é um tremendo mentiroso, mas amo você por dizer isso. Estão todos bem lá dentro?

— Sim, dá pra dizer que a festa está pegando fogo. Desculpe, sem trocadilhos... — Holly o acertou com o pano de prato antes de deixá-lo continuar. — Jocelyn e minha mãe estão conversando como se fossem amigas de infância.

Holly entornou seu copo de vinho e o ergueu, pedindo mais.

Tom ergueu a garrafa para mostrar que estava vazia.

— Tem muito mais de onde veio essa — retrucou ela, inclinando a cabeça na direção da geladeira.

— Daqui a quanto tempo sairá o almoço? — perguntou Tom, hesitante. Ele provavelmente estava se perguntando se ela conseguiria servir a comida antes de estar completamente bêbada.

— Acho que ele estava pronto meia hora atrás. Agora está passado do ponto ou queimado.

— Pelo menos não teremos que abrir espaço aqui, podemos comer no jardim de inverno — comentou Tom. Ele arriscou um olhar para mesa da cozinha, que não tinha o mínimo espaço livre.

Holly respirou fundo para clarear a cabeça.

— Ah, eu desisto — falou ela. — Dê-me uma mão para servir isto. Você acha que eu deveria colocar uma pizza no forno, só para garantir?

— Seria ótimo — assegurou Tom.

O cheiro de tinta fresca no jardim de inverno deu lugar ao aroma de legumes cozidos, com um leve cheiro de queimado. Era início da tarde, mas o dia já começava a escurecer. Ao menos a luz suave fazia a comida parecer mais apetitosa, pensou Holly. Eles haviam pedido emprestado à casa de chá uma mesa grande e cadeiras, para que todos pudessem se sentar.

— Está maravilhoso — comentou Jocelyn, sorrindo e levando à boca a primeira porção do assado preparado pela amiga. Holly ouviu claramente o barulho crocante de uma batata dura demais sendo mordida.

— Delicioso — confirmou Diane, carinhosa.

— Parece até a comida de Diane — disse Jack. A esposa ergueu a sobrancelha para ele. — Nos primeiros tempos, quero dizer — esclareceu ele.

— Você está querendo dizer que a mamãe também não sabia cozinhar quando vocês se casaram? — Tom estava rindo, mas bastou um olhar de Holly para silenciá-lo.

— Está terrível, não está? — admitiu Holly. Ela deu um longo gole no vinho, para tentar tirar o gosto amargo da frustração.

Houve um coro de negativas e elogios, e todos fizeram um esforço notável para encher a boca de comida.

— É bom comer uma comida caseira. Vocês não sabem o quanto eu senti saudade de casa — disse Tom a todos eles.

— E nós sentimos saudade de você — falou Holly. Ela estava com a atenção voltada para o marido, mas pelo canto dos olhos enxergava além dele, no jardim. Podia ver a forma pálida do relógio lunar, o lençol que o cobria cintilando na noite como um fantasma onipresente.

Holly bebericava o vinho, ouvindo atentamente enquanto Tom descrevia o tempo que passara no Haiti. A experiência deixara marcas, e levaria um longo tempo até que ele se recuperasse de tudo o que vira, se é que isso aconteceria algum dia. Holly tinha mais certeza do que nunca de que fizera a coisa certa por ter adiado a decisão de contar a Tom sobre o relógio lunar.

— É tão assustador ver vidas e comunidades inteiras varridas por um único evento — dizia ele a Jocelyn.

— Não podemos dar a vida por certa — concordou Holly, com uma expressão de tristeza.

Jocelyn encarou a amiga com um olhar cauteloso, mas não disse nada.

— Estou certo de que esse frango, por exemplo, não teve noção do que o esperava — disse Jack, rindo de sua própria piada, até a esposa lhe dar um cutucão.

— É um jardim de inverno adorável — disse Diane, tentando levar a conversa para um terreno seguro.

— Sim, Billy fez um belo trabalho — concordou Jocelyn.

— Nós fizemos o projeto juntos — comentou Tom, orgulhoso. — A maior parte foi Billy quem projetou, tenho que admitir. E então, é claro, houve a interferência da minha esposa. As portas deveriam ficar na lateral, mas Holly mudou os planos no último minuto.

— Sim — acrescentou Holly —, sempre se pode mudar os planos, ou eles podem ser mudados à sua revelia. Fico imaginando por que me preocupo com eles.

Uma confusão se formava na cabeça de Holly, uma mistura de muito vinho com a crescente percepção de que realmente não tinha controle sobre o seu futuro. Lágrimas se acumulavam em seus olhos, e ela subitamente percebeu que os outros haviam se calado e a olhavam com preocupação. Ela não chorava desde o fatídico passeio a Hardmonton Hall e esperava conseguir conter as lágrimas mais uma vez, mas elas pareciam transbordar. — Se me dão licença, acho que preciso de um copo d'água — falou Holly, levantando-se rapidamente e saindo em direção à cozinha.

Ela tomou um copo cheio de água enquanto tentava clarear as brumas em sua mente.

— Hol, qual é o problema? — Tom a seguira e agora estava atrás dela, passando os braços ao redor da cintura da esposa e descansando a cabeça no ombro dela.

— Só acho que não gosto mais de fazer planos. Acabamos presumindo que podemos ter tudo o que quisermos. A vida não funciona assim.

— Isso tem a ver com o plano de cinco anos? Você mudou de ideia? — perguntou Tom. Ele manteve a voz suave, mas seu corpo estava tenso.

Holly não respondeu. Precisava estar sóbria para ter aquela conversa em particular e, de preferência, não no meio de um almoço com convidados.

— Por favor, diga-me que ainda quer ter um bebê — insistiu Tom. Ele estava acostumado à relutância de Holly, mas deduzira que todas as dúvidas da esposa haviam se dissipado, agora que os planos deles tinham sido colocados no papel.

Holly se virou para encará-lo, uma onda de raiva apertava sua garganta enquanto se sentia colocada contra a parede.

— Quero ser mãe, sim. De todo o coração. Mas por que sempre temos que querer mais? Por que não podemos apenas aproveitar o que temos agora? — disse ela em um sussurro, tentando manter a voz o mais baixa possível.

— Você acha que não sei disso? Depois de tudo o que vi? — argumentou Tom.

— Então você deve saber que não pode contar que as pessoas que você ama estarão por aqui amanhã.

Eles ficaram se olhando aborrecidos por um longo tempo. Holly foi a primeira a quebrar o silêncio.

— Desculpe — disse ela —, podemos deixar isso para depois?

Tom suspirou e beijou carinhosamente a testa da esposa.

— Você vai na frente — disse ele com um floreio de mão, apontando para o caminho que levava de volta aos convidados.

Havia risos ao redor da mesa, mas Tom e Holly trouxeram o silêncio constrangedor consigo para o jardim de inverno.

— Você está bem, Holly? — perguntou Diane.

— Acho que bebi vinho demais — admitiu Holly. Ela ergueu o copo de água e tentou deixar de lado a raiva e o medo, mas o manto fantasmagórico no jardim chamou novamente sua atenção. Se ao menos o relógio lunar lhe desse uma trégua...

— Imagino que vá levar um tempo para se acostumar com esse estranho esguio e elegante que acaba de aparecer em sua porta — comentou Diane.

— Ei, não sou um estranho — reclamou Tom.

— Não mais que de costume — acrescentou Holly. Os olhos deles se encontraram pela primeira vez desde que haviam voltado para a companhia dos convidados. Um pedido de desculpas mudo pairou entre eles e, quando todos riram de uma piada, Holly percebeu que a tensão havia relaxado.

Diane voltou a comentar sobre a aparência do filho.

— Você perdeu bastante peso nessa viagem, mas pelo menos seu cabelo está voltando a crescer. Nunca pensei que diria isso, mas, depois de anos implicando com você por causa dos seus cabelos embaraçados e cheios de nós, acho que sinto saudade do Tom de cabelos compridos.

— Eu também. — Holly sorriu. — Mas qualquer versão do Tom é melhor do que nenhuma.

— Ei, ei — disse Jocelyn, erguendo o copo. — Ele me parece bastante saboroso.

— Sem dúvida mais saboroso do que este almoço — resmungou Holly. — Mas vocês ficarão felizes em saber que foi Jocelyn quem providenciou a sobremesa. Alguém com fome?

A tarde terminou sem mais surpresas. Tom e Holly se despediram dos convidados quando os últimos raios de sol cediam lugar para a noite.

— Fale com sinceridade — pediu Tom quando já fechavam a porta da frente. — Você está tendo dúvidas sobre o nosso relacionamento? Foi isso o que quis dizer sobre não estar aqui amanhã? Porque, se for, saiba que não vou desistir de você sem lutar. Amo você, Holly, e, se o fato de eu passar tanto tempo longe está abrindo um abismo entre nós, então prefiro parar. Não quero perdê-la.

— Sei que não quer — retrucou Holly, sendo sincera de um modo que Tom não poderia entender, ainda não, e com sorte jamais viria a entender. — Acho apenas que passamos tempo demais olhando para o futuro, procurando o que ainda falta, em vez de apreciarmos o que temos agora. Não quero que você um dia olhe para trás e pense: "Ei, eu era feliz e não sabia, tinha minha esposa, meus sonhos e isso era o bastante".

Tom olhou para Holly com uma intensidade tão grande que a deixou desconfortável, como se ele perscrutasse a sua alma e estivesse prestes a descobrir os segredos que ela escondia dele. Tom parecia estar lutando para encontrar as palavras certas, e então apenas passou os braços ao redor dela e a abraçou com força.

— Neste momento, Holly, você está certa. Isto é o bastante. É mais que o suficiente.

10

— Afaste a mão só um pouquinho. Aaah, assim está bom. Agora só um pouco mais — disse Holly, com uma empolgação crescente. — Não, não, não tanto. Agora chegue um pouco para a esquerda. Vá devagar, está quase lá. Assim, assim. Não se mexa!

— Estou ficando cansado — gemeu Tom.

— Pare de reclamar, só estamos começando.

— Não era exatamente assim que eu imaginava passar meu tempo em casa. Seminu, sim. Experimentando várias posições, também. Mas parado no meio do seu ateliê segurando uma boneca de plástico? Isso não estava nos planos.

— Já desperdiçamos todo um fim de semana na cama — lembrou-lhe Holly.

— Desperdiçamos?

Holly sorriu e teve consciência de todos os músculos doloridos em seu corpo saciado.

— Está certo, não desperdiçamos. O problema é que eu posso até tirar uma folga do trabalho na casa de chá enquanto você está aqui, mas não posso me dar ao luxo de atrasar a encomenda da Senhora Bronson. Amo você, adoro você, e, no mínimo, isso me dá mais tempo para olhar para seu belo, mesmo que levemente desnutrido, corpo.

Holly havia praticamente terminado a base. Uma espiral escura e nebulosa emergia do grande bloco de pedra, e, ao contrário do protótipo, a versão final tinha detalhes mais refinados. Havia uma sugestão misteriosa de figuras que formavam as curvas da base, representando as gerações pregressas que sustentavam o futuro.

A parte superior seria um desafio maior, e Holly queria fazer alguns esboços adicionais antes de começar a construir os esqueletos de arame que dariam forma às imagens da mãe e do filho, que, por sua vez, seriam moldadas em argila. Ela persuadira Tom a ficar nu da cintura para cima e a enrolar um lençol ao redor do corpo, enquanto segurava uma boneca-bebê nos braços. Tom não era exatamente a figura de mãe que Holly tinha em mente, mas sem dúvida estava menos parecido com o homem de quem ela havia se despedido.

— Bem, se você tivesse visto como é lá, também teria voltado para casa semidesnutrida. Não que não fôssemos bem tratados, nós éramos. Mas eu não conseguia me desligar do que estava acontecendo ao redor. Nenhum de nós conseguia — contou Tom a Holly.

Quando ele estava de partida para o Haiti, era um aspirante a âncora elegante e bem-arrumado, com o cabelo curto e o terno alinhado, mas sua transformação havia deixado Holly chocada. Ele aparecera na tela da TV fazendo reportagens sobre o Haiti e, cada vez que Holly o assistira, percebera o marido menos arrumado, um pouco menos elegante. De certo modo, Holly ficara feliz por ele voltar a ser o antigo e desarrumado Tom — mas ele acabara indo além do desmazelado, parecia abatido, ou mesmo torturado. Era mais do que evidente que as mudanças não haviam sido apenas físicas.

— Bem, você está em casa agora. Sei que não vai conseguir esquecer o que viu, mas não pode consertar aquela situação, não tudo, não sozinho. Você *está* fazendo a diferença, Tom. É um trabalho desgastante, mas é o trabalho com que sempre sonhou, e quem sabe aonde irá levá-lo?

— De volta para o estúdio de gravação, é para lá que vai me levar. Lembre-se que o que estou fazendo agora é apenas um trabalho temporário. Que diferença serei capaz de fazer quando estiver dentro do estúdio?

— Você fará alguma diferença — falou Holly, em uma tentativa de tranquilizá-lo. — Agora pare de se mexer e mantenha o braço reto.

— Sei que não deveria reclamar, porque no fim tudo isso vai valer a pena. Mal posso esperar para ser pai — falou ele com uma empolgação crescente, enquanto aninhava a boneca nos braços.

— Vamos ver — sussurrou Holly, tentando desesperadamente se concentrar em seu esboço e não retomar a discussão que fora evitada por pouco durante o desastroso almoço de domingo.

— O que aconteceu, Holly? Da última vez em que estive em casa você estava tão ansiosa para começarmos uma família. Agora, toda vez que toco nesse assunto, você me corta. — Tom continuava a manter a pose em que Holly o colocara, portanto não estava olhando para ela, mas, ainda assim, ele percebeu a tristeza que ameaçava dominá-la.

— E se não pudermos ter filhos?

— É claro que poderemos ter filhos. Olho só para o meu físico de fazedor de bebês. — Tom flexionou músculos inexistentes em seu braço quase esquelético, para provar seu ponto de vista.

— Nosso relacionamento sobreviveria se não pudéssemos ter filhos? — A voz de Holly ecoou através do ateliê. As fotos que estavam penduradas ao redor balançaram melancolicamente sob uma brisa invisível, seus sorrisos esperançosos pareciam zombar de Holly. Ela desejava saber com absoluta certeza a resposta para a pergunta que ainda a assombrava. Seria possível que o relógio lunar algum dia lhe mostrasse que ela poderia ser mãe e sobreviver para ver seu filho crescer? Holly visualizou gotas de chuva escorrendo pela vidraça de uma janela. Cada gota representava um filho ainda não nascido, e, na mente dela, cada um deles escorria rumo ao mesmo caminho. Não haveria meios de não precisar pagar o preço do relógio lunar para o resto de sua vida?

Tom finalmente saiu da pose e olhou para Holly.

— Nós sobreviveremos a qualquer coisa, Hol, eu prometo. Mas não vamos chegar a isso. Desde que ainda seja o que você quer. Você ainda quer ter filhos, não quer?

— Quero. Você não acreditaria no quanto eu quero agora, mas... — Holly estava balbuciando quando a porta do ateliê se abriu de repente, trazendo para dentro uma rajada de ar frio.

— Ops... estou interrompendo? — Billy estava parado na porta do ateliê, cobrindo os olhos com receio de ver o que achava que tinha visto.

— Está tudo bem, Billy, pode olhar — disse Holly, limpando o canto dos olhos casualmente, para que nenhum deles percebesse as lágrimas que haviam acabado de brotar.

— Espero que ele não esteja nu sob esse lençol — advertiu Billy.

— Poderia ser pior, ele poderia estar parado ali sem o lençol! — Holly riu da expressão de terror no rosto do contramestre.

— Ei! Objeção, Meritíssimo! — reclamou Tom, que agora tentava flexionar os músculos e segurar a boneca ao mesmo tempo.

Holly e Billy ficaram parados observando a postura nada masculina de Tom.

— Acho que deveria escolher seus modelos com mais cuidado da próxima vez — sugeriu Billy.

— Achei que nós, homens, deveríamos ser mais unidos — retrucou Tom, indignado.

Holly teve a sensação de que essa brincadeira infantil poderia durar a manhã toda.

— Escutem, meninos, tenho trabalho a fazer. Billy, você está distraindo meu modelo. O que podemos fazer por você?

— Estava só dando uma passadinha para dizer oi — respondeu Billy, envergonhado.

— Então o que é isso enrolado debaixo do seu braço? — quis saber Holly.

— Isso...? Ah, apenas um projeto para um trabalho que estou fazendo. Não é nada demais.

— Dê isso aqui. — Holly assumiu o tom de uma mãe repreendendo o filho, e a ironia da situação não lhe escapou.

Billy olhou suplicante na direção de Tom, mas ele estava igualmente desconfortável.

— É o projeto para o jardim, não é? — perguntou Holly, mas nenhum dos homens se moveu.

— Pode ser... mas também pode não ser — murmurou Billy, olhando mais uma vez para Tom, em busca de ajuda.

— Acabei de lembrar que preciso ligar para o trabalho — falou Tom, deixando o lençol cair no chão e colocando a pobre boneca sobre a bancada, a alguns metros de distância.

Vestindo apenas uma cueca samba-canção, Tom foi em direção à porta. Billy tentou segui-lo, mas Holly o segurou pelo ombro.

— Nada disso — falou Holly. — Você espantou meu modelo e agora terá que ficar no lugar dele.

— Eu? — balbuciou Billy.

— Sinto muito, Bill — falou Tom, pegando o projeto das mãos dele e desaparecendo pela porta.

— Você não sabia que sempre estive atrás do seu corpo? — Holly deu uma piscada travessa para Billy.

DUAS SEMANAS JUNTOS era tudo o que tinham, e, por esse breve período, Holly se esforçou para não pensar no futuro. Viviam a vida no tempo presente. A viagem seguinte de Tom seria a última: ele iria para a América do Sul gravar uma reportagem sobre as crianças que ganhavam seu sustento catando lixo nos aterros sanitários. O assunto prometia ser tão angustiante quanto o que ele vira no Haiti, e Holly se preocupava com os efeitos que a nova matéria poderia ter sobre o marido. Também se perguntava se ele estaria em condições físicas e psicológicas para lidar com a notícia que ela teria que lhe dar quando voltasse. Parte dela procurava desculpas para adiar sua confissão, mas Holly sabia que logo chegaria o dia em que teria que contar a Tom sobre o relógio lunar.

Tom levara os 15 dias que passara em casa para voltar a se parecer com seu antigo eu. A ansiedade e a depressão que antes marcavam seus lindos olhos verdes foram gradualmente cedendo, depois de muitas doses de descanso, tranquilidade e comida caseira, apesar da culinária desastrosa de Holly.

— Fico feliz por seu cabelo estar voltando a crescer — disse Holly enquanto observava o marido correr os dedos pelos cabelos ainda úmidos do banho. O dia acabara de nascer, e o táxi já estava a caminho para buscá-lo. Holly estava deitada na cama observando Tom colocar as últimas coisas na mala, que não chegara a ser totalmente desfeita.

— Você sabe que a emissora vai me fazer cortá-lo de novo assim que eu voltar da América do Sul — avisou Tom. — Quando estávamos no Haiti, eles subornaram um membro da equipe para cortá-lo enquanto eu dormia.

— E por que não fizeram isso?

— Porque eu paguei mais. Você verá um gasto bem grande no free shop em nossa próxima fatura de cartão de crédito.

— Bem, espero que a equipe também tome conta de você nessa viagem.

— Eles farão isso. Nós tomamos conta uns dos outros, não se preocupe.

Tom se sentou na cama para calçar as meias, e Holly se acocorou atrás dele, passando os braços ao redor do marido.

— Mas eu me preocupo — falou ela, beijando o topo da cabeça de Tom.

Ele a puxou para si, de modo que Holly ficasse sentada sobre seus joelhos.

— Vou sentir saudade de você.

— Você vai voltar logo. Não é para sempre. — Quando passou os braços ao redor do pescoço dele e sentiu seu coração batendo contra o peito do marido, Holly ficou triste. Ela precisou lembrar a si mesma que a decisão que estava prestes a tomar era não apenas para o bem dele, mas de ambos, e tentou desesperadamente não pensar na única pessoa que tornava aquela decisão tão sofrida.

— Poderíamos simplesmente ficar aqui — sugeriu Tom, puxando Holly para a cama e beijando-a lenta e sensualmente.

— Não — gemeu Holly. — Eu jamais deixarei que vá embora se disser isso.

— Amo você, Holly.

— Também amo você — falou Holly, tentando conter as lágrimas.

— O táxi vai chegar logo... Ah, como eu gostaria de ter mais tempo — disse Tom, afastando-se da esposa e levantando da cama com relutância.

— Teremos mais tempo. Um dia, muito em breve, teremos o resto de nossas vidas para passar juntos — prometeu Holly, apertando os olhos com força para tentar afastar a visão dos lindos olhos verdes de Libby encarando-a.

Ela ficou deitada onde Tom a deixara, observando-o em silêncio enquanto ele se vestia rapidamente e terminava de arrumar a bagagem que faltava. Uma batida solene na porta anunciou a chegada do táxi. Tom se inclinou e beijou a cabeça de Holly.

— A propósito... — falou ele, beijando Holly carinhosamente nos lábios.

— O quê? — perguntou ela, olhando dentro dos olhos verdes dele.

— Você está com bafo. — Tom deu seu típico sorriso lindo e travesso.

— Ora, e você tem uma meleca pendurada no nariz — contra-atacou Holly.

— E, com essas lindas e ternas palavras, vou deixá-la em paz. Volte a dormir.

Holly passou os braços ao redor do marido e o abraçou com força. Houve outra batida na porta, mais forte dessa vez, mas Tom não se afastou, foi Holly que teve que deixá-lo ir.

Uma familiar sensação de solidão se instalou no peito de Holly antes mesmo que ela ouvisse a porta da frente bater e o táxi dar a partida.

HOLLY TINHA FEITO POUCO progresso na escultura da Sra. Bronson enquanto Tom estivera em casa, mas não podia simplesmente culpar o marido. Sabia que estivera postergando o trabalho de propósito. A imagem do bebê que estava prestes a criar seria baseada na lembrança que tinha de Libby, e não no filho da Sra. Bronson, cujas fotografias àquela altura estavam perdidas no fundo de alguma gaveta. Holly sentia-se dividida entre o desejo de criar a imagem de Libby e o medo de ver o rosto lindo e confiante da filha encarando-a de volta. Mas Libby não era seu único motivo para procrastinar. Holly já estava receosa em relação ao conceito da escultura bem antes que seus instintos maternais, ainda em estágio embrionário, fossem minados pelo relógio lunar e suas regras cruéis. Ela não conseguiria trabalhar a sério até acreditar de verdade no projeto. Precisava de uma segunda opinião.

— Simplesmente não sei o que está faltando — falou ela, observando a escultura. Estivera trabalhando na imagem da mãe e do filho com tela de galinheiro e canos de metal enfiados na base de mármore. O resultado era um reflexo fiel da versão em tamanho menor que a Sra. Bronson havia aprovado.

— A base é simplesmente linda. — Jocelyn estava parada bem ao lado de Holly em uma das extremidades do ateliê, o mais longe da escultura que conseguiam chegar. O vento frio de outubro fazia que, do lado de fora, os galhos das árvores próximas batessem nas janelas.

— O que significa que você não gostou da metade de cima — falou Holly, sem rodeios.

— Sinceramente, é difícil ter uma opinião formada vendo apenas uma pilha de tela de galinheiro — reclamou Jocelyn. Ela voltou sua atenção para o protótipo e passou os dedos pelas imagens da mãe e do bebê. — É lindo, e sei que você fará jus ao projeto em sua versão final. Essa é Libby?

Holly assentiu, incapaz de confiar em si mesma para falar sem que a voz fosse dominada pela emoção.

— Ela é linda.

— E eu sou uma péssima mãe — acrescentou Holly, verbalizando sua culpa.

— Você não tem escolha, ambas sabemos disso.

— Eu sei. Só não sei como vou conseguir viver sem ela. Sei que recebi a oportunidade de salvar a minha vida, e é maravilhoso que eu tenha podido ao menos conhecê-la, mas isso parte meu coração.

— Vamos falar sobre a escultura, então — disse Jocelyn, mudando deliberadamente de assunto. — Ela pretende representar as várias gerações, cada filha se tornando a mãe que virá a seguir?

— Sim — respondeu Holly com um suspiro. — O que estou tentando fazer com a base é mostrar que há uma ligação entre cada geração e a seguinte. E, acredite em mim, senti-me tentada a incluir um elo quebrado em algum lugar por aqui.

— Para refletir sua relação com sua própria mãe, por acaso? — perguntou Jocelyn, que sabia o bastante do passado de Holly para entender por que a amiga tinha sofrido tanto com esse detalhe da escultura.

— A única base que minha mãe me legou foi a dúvida.

— Libby lhe mostrou como é ser mãe e, só por isso, ela sempre será uma bênção em sua vida, mesmo que não possa compartilhar essa vida com você.

— Eu sei. Por isso é mais importante do que nunca fazer essa escultura direito. Sou a primeira a admitir que não me empenhei nesse projeto a princípio, mas agora essa é praticamente a única coisa em toda essa confusão sobre a qual ainda tenho algum controle. Não consigo me livrar da sensação de que alguma coisa não está funcionando na escultura. Acho que é a pose que está errada...

— Explique melhor. Como ela faz você se sentir?

Holly se concentrou no protótipo. Andou ao redor dele, seguindo a espiral na base, a sequência de figuras humanas que se projetava até chegar, então, à parte superior, onde a mãe dava continuidade à espiral para cima.

— As figuras conectadas não representam apenas as ligações entre mãe e filho, elas também mostram como cada geração forma a base para a seguinte. A espiral acrescenta dinâmica à peça. Sempre há uma extremidade para virar, em direção ao desconhecido. — Holly fez uma pausa e riu. — Vendo desse modo, parece bastante irônico, não acha?

— Nem todos têm a chance de ver o que os aguarda mais adiante — comentou Jocelyn, sempre defendendo o relógio lunar.

— De qualquer modo, a mãe e o bebê representam a geração atual.

Jocelyn tamborilou os dedos no queixo, concentrada.

— Então por que a mãe está segurando o bebê e olhando para baixo? É porque estão no presente?

Holly congelou onde estava. Então deu outra volta rápida em torno da escultura. Por fim, correu até Jocelyn e abraçou a amiga.

— Você é brilhante! É isso! Por isso não está funcionando! — Holly soltou Jocelyn tão rapidamente quanto a abraçara e correu até a bancada de trabalho para pegar seu bloco de esboços.

Enquanto desenhava, ela explicava para Jocelyn o que estava fazendo.

— Dei atenção demais à necessidade da Senhora Bronson de ser o centro das atenções e acabei não levando o conceito da obra até o fim.

— Ainda não estou conseguindo entender — falou Jocelyn.

— A base é uma representação perfeita do conceito: a espiral, os elos, uma geração garantindo base para a seguinte. A metade superior, no entanto, a mãe e o filho, foi apenas minha interpretação ingênua do relacionamento entre os dois. A mãe está virada de um modo que continua a espiral, mas a forma como está segurando o bebê está toda errada. Protetora, sim, mas ela o está segurando como se ele fosse propriedade dela. A mãe precisa levantar o bebê, sustentando-o em sua jornada em direção ao futuro, dando continuidade à ideia de uma geração ser a base para a seguinte.

— Você pode mudar o projeto agora? A Senhora Bronson já não tinha aprovado este? — alertou Jocelyn.

— Para o diabo com a Senhora Bronson. O trabalho é meu, e estou lutando para acertar esta peça desde o início. Não consegui criar um vínculo real com ela porque sabia que havia alguma coisa errada. Ponho uma parte de mim em cada peça que crio, mas nessa escultura estou colocando uma parte enorme do meu coração e toda a minha alma. Agora que sei o que está errado, tenho que mudar.

Jocelyn olhou para Holly e sorriu.

— Já faz algum tempo que não vejo esse brilho nos seus olhos.

Holly sorriu de volta para a amiga. Jocelyn estava certa. Nos últimos meses, Holly encarara cada dia como uma batalha contra suas próprias emoções, e trabalhar na escultura era sempre um desafio. Uma peça do quebra-cabeça agora havia se encaixado, e Holly estava ansiosa para destruir a estrutura feita de tela de galinheiro e começar de novo, sob uma nova perspectiva.

Jocelyn disse a Holly que precisava ir embora, mas demorou-se na porta do ateliê, relutante em se despedir.

— Há mais alguma coisa? — perguntou Holly, percebendo que a amiga ainda tinha alguma coisa a dizer.

— Hoje é noite de lua cheia — respondeu Jocelyn, com um sorriso ansioso.

— Eu sei, e não se preocupe, o relógio ainda está escondido debaixo do lençol.

— Você não vai usá-lo de novo?

— Não, ao menos por enquanto. Talvez um dia, não sei. Tenho medo do que o futuro me reserva desta vez — confessou Holly.

— Seu futuro é você junto com Tom — assegurou Jocelyn. — Está fazendo a coisa certa.

Jocelyn finalmente partiu, acreditando, assim como a amiga,

que a determinação de Holly era forte o suficiente para resistir à atração do relógio lunar, e que ela não precisava da ajuda de Jocelyn.

Agora sozinha, Holly se dedicou ao trabalho. Mas, se tinha esperança de que a nova onda de criatividade a ajudaria a se distrair, não podia estar mais errada. Tinha esboços do rosto de Libby espalhados pelo ateliê e todos pareciam encará-la, chamando sua atenção. Ela sabia que havia uma chance de que o futuro ainda não tivesse sido reescrito. Ainda não havia feito nada para impedir a concepção de Libby. Sua próxima consulta para tomar a injeção contraceptiva estava marcada apenas para o mês seguinte. Isso sim seria o estopim das mudanças que apagariam Libby do futuro, mas nesse momento, enquanto a lua cheia se aproximava, Holly sentia que ainda estava caminhando para o mesmo destino de sua última visão.

Ela olhou ao redor, seus olhos passando de uma imagem da filha para outra. Então examinou os novos esboços que desenhara da mãe erguendo a criança. Seu corpo se encheu de energia e empolgação quando ela se lembrou do que Jocelyn dissera sobre o reflexo ser mais forte sob a luz do luar. Aquela noite poderia ser a única chance que teria de segurar Libby nos braços.

Holly quase não se aguentava de tanta ansiedade e, pela primeira vez desde que o relógio lunar entrara em sua vida, ela esperava para ver no céu a face redonda e benevolente da lua.

Os fracos raios do sol de outono no céu sem nuvens aqueceram o dia, mas a lua, que agora assomava ao céu, não guardava calor próprio, e o seu halo trazia a promessa de que o frio chegaria cedo. As árvores no pomar se agitavam sob o vento triste, perdiam suas folhas, em luto pelo verão que se fora. O pano branco que cobria o relógio flutuou no ar como um fantasma quando Holly o ergueu.

O relógio praticamente cintilou sob a luz do luar, e as garras de metal pareciam se estender suplicantes, prontas para agarrar a esfera de vidro que Holly segurava em suas mãos trêmulas. Ela colocou a esfera no lugar e esperou pela chuva de raios de luar que a envolveria, enquanto isso se concentrou no pomar. Haviam se passado três meses desde que usara o relógio lunar pela última vez, e ele a levara a uma fria noite de janeiro. Se o relógio continuasse a abrir uma janela 18 meses à frente, então aquele cenário de outono passaria a ser de primavera, e o pomar seria o primeiro sinal de esperança de que o futuro que ela vira ainda permanecia intacto, que a filha de sete meses estaria lá, esperando por ela. Se a aparência do pomar fosse outra, Holly sabia que estaria abrindo uma janela para um mundo que ainda não estava preparada para ver.

— Por favor, não a tire de mim, ainda não. Você não pode ser assim tão cruel — sussurrou ela enquanto era forçada a fechar os olhos diante da chuva de raios de luar que inundavam o mostrador do relógio e o mundo ao redor.

Quando o espetáculo de luz cessou, Holly piscou várias vezes, louca para ver logo os primeiros relances dos arredores. O caos do jardim dera lugar a um gramado limpo e bem tratado, mas Holly prendeu a respiração quando olhou além do jardim, na direção do pomar. Através da escuridão da noite ela reparou que a floração das maçãs estava apenas começando a despontar, mas isso era o bastante para lhe dar esperança.

Holly abriu a porta dos fundos com facilidade, sua determinação de ver a filha agora conferia força à sua presença como não tivera das outras vezes. A casa estava às escuras, e Holly atravessou furtivamente a cozinha e entrou no corredor, ansiosa para chegar a Libby. Apenas quando percebeu que a casa estava em completo silêncio foi que se forçou a parar, recuperar o fôlego e organizar as ideias. Os moradores deviam estar dormindo ou simplesmente não estavam em casa. Uma onda de medo pegou Holly de surpresa. Ela não conseguiria se convencer a subir as escadas a menos que tivesse certeza de que Libby não fora apagada de seu futuro. Holly respirou fundo e reuniu coragem para entrar na sala de estar, onde talvez encontrasse as evidências que confirmariam se sua interferência já teria lhe roubado a filha.

Na escuridão misteriosa da sala, Holly percebeu algumas silhuetas familiares: os sofás, o móvel da TV, a lareira e até a sombra do gato de porcelana na estante. Ela sabia que ele estava sorrindo presunçoso, mesmo não podendo vê-lo. Holly se perguntou como o gato ainda estaria ali se ela já o havia quebrado, mas não podia se permitir nenhuma distração, precisava continuar sua busca desesperada de alguma coisa que confirmasse que Libby estava a salvo. Ela prosseguiu na escuridão e esbarrou sem querer em algo que caiu e rolou pelo chão. Holly pegou o que caíra e sorriu ao ver o chocalho de bebê em sua mão.

— Obrigada — sussurrou ela.

Antes de partir em busca de Libby, a curiosidade de Holly levou-a a se esgueirar até a estante, onde encontrou o gato de porcelana orgulhosamente sentado à sua frente. Sob a luz mortiça, ele parecia em perfeitas condições, mas, quando Holly passou o dedo pela curva de seu corpo, sentiu a rachadura no pescoço. As partes quebradas que ela abandonara atrás do sofá em algum momento haviam sido resgatadas e coladas.

Holly subiu a escada de dois em dois degraus. Agora sabia que Libby ainda existia, mas não tinha certeza se estaria em casa. Tom talvez tivesse saído com a filha, poderia ter ido à casa dos pais. A casa da guarda tinha apenas dois quartos, e Holly ignorou a primeira porta, que levava à suíte principal, mesmo sentindo o coração palpitar de vontade de ver Tom. Mas sabia que, se o marido estivesse no quarto, ela não seria capaz de lhe oferecer conforto e achava que não seria mais capaz de suportar vê-lo sofrer. Além do mais, não precisava disso, pois se certificaria de que Tom jamais viesse a se afundar no luto pela morte dela.

A porta do segundo quarto estava encostada, e a luz fraca de um abajur escapava pela fresta. Holly soube intuitivamente que Libby estava lá e precisou parar um instante para se recompor antes de entrar no quarto. Seu corpo tremia de emoção e expectativa, seu coração saltava no peito. Ela usara o relógio lunar com esse único propósito, mas, quando parou sob o batente da porta, a coragem lhe faltou, e ela teve que reprimir a vontade de se virar e sair correndo. Holly tinha que encarar a filha e não facilitaria as coisas para si mesma. Precisava dizer a Libby que sentia muito pelo que estava sendo forçada a fazer, por ter que escolher quem iria viver e quem jamais chegaria a nascer.

O quarto em que entrou não estava mais desocupado e cheio de entulho. Agora o cômodo era um lindo quarto de bebê, e Holly sentiu como se estivesse entrando no país das maravilhas. Era decorado exatamente como ela gostava, em tons pastel, mas com um toque moderno. As paredes haviam sido pintadas em um tom delicado de amarelo, mas os acessórios tinham cores mais fortes e contrastantes. Uma linda tapeçaria com uma cena de conto de fadas pendia da parede.

Um berço decorado estava posicionado contra a parede mais ao fundo, e havia um móbile colorido pendurado acima de Libby, que ressonava suavemente no berço. Holly se inclinou sobre a menina e sentiu o cheiro de bebê que ela exalava. Examinou cada detalhe das feições da filha — feições que tentara desesperadamente gravar na memória desde a sua última visita. O rosto de Libby tinha o formato de coração com aquelas bochechas gorduchas perfeitas de que Holly se lembrava. Os lábios tinham o formato de botões de rosa e eram vermelho-rubi contra a pele luminosa. Os cabelos eram um halo de cachos louros e macios.

Quando Holly estendeu o dedo trêmulo para acariciar o rosto do bebê adormecido, as pálpebras de Libby se abriram, e Holly arquejou.

— Olá, meu amor, acordei você? — disse ela baixinho.

A alegria deu lugar ao pânico quando os lábios de Libby tremeram, e Holly achou que a menina estivesse prestes a chorar. Ela não considerara a possibilidade de que o bebê pudesse sentir medo ao vê-la. Os instintos maternais de Holly eram frágeis, e ela não achava que conseguiria acalmar o choro de uma criança, nem mesmo de Libby.

Por sorte, Holly não precisou testar suas habilidades, já que a face de Libby se suavizou e seu olhar de medo foi substituído por um sorriso. A menina rolou, ficou de bruços e começou a impulsionar o corpinho na direção de Holly.

— Nossa, você cresceu — comentou Holly encantada, embora sua confiança ainda estivesse abalada e ela não soubesse muito bem o que fazer.

A essa altura, Libby estava ajoelhada contra as barras do berço, mas logo se inclinou para trás, para pegar uma boneca de pano que estava ao seu lado. Ela levantou os olhos ansiosos para Holly, aguardando ser pega no colo.

— Mmm, nnn — balbuciou, animada.

Ainda em pânico e agora preocupada que Libby pudesse acordar Tom, Holly se virou para a janela, lutando para abrir as persianas. Quando a luz do luar entrou pela janela aberta, a tarefa finalmente se tornou mais fácil, e a face reluzente da lua foi revelada, cercada por 1 milhão de estrelas cintilantes. Libby ainda balbuciava impaciente atrás dela.

— Bem, o plano está dando certo até aqui — sussurrou Holly, com a voz trêmula. Ela ficou aliviada ao ver os raios de luar iluminando o quarto de bebê e torceu muito para que a luz da lua fortalecesse sua presença o bastante para que ela conseguisse realizar o que não conseguira nas visitas anteriores.

Holly se virou para Libby e respirou fundo. A ansiedade em seu peito era quase demais para suportar. Vinha desejando abraçar Libby quase obsessivamente, e esse podia ser o momento em que seu sonho viraria realidade, o momento em que sentiria a filha nos braços pela primeira e última vez.

Quando Holly estendeu os braços na direção de Libby, o bebê ergueu os bracinhos na direção da mãe, as mãos pequeninas abrindo e fechando de empolgação. Holly sentiu a maciez do pijama que a filha usava, sentiu o calor de seu corpo enquanto colocava as mãos cuidadosamente sob os pequenos braços. Então Holly parou, preparando-se para a alegria de erguer Libby, ou para a frustração de elevar apenas seu desespero. Libby olhou dentro dos olhos de sua mãe, esperando, e a frágil ligação que havia se formado entre as duas renovou-se com uma força que Holly acreditou que jamais poderia ser rompida, jamais deveria ser rompida. O coração de Holly pareceu se erguer às alturas à medida que Libby era erguida em seus braços.

— Ah, minha doce, doce Libby — disse Holly, emocionada, abraçando a filha contra o coração disparado. Ela beijou a cabeça da filha, e seu rosto, seu nariz, seu pescoço. Libby se agitou animada e agarrou os cabelos de Holly.

— Mmmmm, mmm — disse ela, batendo no rosto de Holly com a boneca de pano.

— O que é isso? — perguntou Holly, tentando tirar o brinquedo macio das mãos da filha. Mas a menina segurou a boneca com força e resmungou para a mãe.

— Está certo, você segura — desculpou-se Holly. Ela podia sentir a lua cheia olhando por cima de seus ombros e sorrindo para ela. Nesse momento, ao menos, Holly ficou grata por ter recebido esse presente do relógio. E desejou que pudesse durar para sempre.

Holly mal teve consciência de que estava ninando Libby de um lado para o outro, mas logo viu a filha bocejar e descansar a cabeça em seu ombro. Lenta e suavemente, Libby caía no sono, e seus olhos começaram a se fechar, enquanto os dedinhos ainda brincavam com a boneca de pano. Era um brinquedo estranho, pensou Holly. Tinha uma cabeça macia em forma de bola, com um chapéu flexível, e um pedaço quadrado de pano pendurado de seu pescoço formava o corpo da boneca. Ela provavelmente já fora cor de creme, mas agora parecia desbotada de cinza.

Holly continuou a ninar a filha por um longo tempo depois de ela ter adormecido. Essa seria a última vez que seguraria Libby no colo, e, embora houvesse pensado no que diria a ela, quando o momento chegou, Holly teve dificuldade para encontrar as palavras. Só havia uma coisa que queria dizer.

— Eu amo você, Libby — disse Holly à filha, inclinando-se para pousar os lábios sobre a testa suada da menina. Ela não queria continuar a falar, e sentiu-se tentada a deixar os lábios descansando sobre a pele da filha, silenciando a confissão que parecia queimar seu coração, mas precisava dizer as palavras em voz alta, nem que fosse apenas para se punir.

— Desculpe — começou a dizer, deixando escapar um soluço triste. — Não havia percebido antes quanto eu poderia amar você, e gostaria que tivéssemos mais tempo juntas. Gostaria de poder ser sua mãe de verdade. Gostaria que a vida fosse justa. Você não sabe como essa decisão é difícil para mim. — Holly mordeu os lábios para abafar os soluços que estavam dolorosamente presos em sua garganta. — Eu queria ser uma boa mãe, mas não sou. Sinto muito, Libby, sinto tanto. Você merece uma mãe melhor do que eu, mas preciso fazer isso. Por mim, pelo seu pai.

Seus braços estavam começando a doer, mas Holly estava determinada a segurar Libby no colo pelo máximo de tempo que pudesse. Foi apenas quando ouviu um soluço abafado no quarto ao lado que os pensamentos de Holly se desviaram. O som da voz de Tom no quarto ao lado era demais para conseguir ignorar, e seu coração se apertou enquanto ela, relutante, devolvia Libby para o berço. Holly sabia que precisava ver Tom para lembrar a si mesma por que estava disposta a apagar Libby do mundo. Holly acariciou o rosto da filha uma última vez.

— Eu sempre, sempre amarei você — prometeu ela, finalmente deixando as lágrimas correrem por seu rosto. Libby suspirou e ressonou em uma ignorância abençoada.

O quarto de Tom estava imerso na mais completa escuridão, e os olhos de Holly demoraram algum tempo para se ajustar. Ela pôde ouvi-lo antes de vê-lo. Tom estava gemendo e chamando por ela, os lençóis se agitavam na escuridão como folhas mortas no chão de um cemitério. Em um acesso de raiva, Tom afastou o edredom e sentou-se na cama. Holly só conseguia enxergar sua silhueta quando ele sentou na beira da cama e apoiou a cabeça nas mãos.

— Holly — sussurrou ele, esticando a mão para acender o abajur.

A luz amarelada revelou um quarto que pareceu estranho a Holly, um quarto que se parecia muito pouco com aquele que ela deixara para trás, ao sair em busca da lua cheia. A única parte do quarto que parecia ter escapado do caos era a penteadeira dela, que, exceto por uma grossa camada de poeira, parecia idêntica à que ela conhecia.

Não foi o quarto que chamou a atenção de Holly, mas Tom. Ele pegara um bloco de anotações na mesa de cabeceira e agora escrevia furiosamente. Holly aproximou-se até sentar-se ao lado dele e todo o seu corpo estremeceu ao perceber que o marido estava lhe escrevendo uma carta.

Minha linda Holly,

Não posso mais suportar isso. Sinto saudades demais de você, mas preciso saber por que isso está acontecendo. Preciso saber por que você não ficou comigo. Por que não aguentou um pouco mais? Você nem sequer pegou Libby nos braços. Se a houvesse segurado, uma vez que fosse, você não teria partido. Não teria desistido de nós.

Tom fez uma pausa, a caneta pressionando as páginas do bloco. A caneta parecia tremer sob a pressão de uma fúria reprimida. Holly estava chocada. Ela jamais o vira daquele jeito, consumido por tamanha raiva, ainda mais dirigida a ela. Holly observou, com medo, enquanto Tom voltava a escrever.

É minha culpa, fui eu que quis filhos, não você. Você não queria ser mãe, e eu a pressionei. Não acreditei quando você disse que não conseguiria. Eu a forcei e a matei. Eu matei você.

O corpo inteiro de Tom tremia agora. Os soluços que escapavam de seu peito pareciam prestes a parti-lo ao meio. Holly se levantou para ir embora. Sabia que não poderia tocá-lo, que não poderia dizer a ele que ficaria tudo bem, mas também não aguentava mais ficar ali, testemunhando a fúria e a frustração que o estavam consumindo. Uma fúria que nesse momento era dirigida contra ele mesmo. Era demais para aguentar, mas, mesmo quando fez menção de se virar, Holly continuou com os olhos grudados no bloco, que agora revelava a enormidade do desespero de Tom.

> Achei que tinha tudo planejado. Achei que poderia ser o perfeito pai de família, aceitei um emprego que odeio só para podermos ficar todos juntos, e veja o que aconteceu. Perdi tudo. Sento diante da câmera, e o terno parece uma camisa de força — e deveria ser mesmo, porque não sei mais quem sou. Coloco essa maldita máscara no trabalho e então chego em casa e coloco outra máscara.
>
> Por que não posso voltar no tempo agora e mudar tudo? Sinto tanta saudade de você, Holly! E essa maldita saudade me dói tanto que acho que não consigo viver com essa dor.

Quando Tom parou de escrever, parecia completamente perdido. Holly não poderia ir embora. Tom precisava dela e, não importava se ele sentiria sua presença ou não, ela tinha que tentar. Holly virou-se, estava determinada a se ajoelhar diante dele e tomá-lo nos braços. Ela precisava dizer a ele que tudo ficaria bem, quer ele ouvisse, quer não, quer ele pudesse senti-la, quer não.

Quando Holly estava prestes a dar um passo na direção dele, ouviu Libby chorar, exigindo atenção. Holly estava tomando o caminho para o quarto do bebê quando, logo atrás de si, ouviu Tom chamar o nome de Libby e dizer à filha que já estava indo. Ele se levantou e, enquanto Holly permanecia congelada no mesmo lugar, Tom passou diretamente através dela.

Holly ofegou, surpresa, e Tom fez o mesmo.

— Holly? — perguntou ele, também paralisado, como se estivesse em choque. Mas então o choro de Libby, agora mais intenso, tirou-o do transe, e ele saiu cambaleando do quarto.

O corpo de Holly tremia incontrolavelmente. No instante em que Tom passara através de seu corpo, ela sentira a dor crua que o devastava, sua raiva e seu desespero. Holly sentiu medo por Tom e também por Libby. Não sabia como Tom conseguiria sobreviver a tanto sofrimento. Ela respirou fundo várias vezes e fez o melhor que pôde para acalmar seus tremores. Além do som de seu próprio coração disparado ecoando em seus ouvidos, além do choro do bebê, que começava lentamente a ceder, Holly ouviu outro som. O tiquetaquear do relógio fazendo a contagem regressiva dos últimos instantes de sua visão.

Holly andou rápido, seguiu Tom e chegou ao quarto de Libby a tempo de vê-lo parado, de costas para ela, olhando pela janela e aconchegando a filha no colo. Holly constatou que, emocionalmente, ele podia estar um caco, mas ainda assim era um ótimo pai.

— Papai está aqui — dizia a Libby em um sussurro suave e carinhoso. A fúria que o consumira fora desaparecendo e agora não restava mais nada. A voz dele parecia desprovida de força, ou mesmo de vida. — Simplesmente não consigo fazer isso — disse.

Pelo reflexo da janela, Holly viu a expressão assombrada no rosto de Tom. Ele estava com os olhos erguidos para o céu, mas logo seu olhar se concentrou em um ponto bem à sua frente, um ponto no vidro da janela, onde o rosto de Holly, iluminado pelos raios de luar, estava refletido contra a escuridão da noite. Os olhares deles se encontraram, e Holly viu o marido arregalar os olhos em choque.

Enquanto a dança dos raios de luar apagava tudo o que a cercava, Holly mais sentiu do que viu Tom se virar em sua direção. Mas então ela se foi, e Libby estava perdida para sempre.

11

Levou dias para que Holly se recuperasse da visão. Não apenas vira Tom na mais abjeta infelicidade como literalmente sentira seu sofrimento no momento em que ele transpassara o corpo dela. Um corpo que agora doía de pura agonia quando ela relembrava aquele momento. Holly poderia facilmente ter passado a semana seguinte na cama, mas acabaria não descansando, e não ousava se dar muito mais tempo para pensar. Para sua sorte, ainda havia muito trabalho a fazer.

Quando Holly apareceu para trabalhar na casa de chá, Jocelyn ficou chocada ao saber que ela usara o relógio lunar. Ficou ansiosa para que a amiga lhe contasse tudo, mas, como estavam em um lugar público, Holly não entrou em descrições detalhadas e ateve-se aos fatos básicos. Ainda não estava totalmente preparada para falar sobre o assunto, havia coisas demais para assimilar. No curto espaço de uma hora, Holly tivera a mais maravilhosa das sensações e a mais terrível experiência de toda a sua vida. Seu coração saltava no peito cada vez que ela lembrava da sensação de segurar Libby nos braços, mas havia também a lembrança de Tom. Felizmente, Jocelyn não a pressionou nesse dia, mas, quando o fim de semana chegou e elas se encontraram para o brunch de domingo, Jocelyn estava mais do que pronta para uma conversa franca e profunda, e foi rápida em fazer a pergunta que Holly sabia que a estava consumindo de curiosidade.

— Você não mudou de ideia, mudou? — perguntou Jocelyn. Ela estava com o cenho franzido, o que ressaltava o labirinto de rugas em seu rosto, e mexia o chá em sua xícara. Seu olhar estava perdido nas profundezas do chá, como se fosse encontrar a resposta para a sua pergunta ali. As duas estavam sentadas na cozinha de Holly, cercadas pelo aroma tranquilizante dos bolinhos recém-assados que Jocelyn trouxera.

Holly esfregou a nuca, ainda tentando se curar da sonolência preguiçosa daquela manhã. Domingo era o único dia da semana em que ela se permitia dormir até mais tarde, e se levantava apenas perto da hora de se arrumar e preparar o primeiro bule de chá, antes da chegada de Jocelyn. Apesar da noite mais longa de sono, Holly estava tão cansada quanto estivera durante toda a semana. Ela vinha dormindo pessimamente desde seu último encontro com o relógio lunar.

— Não, eu não mudei de ideia — assegurou Holly.

— É que, quando você fala de Libby, parece que ainda não está pronta para desistir.

Holly suspirou.

— Acho que, se eu tivesse ficado no quarto de Libby e não tivesse visto Tom, talvez pudesse mesmo ter mudado de ideia. Você está certa, ainda não me sinto preparada para desistir dela, mas tenho que lembrar do que vi e sei o que preciso fazer. Não apenas vi Tom devastado pelo sofrimento como na verdade também senti o que ele estava sentindo. Não posso fazê-lo passar por isso. Não tenho escolha, preciso desistir de Libby. Sei disso.

— Você já marcou a consulta com o médico? — perguntou Jocelyn.

— Sim, para daqui a duas semanas — falou Holly. — Eu estava quase esperando que me dissesse que já havia feito isso por mim.

Jocelyn deu um sorriso triste.

— Sei como o relógio lunar funciona, só isso. Tenho medo de que não seja fácil para você evitar conceber Libby.

— Vou tomar a injeção, prometo. E, depois disso, não haverá mais Libby. Não terei mais chances de vê-la crescer. Ah, como eu queria que você pudesse vê-la, Jocelyn... Ela já havia crescido tanto. Já conseguia se sentar sozinha e estava balbuciando, acho que iria começar a falar logo. — As palavras saíam como um jorro da boca de Holly, a voz cheia de emoção. Então ela paralisou quando percebeu o que dissera. Jocelyn estendeu a mão sobre a mesa para dar um aperto carinhoso na mão da amiga.

— Depois... — continuou Holly, lutando para encontrar as palavras certas. — Depois que Libby se for, você acha que será o ponto-final? Libby é o único preço que tenho que pagar? Acha que poderei ter outros filhos? — Holly já havia deixado aquela questão de lado por tempo demais, não sabia se conseguiria seguir em frente sem saber a resposta.

Jocelyn ainda segurava a mão dela e apertou-a com mais força.

— Eu gostaria de poder lhe dar essa resposta, mas não posso. Ao menos não com certeza — disse por fim, com relutância.

— Não com certeza, mas você tem algum palpite? — pressionou Holly.

Jocelyn ficou em silêncio por algum tempo, sem saber como ou se deveria continuar.

— Se minha teoria sobre o equilíbrio universal estiver certa, então, odeio dizer, você só estava destinada a ter um filho.

— Portanto, jamais serei mãe. Tom jamais será pai, ao menos não se continuar comigo — disse Holly, sem rodeios. — Estou cheia da tal perfeita ordem do mundo. É demais pedir que haja um futuro em que nós três possamos ficar juntos? Eu, Tom e Libby, uma família de verdade?

— Eu disse que é preciso haver equilíbrio, e não que é justo. Porque não é. De jeito nenhum. Mas, por favor, não assuma o que eu disse como verdade absoluta. É apenas a minha teoria. Quando chegar a hora certa você vai precisar usar novamente o relógio lunar, ao menos mais uma vez. Para descobrir a resposta por si mesma.

Holly balançou a cabeça.

— Não quero nem pensar a respeito disso. Detesto a ideia de viver a minha vida baseada no que o relógio lunar me mostra. Fico completamente apavorada quando penso no que o futuro reservará para mim depois que eu tiver desistido de Libby só para salvar essa minha porcaria de vida.

Holly já estava com a mão dormente, porque Jocelyn continuava a segurá-la com força.

— Por favor, não corra nenhum risco — disse Jocelyn com firmeza.

Holly sentiu as lágrimas escorrendo por seu rosto antes que conseguisse detê-las, cada lágrima seguindo invariavelmente o caminho da primeira, não importava quanto ela secasse o rosto molhado.

A VIDA SEGUIU EM SEU RITMO NORMAL ou ao menos tão normal quanto poderia ser a vida de Holly naqueles dias. Ela continuou a ajudar na casa de chá, mas passava a maior parte do tempo no ateliê, trabalhando na escultura da Sra. Bronson. Holly agora tinha sua própria experiência de ser mãe para se basear, e era sua linda e preciosa Libby que inspirava seu trabalho. Embora não fosse possível que ela desse vida à filha, poderia ao menos imortalizá-la na escultura.

Holly começou a usar o mesmo casaco que vestia quando segurara Libby no colo, só para poder sentir aquela ligação com a filha enquanto trabalhava. Ela se convenceu de que ainda conseguia sentir um leve cheiro de bebê no lugar onde Libby descansara a cabeça sobre seu ombro e adormecera.

Holly passara muitas noites insone até ter certeza de que manteria a promessa que fizera para Jocelyn e para si mesma. Precisara continuamente relembrar que não estava sacrificando a vida da filha apenas por si, mas também por Tom. Ainda assim, o laço que fora criado entre a filha e ela a assombrava e parecia ficar mais forte conforme a criança na escultura tomava forma. E, se o laço ficava mais forte, a culpa que ela sentia ficava maior. Em seus piores momentos, no meio da noite, quando se sentia sozinha e isolada, Holly não economizava na autorrecriminação e se acusava de destruir a vida da filha em proveito próprio. Ela se perguntava como conseguira segurar aquele bebê precioso nos braços sabendo que não era muito melhor que uma assassina. A única fuga para esses pensamentos destrutivos surgia quando os raios de sol entravam pela janela do quarto para exilar as sombras da noite. Holly então se lembrava dos olhos assustados de Tom encarando o reflexo dela na janela e sua decisão se fortalecia. Faria o que precisava fazer, mas Libby sempre seria uma parte dela, não importava o que acontecesse.

— ESTÁ COM SAUDADE DE MIM? — perguntou Tom. — Porque eu estou com saudade de você.

— Sim, estou com saudade de você, é claro que estou, embora ache que talvez Billy esteja sentindo mais do que eu — implicou Holly.

— Ele já começou a trabalhar no jardim? — perguntou Tom.

— Não, é claro que não. Pode estar quente e ensolarado aí onde você está, mas aqui está um frio terrível e o solo está congelado. Billy diz que não poderá começar a trabalhar até a primavera. Mas a essa altura você já estará em casa e poderá ajudá-lo.

— Hmm… Falando em estar em casa… — falou Tom, e Holly não gostou do que percebeu em sua voz. Ela sabia que ele estava prestes a dar más notícias.

— Você não vai estar em casa na primavera? — perguntou ela, indignada.

Tom riu.

— Não, meu Deus, não é assim tão mal. É só que o trabalho aqui pode demorar um pouco mais do que esperávamos.

— Quanto tempo mais? — quis saber Holly. Estava previsto que Tom voltasse para casa no início de dezembro e ela já começara a contar os dias.

— Apenas mais duas semanas, mas estarei em casa antes do Natal. E acho que você terá que se contentar com um presente do free shop — confessou Tom.

Holly queria ficar zangada com ele, mas então se lembrou do que seu marido enlutado dissera sobre detestar o trabalho de âncora que Tom deveria assumir no ano seguinte. Ela não iria pressioná-lo para desistir tão rapidamente do trabalho de que ele gostava tanto.

— É bom que venha em um vidro bem grande, então — disse Holly, por fim. — E estou falando de perfume, não de bebida.

— Você é fantástica, sabia disso?

Holly franziu o cenho; sabia que não merecia o elogio.

— E por quê o atraso? O que está acontecendo? — perguntou ela.

— Alguns caras da equipe são freelancers e foram remanejados para cobrir um acontecimento de última hora. Houve um desastre em uma mina no sul, e eles vão cobrir a operação de resgate. Isso significa mais trabalho para os pobres idiotas que foram deixados aqui, e por isso vai levar um pouco mais de tempo do que planejamos.

— Você não sentiu vontade de poder ir com eles? — perguntou Holly. Ela estava com a intenção de ter uma longa conversa com Tom a respeito da carreira dele quando o marido estivesse em casa, mas não faria mal nenhum já plantar algumas ideias. O relógio lunar podia até ter suas próprias regras, mas, já que Holly não poderia ter Libby, então nada a impediria de ajudar Tom a tomar algumas decisões importantes sobre sua carreira.

— Estou preso ao meu contrato, mesmo estando terceirizado. Não posso me indispor com a emissora agora, não é? — disse Tom, submisso. Estava claro que ele não tinha ideia de onde a esposa estava tentando levá-lo.

— Não posso acreditar que eles vejam o que você vem fazendo nos últimos seis meses e continuem a achar uma boa ideia prendê-lo dentro de um estúdio pelo resto de sua vida.

Tom deixou escapar uma risada nervosa.

— Do jeito que você diz, parece que vou ser mandado para a prisão.

— Não é assim que você vê o trabalho de âncora? Sei que acha que está cumprindo seu dever e que é a coisa certa a fazer por nós, mas vejo o quanto ama o que está fazendo agora, mesmo tendo que lidar com situações difíceis e tristes. E sei que você mesmo não dirá isso, por isso eu direi. Você não foi feito para ser âncora, e sei que vai detestar o trabalho.

— Uau, Holly, de onde veio tudo isso? — interrompeu-a Tom. Ele parecia chocado, mas Holly percebeu que o marido não estava discordando.

— Sei que abandonamos a ideia de você trabalhar como freelancer. Você se sentiu impelido a aceitar o trabalho como âncora, mas as coisas mudam. Graças a Sam, da galeria de arte, estou me esforçando para produzir o suficiente para dar conta da demanda… Aí está a nossa segurança. Sei que você ficar longe de casa é duro para nós dois, mas e se você passasse seis meses em campo, fazendo as matérias, e outros seis meses escrevendo e pesquisando? Não lhe parece melhor do que se enfiar em um terno e maquiar um sorriso no rosto para ficar na frente de uma câmera todo dia?

Quando Holly finalmente fez uma pausa para respirar, Tom ficou em silêncio do outro lado da linha.

— Desculpe — acrescentou ela. — Estava apenas pensando a respeito, e não iria lhe dizer nada até que voltasse para casa, mas, como pode ver, não consigo manter a boca fechada.

— Ou parar de fazer planos — disse Tom, em voz baixa.

— Estou sendo intrometida? — gemeu ela. — Desculpe-me…

— Não, não se desculpe, jamais se desculpe. Amo você porque me conhece por dentro e por fora.

— De uma forma que você não acreditaria — sussurrou Holly.

— Sei que está certa. O novo trabalho faz com que eu me sinta como se estivesse tentando encaixar um pino quadrado em um buraco redondo, mas e quanto aos nossos outros planos? E quanto a formarmos uma família?

Holly sabia que essa pergunta acabaria surgindo.

— Quero que você seja feliz, Tom — falou ela. — Se estivermos destinados a ter filhos, então teremos filhos.

Holly estava bastante orgulhosa da resposta que dera. E não dissera mentira alguma.

— NÃO É NADA DE MAIS — argumentou Holly.

— Nada de mais? Nada de mais? — sussurrou Jocelyn, alto o bastante para que os clientes habituais da casa de chá erguessem a cabeça de suas tigelas de sopa com um olhar curioso para as duas.

— A enfermeira disse que estão esperando uma nova entrega. Ela vai me ligar na próxima semana, assim que chegar. — Holly estava tentando parecer despreocupada, mas a verdade é que ficara um pouco assustada quando a enfermeira lhe dissera que não poderia tomar a injeção contraceptiva na data marcada. Os medos de Jocelyn eram fundamentados. O caminho de Holly ainda apontava para uma morte prematura, a batalha com o relógio lunar ainda não estava terminada.

— Não acredito que não esteja levando isso mais a sério. Não há outro médico a que possa ir? — quis saber Jocelyn.

— Se for necessário, posso ir à mesma clínica aonde costumava ir em Londres. Até farei uma consulta particular se for o caso. E, no pior cenário, simplesmente não farei sexo com Tom — disse Holly com tranquilidade.

Alguém pigarreou. Holly e Jocelyn se viraram para encarar um senhor que estava tomando sopa de forma barulhenta. Holly ficou ruborizada. O senhor também.

— Desculpe incomodar — disse ele. — Poderia me servir mais um pãozinho?

— Aqui está — disse Jocelyn rispidamente, colocando um pãozinho sobre o balcão. Ela não estava a fim de ser perturbada pelos clientes.

O velho voltou satisfeito a sua mesa, e Jocelyn voltou sua atenção novamente para Holly.

— Eu lhe disse que não seria fácil. Holly, você precisa ser muito cuidadosa.

— Eu sei. Sinceramente, Jocelyn. Eu sei. Entendo que uma coisa é viver com a culpa de escolher não ter Libby, mas, se acabasse concebendo-a, não sei o que faria. Não conseguiria fazer um aborto, não depois de tê-la segurado em meus braços. E aonde isso me levaria? Sei o quanto é importante tomar essa injeção — assegurou Holly.

Jocelyn concordou.

— Há outro problema que essa confusão com a minha injeção causou — admitiu Holly, mordendo o lábio, nervosa.

Jocelyn olhou para ela e sua expressão ficou confusa até que a ficha caísse.

— É lua cheia, e você ainda poderia ver Libby.

Holly assentiu e mordeu o lábio com mais força. A dor fez seus olhos se encherem de lágrimas.

— Não sei o que farei — disse ela, já respondendo à pergunta que sabia que estava na ponta da língua de Jocelyn. — Acho que preciso que você me convença a não visitar Libby de novo. Se eu a vir mais uma vez, juro que talvez não consiga seguir adiante com essa história.

— Então você tem duas escolhas. Ou me dá a esfera de vidro, ou me deixa ficar com você. Ou faz ambas as coisas.

Holly subitamente percebeu que não conseguiria entregar a ninguém a caixa com o mecanismo do relógio. A sensação de posse que a dominou foi tão grande que a surpreendeu.

— Tecnicamente foram três opções — argumentou Holly.

Jocelyn apenas ergueu uma sobrancelha em resposta, mas não disse nada.

— Não tenho cama de hóspedes.

— Podemos dormir as duas na sua cama — falou Jocelyn, mostrando que sua determinação não seria facilmente vencida.

Atrás delas, o senhor voltou a pigarrear. Holly ficou ruborizada novamente.

— O que quer desta vez? — perguntou Jocelyn, irritada.

— Só quero pagar a conta — retrucou ele docilmente, entregando o dinheiro certo a ela.

Jocelyn abaixou os olhos para as moedas.

— O quê, sem gorjeta?

Ela não estava com humor para discussões. Portanto, conseguiu a gorjeta que queria e também o convite para passar a noite de lua cheia na casa de Holly.

ERA FIM DE NOVEMBRO, e a noite de lua cheia estava muito fria, o céu, muito limpo. Não havia uma única nuvem para aplacar a força do olhar da lua, que Holly sentia estar encarando-a mesmo depois de ter fechado todas as cortinas e persianas da casa, e mesmo depois de ter acendido as luzes de todos os cômodos para ofuscar os raios de luar. Ainda assim, Holly sentia a lua procurando-a, sua luz entrando em cada fresta da fortaleza que ela mesma construíra.

Jocelyn viera preparada para a vigília do relógio lunar com sacolas cheias com o que seria esperado levar para uma noite de reunião com amigas. Elas passaram uma noite agradável comendo pipoca e chocolates e assistindo a um DVD. Jocelyn escolhera uma comédia em vez de um drama lacrimoso. O riso era o melhor remédio, disse ela a Holly.

Já passava da meia-noite quando as duas resolveram encerrar a noite e ir para a cama. Era estranho ter Jocelyn ali para passar a noite, e Holly sentiu-se um pouco constrangida quando se deitou ao lado da amiga. Vivera sozinha a maior parte da vida e, com as viagens de Tom, se adaptara a dormir sozinha de novo. Não conseguiu evitar a sensação de que Jocelyn era sua carcereira, mesmo tendo sido ela, Holly, quem pedira para ser mantida em prisão domiciliar.

— Você se incomoda se eu deixar a luz acesa? — perguntou Holly. Ela estava olhando na direção da janela e imaginando os tentáculos da lua passando através do vidro, das dobras da cortina, até alcançá-la.

— É claro que não. Você acha que está pronta para dormir? — perguntou Jocelyn.

Holly deu de ombros.

— Vou tentar, mas já posso sentir o relógio lunar me chamando — confessou Holly. — Minhas pernas estão trêmulas, por isso já peço desculpas se eu lhe chutar durante a noite.

— Eu já lhe disse que tenho a couraça de um rinoceronte. Duvido que eu vá sequer sentir o toque de suas pernas magrelas — falou Jocelyn. Ela se inclinou e ajeitou o edredom ao redor dos ombros de Holly. — Antes que perceba, já será de manhã.

— Espero que esteja certa. Quero tanto que essa história termine, mas tenho medo de que isso nunca vá acontecer — suspirou Holly. As duas mulheres estavam deitadas lado a lado, ambas olhando para o teto. — Como vou viver com a culpa que guardarei?

— Simplesmente viverá — retrucou Jocelyn. Ela se virou para Holly. — Mas não compare o que está fazendo com o que eu fiz. Sim, sinto-me culpada, mas porque mereço me sentir. Posso não ter encostado um revólver na cabeça de Harry e puxado o gatilho, mas fiz o equivalente a carregar a arma de balas. Eu fiz com que ele sofresse até chegar a um ponto em que não conseguiu mais aguentar.

— Mas você estava apenas dando a ele o troco. Se fosse o contrário, Harry se sentiria culpado?

— Ele era quem era, mas ele nunca tramou contra minha vida. Eu, por outro lado, sabia o que estava fazendo e aonde aquilo iria levar. Mas é diferente para você. Não pode se torturar acreditando que está tirando a vida de Libby. Está tirando uma vida em potencial, sim, mas não uma vida ainda. Não é a mesma coisa — insistiu Jocelyn.

— A sensação é a mesma. Depois de ter visto Libby, de tê-la segurado no colo. A sensação é a mesma.

As duas mulheres ficaram em silêncio por algum tempo, e Holly achou que talvez Jocelyn estivesse adormecendo, mas a amiga parecia determinada a manter a mente de Holly ocupada.

— Paul me convidou para passar o Natal com ele — comentou Jocelyn com alegria. — Vou viajar alguns dias antes do Natal e ficar com ele por uma semana. Ainda é cedo para dizer, mas acho que superamos uma fase.

— Você vai ficar na casa dele? É um grande passo.

— Vou ficar em um hotel próximo. Como eu disse, ainda é cedo.

Holly sentiu a raiva crescer em seu peito, mas mordeu a língua. Sabia muito pouco sobre Paul e, de certo modo, ele também fora uma vítima do relógio lunar. Mas então ela olhou para Jocelyn. Se ao menos Paul tivesse ideia do que estava perdendo todos esses anos em que manteve a mãe fora de sua vida...

— Conte-me mais sobre essa tal Senhora Bronson. — Jocelyn voltou a falar quando o silêncio entre as duas parecia gritar para ser preenchido. — Você já está pronta para entregar sua escultura a ela?

— A peça está praticamente terminada. Não tenho um forno túnel aqui, por isso tive que mandar a parte de cima para ser queimada em outro lugar. Estará de volta em uns dois dias, e então só terei que juntar as duas partes, dar os retoques finais e estará pronta.

— Mal posso esperar para ver. Sei que vai ficar linda.

— Estou bem satisfeita com ela, se me permite dizer. Há uma parte de mim naquela escultura que nunca imaginei que pudesse existir.

— E você acha que a Senhora Bronson vai gostar mesmo não sendo o que ela esperava?

Holly deu de ombros sob as cobertas.

— Não me importo nem um pouco. Gosto da escultura e estou orgulhosa dela.

— Você não quer entregá-la, não é?

Holly sorriu, melancólica. Como Jocelyn conseguia conhecê-la tão bem?

— Não, não quero. Especialmente para a Senhora Bronson. Agora, se fosse para alguém como você, eu entregaria.

Jocelyn riu para esconder seu embaraço.

— No meu apartamento não caberia nem a versão em menor escala, quanto mais a peça final.

— Você sabe o que quis dizer — falou Holly com carinho.

O rosto de Jocelyn ficou vermelho.

— Sim, eu sei. Agora vamos dormir um pouco, está ficando tarde.

— Sim, Jocelyn — respondeu Holly, como uma criança obediente.

HOLLY CONSEGUIU ADORMECER, mas o relógio lunar não estava disposto a deixar sua mente em paz com tanta facilidade. Enquanto dormia, teve os sonhos mais nítidos de sua vida. Sonhou que estava correndo por um campo e que as cores ao seu redor eram incríveis. O azul límpido do céu e o verde vívido da relva sob seus pés eram tão intensos que faziam seus olhos arderem. Holly se sentia alegre e leve enquanto corria porque ia na direção de uma garotinha com lindos olhos verdes e cachos louros macios emoldurando seu rosto. Era Libby, mas uma Libby um pouco mais velha, com cerca de quatro ou cinco anos. Holly a pegou nos braços e girou com ela pelo campo. Podia ouvir as risadas de prazer da filha enquanto o sol cintilava no céu. Mas então o sol foi ficando mais pálido e mais frio, e o céu azul deu lugar à escuridão. Em segundos assustadores, o sol se transformou na lua, que encarou Holly do alto enquanto o peso doce de Libby desaparecia no éter. Holly perdeu o equilíbrio e seus braços seguravam o vazio. Ela caiu no chão com um baque. Então acordou ofegante, enquanto o choque da queda ecoava por de seu corpo.

Passava um pouco das seis horas, e, quando Holly se esgueirou para fora da cama, tomando cuidado para não acordar Jocelyn, que roncava baixinho, ela sabia que o nascer do sol ainda demoraria cerca de uma hora. A necessidade de ver Libby a consumia, e ela não conseguia pensar em mais nada enquanto descia furtivamente as escadas, de pijama. Holly pegou a caixa de madeira e cambaleou através da escuridão, em direção ao relógio lunar, ignorando a relva alta que arranhava e cortava seus pés nus.

A esfera chacoalhava dentro da caixa, Holly a pegou com as mãos trêmulas de pânico para colocá-la nas garras de metal. Mal conseguia ver a esfera quando ela se acomodou, mas esperou pacientemente que a primeira fagulha de vida despertasse em seu interior. Enquanto esperava, Holly sentia a respiração áspera por causa do frio, e era como se estivesse se afogando na escuridão ao seu redor.

Quando a noite negra se fechou em torno dela, Holly olhou em desespero para o céu e só então percebeu por que estava tão escuro. A lua cheia não esperara por ela e se fora, levando Libby consigo.

Todos os músculos do corpo de Holly tremiam em agonia e ela se jogou sobre o relógio lunar, socando a superfície fria. Enquanto chorava e soluçava, mal teve consciência da luz acesa na janela da cozinha, ou da manta que foi passada ao redor de seus ombros, assim como um par de braços firmes.

— Está tudo bem — acalmou-a Jocelyn. — Venha para casa. Vai ficar tudo bem.

— Ele venceu — disse Holly aos prantos. — O relógio lunar venceu.

— Antes isso fosse verdade, mas ainda não está terminado, Holly. Você ainda tem que encarar a batalha mais difícil — comentou Jocelyn. — Agora vamos.

Enquanto deixava Jocelyn levá-la para dentro de casa, Holly pensava no que a amiga havia dito. Pela primeira vez, Holly percebeu que a batalha que estava enfrentando não era de forma nenhuma contra o relógio, mas contra si mesma. Ainda havia escolhas a serem feitas.

DUAS SEMANAS ANTES DO NATAL, Holly convidou a Sra. Bronson para ir até a casa da guarda para receber oficialmente a peça, antes que começasse a organizar o processo delicado de organizar a instalação da escultura na mansão da cliente. Holly imaginara que seria um encontro difícil, por isso também pediu a Sam Peterson para estar presente. Tinha a sensação de que precisaria de alguém para ajudá-la a defender seu terreno.

Holly tivera razão em se preocupar com a visita, principalmente porque ela mesma não estava no melhor dos humores para lidar com aquele arremedo mimado de mãe. Além do mais, tinha outras coisas em mente. Seu sonho com Libby vinha atormentando-a desde a noite de lua cheia, e ela estava profundamente arrependida por ter deixado escapar a última chance de ver a filha.

A determinação de Holly de salvar a própria vida ficara seriamente abalada desde então, e a ideia de dar esse último passo para apagar Libby do futuro definitivamente a deixava nauseada. A tal ponto que ela não marcara outra consulta para tomar a injeção contraceptiva. Precisava acreditar que Libby ainda estava ali, no futuro, em algum lugar, ao menos por enquanto. Sabia que estava assumindo um risco enorme, mas não conseguia se conter. Queria manter aquela conexão aberta, principalmente agora que estava abrindo mão de sua única ligação física com a filha: a escultura que fizera à sua imagem. O tempo estava correndo e, no final do mês, Libby teria partido da vida de Holly, assim como a escultura. Seu único conforto era saber que Tom estava voltando para casa e, é claro, a esperança secreta de que a Sra. Bronson se recusasse a aceitar a escultura.

— ELA DISSE O QUÊ? — perguntou Tom, abismado. Holly não podia ver o rosto do marido, mas sabia que ele estava boquiaberto do outro lado do telefone.

— A Senhora Bronson disse que vai me processar para ter de volta cada centavo que me pagou — respondeu Holly, irritada. Ela estava sentada à mesa da cozinha diante de um copo de vinho que já havia enchido uma segunda vez. Era fim de tarde, mas o sol fraco de dezembro já fora derrotado pela noite de inverno, que chegava apressada.

— Ela pode fazer isso? O que diz o contrato?

— Ah, ela pode me processar, sim — confirmou Holly. — Sam a acompanhou até a estação de trem e tenho esperança de que ele vá usar seu poder de negociação para me tirar dessa enrascada.

— O que ela pode fazer exatamente?

— Bem, no pior dos cenários, terei que devolver todo o dinheiro que ela me pagou até agora e mais alguma coisa a título de compensação. Não sei quanto.

— Se esse é o pior cenário, quais são as outras opções? — perguntou Tom, esperançoso.

— Acho que ela pode exigir que eu refaça a escultura como supostamente deveria ter feito — resmungou Holly, como uma criança reclamando do trabalho escolar. Essa era uma opção que Holly não queria de modo nenhum levar em consideração. Recusava-se terminantemente a criar alguma coisa em que não acreditava. E com certeza não iria desmantelar o trabalho que já fizera, não quando incluía a imagem de Libby.

Tom riu.

— Não consigo acreditar que ela não tenha se apaixonado pela escultura. É verdade que não era o que ela estava esperando. Você mudou o conceito, só que para melhor. O que há na peça para alguém não gostar?

Holly havia mandado para Tom uma fotografia da escultura finalizada, e, embora soubesse que a opinião do marido era suspeita, realmente não havia nenhuma razão para que qualquer pessoa normal não adorasse a peça.

— Acho que a Senhora Bronson não gostou de o foco estar na criança e não na mãe. Além do mais, ela disse que a mãe parecia ter um corpo de homem.

Tom riu com mais vontade, apesar das más notícias.

— Então ela não ficou impressionada com os meus músculos?

— Seus músculos? — disse Holly. — Você nem suspeitou que aqueles músculos pertencem a Billy? — Holly estava tentando ver o lado engraçado da situação, mas esse seria um golpe duro nas finanças deles. — O que vou fazer, Tom?

— Prometo que trabalharei dia e noite para pagar a essa mulher horrorosa. Não quero que comprometa sua arte, não por pessoas como a Senhora Bronson.

— Sam vai ter que fazer milagre para me tirar dessa. Mas, afinal, não há nada que se possa fazer.

— Bem, de certa forma isso torna mais fácil contar as minhas novidades — falou Tom.

— O que quer dizer? — Foi como se um alarme soasse na cabeça de Holly, embora ela estivesse achando difícil se concentrar com a nebulosidade que havia sido despejada da garrafa de vinho direto para sua mente.

— Você se lembra que me disse para pensar no rumo da minha carreira e considerar outras opções? Pois bem, ainda não estou pronto para desistir de um emprego seguro, não com toda a insegurança e a competição que existe por aí, mas…

— Mas? — perguntou Holly. Era óbvio que as dúvidas que plantara na cabeça dele sobre a carreira não apenas haviam criado raízes como também brotado e ganhado vida própria.

— Estive fazendo um pouco de pressão na emissora. Está previsto que eu comece no novo cargo apenas em meados de janeiro, e essas matérias especiais têm ido realmente bem. Seria loucura desistir agora.

— Quando e onde? — perguntou Holly, sabendo que ele estava falando de mais uma viagem a trabalho.

Ela ouviu em silêncio enquanto Tom explicava que a nova missão era um documentário sobre as consequências dos deslizamentos de terra que haviam devastado a China. O governo chinês havia oferecido à emissora uma rara oportunidade para que entrasse no país. O problema era que essa oportunidade iria solapar seus planos de folga por três semanas ao redor do Natal. Tom iria direto de um lugar para o outro, parando apenas alguns dias em Cingapura.

— Então o Natal está cancelado — disse Holly, emburrada.

— Não, não exatamente. Você poderia voar para Cingapura, e ainda poderíamos passar o Natal juntos, mas eu teria que partir para a China logo no dia seguinte. Sei que é chato. Mas é realmente uma oportunidade incrível, e vou ganhar bastante dinheiro, o que vai ajudar com o seu probleminha.

— Suponho que sim — disse Holly, sem saber muito bem como essa mudança de planos afetaria não apenas o Natal, mas o resto da vida deles e o acordo pendente que ela tinha com o relógio lunar.

— Pode até ser divertido passar o Natal fora. Posso conseguir um voo para você na primeira hora do dia 21 de dezembro — falou Tom.

Holly pousou o copo de vinho na mesa e desejou estar com as ideias mais claras. O dia 21 já era uma data simbólica na mente dela porque seria a próxima lua cheia. A lua cheia abrira a porta para um mundo que mantinha a filha dela cativa, e Holly tinha a sensação de que na próxima vez em que a lua saísse das sombras aquela porta estaria firmemente fechada e Libby estaria perdida para sempre.

A data, ao que parecia, agora também seria simbólica por outros motivos. Holly tinha pensado que a consulta médica para tomar a injeção contraceptiva seria o ponto de virada para o seu futuro. Tom mudava tudo isso, sem querer, ao lhe dar uma escolha: juntar-se a ele em Cingapura e correr o risco de ficar grávida ou ficar em casa e assegurar seu futuro sacrificando a própria filha.

— Holly? — perguntou Tom, quando o silêncio entre eles se estendeu.

— Desculpe, eu estava apenas pensando — explicou ela. — Talvez seja complicado eu me afastar daqui.

— O quê? Por que seria? — balbuciou Tom, com uma mistura de surpresa e desapontamento.

— Também tenho compromissos. Jocelyn vai viajar, e eu vou ficar trabalhando na casa de chá. — Holly se odiou assim que as palavras saíram de sua boca. Não queria tomar essa decisão. Não estava pronta.

— Você está certa. É uma ideia estúpida e egoísta — Tom começou a dizer.

— Não diga isso. Não é uma ideia estúpida. Adoro que você tenha outra chance de fazer o trabalho que ama, e você não está sendo egoísta, eu é que estou.

— Mas é uma viagem longa demais e nos só ficaremos juntos por poucos dias.

— Não, não é uma viagem longa demais. Tom, eu viajaria até o outro lado do mundo para ver você, viajaria até através do tempo.

— Então você vem?

Antes que Holly tivesse a chance de responder, ouviu uma batida na porta.

— Deve ser Sam, é melhor eu ir atender — disse Holly.

— Diga-me que você vem — implorou Tom.

— Eu irei — respondeu Holly, nervosa.

Os avisos de Jocelyn tinham razão de ser. Holly percebeu que o caminho que asseguraria seu futuro estava se tornando irremediavelmente entrelaçado com o de Libby.

SAM PARECIA EXAUSTO e ansioso por um drinque quando se sentou à mesa da cozinha.

— Você conseguiria um desses para mim? — perguntou ele, apontando para o copo meio vazio de Holly.

Holly colocou um copo diante dele e o encheu com vinho antes de perguntar como haviam sido as coisas com a Sra. Bronson.

— Bem, ela não está exatamente feliz — disse ele.

Holly se encolheu, como se pedisse desculpas.

— Ela está muito zangada?

Sam ergueu uma sobrancelha.

— Não vou nem repetir as coisas que ela disse a seu respeito.

— E? — perguntou Holly, impaciente. Ela não se importava com a Sra. Bronson, nem mesmo com o dinheiro que sem dúvida perderia no negócio. O que realmente lhe importava era a escultura, e estava louca para saber o que iria acontecer com a peça.

— Acho que consegui persuadi-la a ficar com a obra — disse Sam, embora fosse evidente que ele não estava lhe dizendo tudo.

O coração de Holly afundou no peito.

— É mesmo? — perguntou ela, triste.

Sam quase se engasgou com o gole de vinho que acabava de tomar.

— Holly! Às vezes você é inacreditável. Sei que não queria aceitar essa encomenda desde o início, mas parece que você se esforçou para garantir que a Senhora Bronson não ficasse com a escultura. Portanto, fique tranquila, ela não quer a peça grotesca, o lixo que você criou. Palavras dela, não minhas. Na verdade, ela não usou *lixo*, estou sendo educado.

— Bem, não vou fazer outra escultura para ela — insistiu Holly. Girava o próprio copo na mão, mas não estava bebendo. Tinha muitas coisas em que pensar, embora a Sra. Bronson mal aparecesse na lista.

— Não se preocupe, eu não faria isso com você. Ela aceitará a versão em escala menor, se você refiná-la um pouco e deixá-la pronta antes do Natal.

— Bom trabalho, Sam! — Holly sorriu.

— Não comece a comemorar ainda. Você não entregou a peça que ela encomendou, por isso terá que devolver o adiantamento, e a Senhora Bronson não pagará pelo que você vai lhe entregar. Resumindo, ela terá seu trabalho de graça. Você poderá ficar com a escultura em tamanho natural, mas precisará assinar um documento comprometendo-se a não vendê-la. Pode ficar com ela ou doá-la. Acho que os pagãos que vivem por aqui vão gostar da escultura... Eles podem fazer aquelas danças da fertilidade ao redor dela.

— A vida no campo realmente o assusta, não? — observou Holly.

— De jeito nenhum — mentiu Sam. — Na verdade, o motorista de táxi local acabou de me dizer que há uma nevasca a caminho, e que se eu acabar preso aqui ele ficará feliz em enfrentar a neve e me mostrar os arredores. Aposto que ele sabe chamar cada ovelha pelo nome.

— Você é um homem mau, Sam Peterson — repreendeu-o Holly, mas não pôde deixar de rir.

— Sim, sou um homem mau — confirmou Sam e, dessa vez, parecia um pouco culpado. Ele pegou a pasta e tirou uma linda embalagem de presente. — Um acordo de paz — explicou.

Holly o encarou sem entender.

— O que você acha que fez para precisar me recompensar? Sou eu que causei todo esse problema. — Enquanto falava, ela abria cuidadosamente o presente. À primeira vista, parecia uma peça de tecido muito macia, de cor creme, mas, quando a desdobrou, o coração de Holly saltou no peito. Era uma boneca de pano. Exatamente a mesma boneca que Libby estava segurando em sua última visão. Holly a encostou no rosto do mesmo modo que vira a filha fazer.

Sam pigarreou, nervoso, embaraçado com a reação de Holly.

— Ao que parece, a mãe costuma carregar esse tipo de boneca junto ao corpo por um tempo, para transferir seu cheiro para o tecido, então o bebê se sente seguro dormindo com a boneca quando a mãe não está por perto — explicou Sam. Ele sorriu com carinho para Holly. — Na última vez em que esteve na galeria, acho que fui um pouco rude com você, quando zombei do seu interesse corajoso pela maternidade. É claro que você será uma boa mãe, posso ver isso na escultura. Vai surpreender a todos, principalmente a você mesma.

Holly tentou sorrir, mas só conseguiu fazer o lábio inferior tremer.

— Vamos ver — disse ela.

12

— Sei que não quer ouvir isso agora, mas talvez seja uma bênção disfarçada — disse Jocelyn a Holly.

Holly ficara muito abalada depois do último telefonema de Tom e, embora ainda seguisse normalmente com suas tarefas diárias, havia parado de trabalhar na casa de chá. Ela dissera a Jocelyn que precisava passar mais tempo finalizando a escultura em menor escala para a Sra. Bronson, mas isso era só meia-verdade. Holly sabia que a amiga a faria encarar o futuro de frente e ainda não se sentia preparada para isso. Foi só quando Jocelyn apareceu para o brunch de domingo, menos de uma semana antes da data em que Holly viajaria para encontrar Tom, que ela parou de viver em negação.

Holly sempre soubera que chegaria o dia em que teria que escolher o caminho que excluiria Libby do seu futuro. Ela reconhecia que estava jogando um jogo perigoso não voltando ao médico para tomar a injeção contraceptiva e assumia que estava sendo teimosa. Mas não permitiria que a apressassem a tomar a decisão que essencialmente poria um fim à vida da filha antes que ela começasse. Mas agora parecia que os novos planos de viagem de Tom estavam fazendo exatamente isso. Havia duas opções bem claras: ir para Cingapura e se arriscar a ficar grávida ou ficar em casa e garantir que a vida de Libby seria apagada de uma vez por todas. Holly sabia qual opção Jocelyn estava sugerindo que escolhesse. A amiga já havia lhe dito que ela, Holly, e apenas ela, deveria fazer as próprias escolhas, mas estava ficando claro que Jocelyn não descansaria até que Holly escolhesse corretamente.

— Você está certa — concordou Holly. — Não quero ouvir isso agora. — Ela estava sentada diante da mesa da cozinha com o casaco enrolado ao redor do corpo. Quando olhou através da janela, a neve caía, e o jardim parecia estar coberto por um manto branco e estéril. O relógio lunar estava irreconhecível, escondido sob uma grossa camada de neve que neutralizara qualquer poder que ele pudesse ter sobre Holly.

— Você deve pegar o avião para Cingapura na terça-feira — continuou Jocelyn, sem se deixar abalar pela relutância da amiga de conversar sobre o futuro. — Ainda não foi ao médico tomar a injeção contraceptiva, portanto nós duas sabemos que, se você for para Cingapura, pode apostar sua vida que voltará grávida. E, sim, o jogo de palavras foi intencional.

Holly continuou a olhar pela janela, quase como se não tivesse ouvido.

— Três vezes. Consegui ver Libby três vezes e só a peguei no colo uma vez. — Os olhos dela estavam marejados. — Não acredito que passei a minha vida toda sem sequer pensar na possibilidade de ter filhos e agora daria tudo para segurar Libby nos braços só mais uma vez.

— Mesmo se não puder ter outros filhos, talvez apareçam outras oportunidades. — Jocelyn tentou acalmá-la. — Tom testemunhou tanta pobreza e infelicidade nas viagens dele. Há tantas crianças neste mundo que precisam de ajuda. Talvez vocês possam adotar.

Holly balançou a cabeça.

— Não acho que isso seja uma opção. Tom não ficaria feliz salvando uma única criança, ele iria querer salvar uma vila inteira.

Holly já investigara a opinião do marido sobre adoção, e fora isso que ele lhe dissera. Embora esse ponto de vista estivesse influenciado pela firme convicção de que teriam seus próprios filhos um dia, Holly estava certa de que Tom não mudaria de opinião.

— Além do mais — continuou Holly —, não é esse o ponto. Não estou nem pensando em outros filhos. Só estou pensando em Libby. É ela que vejo cada vez que fecho os olhos. É Libby que meus braços anseiam por abraçar. É o cheiro de Libby que tento relembrar. Eu a perdi para sempre, e o que torna tudo ainda pior é que Tom nem sequer chegou a conhecê-la. Eu sei o que sacrificamos, mas ele nunca saberá, não de verdade. Não estou apenas traindo Libby, de certo modo, também estou traindo Tom. Como nosso relacionamento sobreviverá a isso?

— Vocês se amam, e você sobreviverá a isso — insistiu Jocelyn.

Holly deu um sorriso que partiu o coração de Jocelyn e abalou sua determinação.

— Sim, vou sobreviver a isso. É o meu castigo.

— Você não vai para Cingapura? Por favor, Holly, diga isso em voz alta. Diga-me que não vai para Cingapura — implorou Jocelyn.

— Eu não vou para Cingapura — repetiu Holly, tão triste que um soluço escapou sem que percebesse. — Oh, Jocelyn, eu a perdi para sempre, e acho que não serei capaz de me perdoar por isso. — O peito dela estava apertado com o peso da decisão que tomara, mas não se permitiria chorar, não achava que merecia o alívio que uma boa crise de choro poderia trazer.

Jocelyn sufocou as próprias lágrimas.

— Então vou passar o Natal aqui na cidade. Você não vai enfrentar isso sozinha.

— Mas e quanto ao Paul? Ele está esperando por você — perguntou Holly.

— Ele me convidou para a manhã de Natal... até agora foi só. Eu passaria o resto do tempo enfiada em um quarto de hotel, esperando e torcendo para que ele me convidasse a aparecer de novo. Não queria contar a ninguém porque me sinto envergonhada. Suponho que esse seja o *meu* castigo.

— Castigo? Paul deveria ter orgulho da mãe que tem! E, se alguma vez eu o encontrar, juro por Deus que vou lhe dar um soco!

Jocelyn riu, apesar de tudo, mas a tristeza permaneceu em seus olhos.

— Eu não mereço ser mãe dele, e não apenas pelo que fiz com Harry. Estava pronta para tirar a minha própria vida e deixá-lo à mercê de um pai perverso e violento. O relógio lunar me deu a vida, mas não me deu meu filho. Não fui totalmente perdoada.

— Você é uma boa pessoa, Jocelyn, e não quero ouvir nem mais uma palavra sobre precisar ser perdoada. Mas, se Paul não consegue reconhecer isso, então o que ele perde eu ganho.

— Bem, ficarei aqui, está decidido. Vou telefonar para Paul e cancelar a visita. Acho que ele provavelmente ficará aliviado.

— Acho que eu também tenho que dar um telefonema — suspirou Holly. — Mas não vou contar a Tom até o último instante. Não conseguiria aguentar dias de discussões e tentativas de me persuadir. O Natal já está bastante arruinado do jeito que está.

— Mas ao menos haverá outros Natais — lembrou Jocelyn a ela.

Holly deu um sorriso corajoso para a amiga, mas seu rosto era uma máscara — uma máscara com a qual teria que aprender a viver por muito tempo. Libby plantara sementes de amor maternal no coração de Holly, que ficara impressionada consigo mesma ao perceber a rapidez com que havia nutrido e protegido esse amor. Com a prática nascida da experiência, Holly fechou-se para todas as esperanças e sonhos de maternidade, e, com o tempo, as sementes plantadas pela filha secariam e morreriam.

HOLLY TRABALHOU NA ESCULTURA da Sra. Bronson com um senso de urgência. No entanto, a urgência não tinha nada a ver com o prazo ou com o alívio iminente de se livrar da Sra. Bronson. Era a culpa que sentia por estar falhando com a filha que a deixava ansiosa para terminar o projeto. Quando a escultura foi despachada um dia antes da data em que Holly supostamente viajaria para Cingapura, ela fechou o ateliê. A escultura em tamanho real ainda estava lá, envolvida em um pano para ocultar os rostos das gerações de mães que, Holly sentia, deviam estar observando-a e julgando-a.

A barreira emocional que ela construíra foi suficiente para sustentá-la durante o dia, mas, na noite anterior ao voo, Holly não conseguiu dormir. Ela vagou pela casa vazia enrolada em uma manta, tentando encontrar um canto onde pudesse se encolher e torcer para que o tempo jamais a encontrasse. Toda vez que pensava no telefonema que teria que dar a Tom, seu estômago se revolvia. De manhã bem cedo ela diria ao marido que não viajaria.

Com a aurora ainda distante, Holly vagou pelo quarto vazio que nunca se tornaria o quarto de Libby. Estava frio, nu e vazio, exatamente como o seu coração. Ela se encolheu no espaço entre uma pilha de caixas e uma mala — a mala que deveria estar pronta para sua viagem. Holly puxou os joelhos para junto do peito e agarrou-os com força, para ter alguma coisa em que se segurar e também como uma tentativa de ocupar os braços, que pareciam dolorosamente vazios.

A mala parecia fria quando Holly apoiou a cabeça sobre ela. Era feita de couro marrom-escuro, mas despertou em Holly a memória de uma mala xadrez que fizera parte de sua infância. A mesma que a mãe escondera atrás do sofá no dia em que partira. Holly observara horrorizada enquanto sua mãe ficava parada na porta da frente de casa, esperando o marido voltar. Ela barrou a entrada dele e lhe disse que queria o divórcio, gritando que o culpava por tudo e que era para ele dizer adeus à filha e sair da vida delas. Holly ficara aterrorizada com a ideia de ser deixada sozinha com a mãe, e uma centelha de esperança se acendeu quando o pai começou a discutir. Ele entrou em casa à força e disse à esposa que não pretendia ir a lugar nenhum, que, se ela queria o divórcio, teria que ser ela mesma a ir embora. Holly não pensou nem por um minuto que os dois estivessem brigando por causa dela, era da casa que se recusavam a abrir mão. Holly prendeu a respiração enquanto o pai e a mãe se encaravam em um silêncio tempestuoso, nenhum dos dois se movendo, até que um sorriso começou a se esboçar no rosto da mãe dela. Com uma expressão alegre, ela deu de ombros e deixou o marido boquiaberto quando pegou a mala que estava na sala de estar e se encaminhou para a porta. A mãe sequer olhou para Holly quando passou por ela. Não houve nenhum pedido de desculpas ou remorso quando a mãe deixou a casa, ela nem sequer disse adeus. Suas palavras de despedida foram para o pai de Holly: "Finalmente tenho minha vida de volta", rosnou para ele. Holly afastou essa lembrança, mas outra logo tomou seu lugar. Ela se viu parada no quarto em que estava agora, segurando Libby no colo. Dissera à filha que a amava, que sentia muito, mas isso realmente fazia dela uma mãe melhor? Em vez de responder à própria pergunta, Holly agarrou os joelhos com mais força até mal conseguir respirar. Ela olhou para além do espaço onde ficara parada com Libby e na direção da janela. A persiana estava completamente aberta, e a escuridão que se via através do vidro parecia penetrar em seu coração. Ela se lembrou do reflexo assombrado de Tom encarando-a, lembrou-se de como ele dissera que não estava conseguindo mais aguentar. Foi a essa lembrança que Holly se agarrou, só isso a impedia de pegar a mala e viajar para Cingapura, para encontrar Tom. Foi o rosto de Tom que ela manteve na mente quando finalmente encontrou algo que já havia perdido a esperança de encontrar. Sono.

FOI O TOQUE INSISTENTE DO TELEFONE que acordou Holly. Ela se desvencilhou da manta, e seu corpo pareceu gritar de dor conforme ela esticou os músculos tensos para se erguer e chegar até o telefone em seu quarto.

— Alô? — atendeu ela. Sua voz estava rouca, e a garganta apertada.

— Holly? É você? — Era Tom.

O estômago de Holly doeu, e ela sentiu uma onda de náusea quando se lembrou da decisão que estava prestes a tomar.

— Sim, sou eu — disse ela, rouca. Holly olhou de relance para o relógio. Eram 6h30, e ela deveria partir para o aeroporto em menos de uma hora.

— Você está bem? Está parecendo estranha. Está doente? Vai conseguir pegar o voo? — Havia um pânico crescente na voz de Tom.

Pronto, pensou Holly. Chegou o momento de dizer adeus a Libby.

— Tom! — A voz dela saiu como um soluço. — Não posso fazer isso.

— Cristo, Holly, qual é o problema? Você está me assustando.

Holly se esforçou para se controlar e respirou fundo. Precisava lembrar a si mesma que estava fazendo isso por Tom.

— Não posso ir — disse ela. Sua voz ainda estava rouca, mas agora também soava completamente sem emoção.

Holly tivera a intenção de dizer a Tom que o clima ruim a impediria de viajar. A área rural ficara praticamente paralisada pela última nevasca, e não seria necessário muito esforço para convencer Tom de que aquilo tornaria sua viagem impossível, mesmo que o solo já estivesse degelando. Mas, assim que ela atendeu ao telefone, o marido presumiu que ela estivesse doente, por isso Holly deu continuidade a essa ideia. A culpa por estar mentindo mal foi registrada... Ela já tinha fardos bem mais pesados em sua consciência. Holly estava sacrificando a vida de sua filha para manter sua própria e quase conseguia ouvir o arranhar distante de uma caneta sobre o papel enquanto seu futuro era reescrito.

Tom não sabia nada sobre a traição dela e estava apenas preocupado com a saúde da esposa. Ele disfarçou bem a decepção e fez Holly prometer que ficaria na cama e pediria ajuda a Jocelyn se precisasse de alguma coisa. Ele disse que haveria outros Natais juntos, e Holly não pôde deixar de pensar nesses Natais futuros que havia garantido para si mesma. Ainda estariam juntos?

Ela esperou sentir algum alívio quando desligou o telefone. A decisão que a atormentara por meses enfim fora tomada. Mas não sentiu alívio nenhum. Não se permitiria sentir nada além do vazio que a engolfou.

FORA UM POUCO MAIS DIFÍCIL para Holly convencer Jocelyn de que estava tudo bem. Ambas sabiam que a noite seguinte seria de lua cheia, e Jocelyn precisou de muito empenho até ser persuadida de que Holly não precisava que alguém a vigiasse. Holly insistiu que a troca estava feita, a vida dela estava tomando uma nova rota, e Jocelyn deixou escapar um suspiro de alívio

— na verdade, foi mais um suspiro de resignação —, mas ela acabou concordando em deixar Holly sozinha para se acertar com seu novo caminho.

E Holly sabia exatamente onde seu novo caminho a estava levando, ou ao menos onde a levaria naquela noite. Com a lua cheia no céu, ela se encaminhou direto para o relógio lunar. Precisava afastar os últimos fantasmas, e, caso se deparasse com um futuro que concretizasse seus piores medos, então esse certamente seria o castigo pela decisão que acabara de tomar.

A NOITE ESTAVA FRIA E TEMPESTUOSA. As nuvens esparsas que cintilavam com a luz de fundo da lua se deslocavam pelo céu e revelavam estrelas que pareciam piscar com um senso de inferioridade, afinal era o brilho intenso da lua que dominava a noite. O coração de Holly batia acelerado no peito quando ela parou em frente ao relógio lunar. Ela perguntou a si mesma o que estava fazendo, brincando novamente com o futuro, e foram as batidas de seu coração que a lembraram de que devia a sua própria vida ao relógio. Agora precisava saber que tipo de vida a aguardava. O sacrifício teria valido a pena?

O degelo havia exposto a relva alta e descuidada e ervas daninhas que despontavam sobre o tapete gelado de neve. A temperatura havia subido acima do ponto de congelamento, mas ainda estava terrivelmente frio, e Holly fechou o zíper de seu casaco de inverno até o queixo. Ela ergueu a esfera de vidro na mão, mas ainda não tinha reunido coragem para encaixá-la nas ansiosas garras de metal do relógio lunar. Holly deixou a esfera rolar em suas mãos enluvadas, e ela brilhou alegremente sob o luar. Holly parecia hipnotizada enquanto a virava de um lado para o outro na palma da mão, mas então a esfera vacilou e caiu, encaixando-se exatamente onde o destino dizia que pertencia: no centro do relógio.

Tudo aconteceu tão rápido que a chuva de raios de luar que se seguiu pegou Holly desprevenida. Os olhos dela se arregalaram de medo quando as garras se fecharam com força ao redor da esfera, deixando Holly temporariamente cega. Holly precisou contar com os outros sentidos para perceber o ambiente que agora a cercava, e a primeira coisa que notou foi a temperatura. A noite subitamente se tornara quente, e o perfume do verão enchia o ar. Holly não se moveu a não ser para tirar as luvas e abrir o zíper do casaco. Ela estendeu a mão e tocou a superfície do relógio lunar. Parecia quente e familiar.

Holly piscou várias vezes, e, quando abriu lentamente os olhos, teve uma noção mais clara do jardim. Estava iluminado tanto pela lua cheia, que a acompanhava em sua jornada ao desconhecido, quanto pela luz artificial que vinha da cozinha. O coração dela ainda batia com força, mas pareceu falhar uma batida quando Holly pensou no que a aguardava adiante. Por um breve momento, ela considerou a possibilidade de ficar onde estava. Nos últimos meses, ela já tinha ido ao inferno e voltado, e poderia muito bem estar prestes a embarcar em outro pesadelo. Na verdade, não queria ver de novo seu futuro — principalmente seu futuro reescrito —, mas acabara de desistir da filha e precisava saber o que lhe renderia esse sacrifício. Holly percebeu que, mais do que nunca, precisava saber se estava destinada a ser mãe no mundo que o relógio lunar lhe mostraria.

Holly caminhou lentamente pelo gramado em direção à porta dos fundos. Como seu pescoço estava suado, ela deixou o casaco cair no chão e continuou a caminhar. Holly se concentrou em sua respiração para tentar se acalmar conforme abria a porta dos fundos e entrava em seu futuro. Com a respiração presa na garganta, ela olhou ao redor. A cozinha estava cheia de esperança na forma de mamadeiras e de uma cadeira alta colocada diante da mesa.

Com as mãos trêmulas, Holly procurou por um jornal, mas teve que se contentar com a conta de gás. A data era junho de 2012. O relógio lunar continuava a levá-la 18 meses adiante no tempo. Holly ficou paralisada observando a data e logo voltou a olhar para a cadeira alta de bebê. Uma revoada de milhares de borboletas dominou o seu estômago, cada uma carregando uma pergunta. Mas apenas uma dessas perguntas lhe importava, a única para a qual Holly exigia uma resposta. Ela não queria saber se haveria outros bebês, não precisava nem saber se sobreviveria ao parto. Só precisava saber se a criança que usava aquela cadeira alta diante dela era Libby. Holly caminhou em direção à porta do corredor, pronta para sair em disparada, mas então as luzes piscaram e se apagaram. A cozinha ficou escura, e Holly sentiu um arrepio na nuca. Antes que seus olhos pudessem se ajustar, antes que ela pudesse ver alguma outra coisa além do brilho suave da lua entrando pela janela, as luzes voltaram a se acender. Holly estremeceu, mas afastou a sensação de mau presságio trazida pela escuridão. Ela se concentrou no lampejo de esperança que crescia em seu peito.

Quando entrou no corredor, Holly ouviu a voz de Tom no escritório. Ela avançou em passos leves até a porta e reparou que Tom estava conversando. Só era possível ouvir um dos lados da conversa, portanto Tom estava ao telefone. Ele agora soava como o Tom que ela conhecia, não como o homem devastado que encontrara em suas outras visões. Ouvir o riso dele deixava o coração de Holly mais leve. Ele estava falando sobre trabalho, planejando uma entrevista com alguém. Parecia feliz, animado e vivo. O que Holly ouviu a seguir fez seu coração se encher de alegria.

— Desculpe, Peter, mas realmente tenho que ir. Estava prestes a colocar Libby para dormir. Ela está esperando pela mamadeira e não é o tipo de dama que gosta de esperar.

Holly mal registrou as palavras, pois já estava se virando e subindo as escadas, dois degraus de cada vez. Tinha a intenção de parar na porta do quarto de Libby e espiar com cuidado, mas estava andando tão rápido que não conseguiu parar e, antes que percebesse, já estava no meio do quarto. O cômodo estava iluminado por um único abajur, mas praticamente cintilava.

— Olá, meu amor — disse Holly, ofegante e empolgada.

Libby estava de pé no berço, segurando nas grades com força e também agarrada à boneca de pano — ainda mais encardida do que na última vez em que Holly a vira. Libby sorriu e pulou, compartilhando a empolgação da mãe. A menina pulou tanto que acabou perdendo o equilíbrio e caindo sobre o traseiro com um baque. Ela fez beicinho e estendeu os braços para Holly.

— Mama! — disse.

As lágrimas faziam arder os olhos de Holly. Ela correu até a janela e ergueu a persiana para deixar entrar o luar, apenas o bastante para permitir que fizesse o que achara que nunca mais teria a chance de fazer. Ela estendeu os braços por sobre o berço e pegou a filha.

Então, com Libby no colo, Holly fechou os olhos e deixou que seus outros sentidos a dominassem. Ela respirou fundo para se acalmar, enquanto sentia o perfume de Libby, que era uma mistura inebriante de sabonete, suor, e mais alguma coisa que pertencia apenas a Libby. Holly sentiu o peso sólido da filha nos braços, mais pesada, mais forte do que da última vez em que a segurara. Libby agora estava com nove meses e havia mudado de outras formas também. Os cachos louros e desalinhados fizeram cócegas no nariz de Holly.

— Não faz ideia de quanta saudade senti de você! — disse à filha. — Não consigo acreditar que estou aqui. Não consigo acreditar que você está aqui.

Holly nem sequer tentou entender o que estava acontecendo ou por quê. Talvez as ações que tomara ainda não houvessem mudado o futuro, talvez fosse apenas no momento exato em que Libby deveria ser concebida que tudo mudasse. Holly estremeceu e empurrou esses pensamentos para o fundo da mente. Não queria pensar nisso agora. Depois de um longo tempo, Holly abriu os olhos e sorriu para Libby.

— Amo você e não quero ficar sem você jamais.

Libby sorriu de volta.

— Papa — disse ela, esticando os bracinhos na direção da porta.

Holly se virou e ouviu Tom subindo as escadas.

— Preciso colocá-la de volta no berço — sussurrou Holly, sem vontade de soltar a filha, mas sabendo que era o que precisava fazer. Se Holly ainda estivesse segurando Libby quando Tom entrasse no quarto, então seria como o choque de dois mundos e ela sabia que não conseguiria encarar isso. Queria que tudo fosse perfeito, calmo e certo.

Quando Tom entrou no quarto de Libby, ele girava uma mamadeira nas mãos.

— Hora de dormir, pequena dama — disse Tom à filha, que estava de pé no berço novamente, pulando animada. Ele desviou os olhos para a persiana aberta, confuso, e não viu Holly parada, encarando-o, diante da janela. A presença dela não era mais do que um toque sobre a água, não era isso que o poema dizia? Tom fechou a persiana e voltou toda a sua atenção para Libby.

Holly observou atentamente os dois. Tom parecia bem. Na verdade, tinha sua habitual aparência desmazelada. Mas de um jeito bom, e não apenas porque parecia bem de saúde, física e mental, mas também porque não parecia arrumado demais. Ele não se tornara âncora do telejornal, Holly estava certa disso.

Tom pegou Libby no colo, deu a mamadeira à filha e depois um abraço bem apertado. Ele sorriu quando ela deixou cair a boneca de pano e pegou a mamadeira entre as mãozinhas. Enquanto mamava, Libby não tirava os olhos do pai.

Tom sorriu para a filha.

— Olá, belezinha — disse ele, cobrindo o topo da cabeça dela de beijos. Libby piscou várias vezes, animada, quando o cabelo do pai fez cócegas no seu rosto. — Ah, Libby, amo tanto você. Mais do que eu podia imaginar que conseguiria amar alguém novamente. É assim que a amo.

Tom embalou Libby de um lado para o outro, e Holly não conseguiu resistir à vontade de tocar em ambos. Ela acariciou a cabeça da filha e depois deixou os dedos correrem carinhosamente pelos cabelos do marido, que estavam longos e desalinhados como sempre, de um modo reconfortante e familiar. Ela o sentiu estremecer.

— Sua mãe uma vez me disse que eu deveria olhar para o que tenho no presente, e não ficar sempre procurando mais — sussurrou Tom. — Sei que não posso desejar o impossível. Tenho você, Libby, e neste exato momento é o bastante.

Libby parou de tomar a mamadeira e, imitando a mãe, segurou os cabelos de Tom. Quando a filha puxou sua cabeça para baixo, ele descansou a testa sobre a dela e franziu o cenho, fechando os olhos com força.

— Ah, mas ainda sinto saudades da sua mãe — sussurrou ele. — Sempre sentirei.

Em resposta, Libby se remexeu nos braços dele e deixou escapar um arroto.

— Uau! — disse Tom. — Você herdou o mesmo hálito fedorento da sua mãe!

Tom riu, e Libby também, enquanto ele a colocava no berço para terminar a mamadeira. Os dois estavam se olhando intensamente.

— Então, que história gostaria de ouvir esta noite? — perguntou ele.

Libby afastou os olhos de Tom e olhou para Holly.

— Mama — disse ela.

— Ah, então você quer ouvir uma história sobre a sua mãe, não é? — perguntou Tom. Ele se sentou no pufe perto do berço e descansou a cabeça sobre as barras, observando a filha com a mais pura adoração. — Bem, por onde devo começar? Era uma vez uma linda princesa. O nome dela era Holly. O rei e a rainha malvados a mantinham presa em uma torre e lhe diziam que ela jamais seria amada.

Enquanto Tom contava a história de como a princesa fora salva por um príncipe jovem e corajoso, Holly se esgueirou para perto do berço e se sentou na extremidade oposta ao marido. Ela também descansou a cabeça sobre as barras e acabou tão hipnotizada pela história quanto Libby. Tom tinha lágrimas nos olhos, mas estava sorrindo enquanto contava à filha como o príncipe e a princesa haviam capturado uma estrela para fazerem seu próprio bebê, mas desse modo haviam deixado um buraco no céu que precisava ser preenchido. Por isso, a princesa precisara ir para o céu para preencher o vazio deixado pela estrela. Holly sentiu os olhos marejados, mas as lágrimas congelaram em seu rosto quando a luz voltou a piscar. A imagem de Tom e Libby também piscou, e a escuridão atravessou a visão de Holly, como se ela estivesse vendo a cena em uma televisão quebrada.

Tom e Libby também pareceram perceber o que acontecera. Libby deixou a mamadeira cair e se sentou. Quando a menina começou a chorar, ergueu os braços para Holly e seus dedos encontraram apenas o ar. O coração de Holly batia com força no peito ao ouvir o choro da filha, cada vez mais assustada. Tom e Holly se levantaram ao mesmo tempo quando a luz que piscava passou a ficar mais apagada do que acesa.

— Libby? — disse Tom em um arquejo, inclinando-se para pegar a filha no colo e protegê-la. Mas Holly jamais viu ele alcançá-la. Em algum lugar a distância, acima dos gritos assustados de Libby e do bater do seu próprio coração, Holly ouviu um relógio tiquetaquear.

O brilho suave e quente da noite se transformou em um azul congelante enquanto a lua espreitava através da janela e projetava sombras na direção de Holly. Quando o som do relógio parou, foi substituído por um silêncio vago, interrompido apenas pela respiração entrecortada de Holly. Dessa vez ela teve tempo para ajustar sua visão. Ainda estava no mesmo quarto, mas ele agora estava vazio, desprovido de vida. Era apenas o quarto de depósito que Holly conhecia tão bem. Não havia nenhum traço de Libby ali, nem mesmo o cheiro doce de bebê, nada além dos gritos assustados ainda ecoando em sua mente.

Holly olhou ao redor sem acreditar. Se sua visão do futuro houvesse terminado, então ela deveria ter retornado para o lugar de costume, em frente ao relógio lunar. Holly tremeu com um medo crescente de que ainda pudesse estar no futuro. Quando olhou através da janela, não encontrou consolo. As árvores não estavam cobertas de neve, mas sim repletas de folhagem de verão. O quarto sem vida continha uma mistura bem conhecida de caixas e quinquilharias, mas havia mais caixas, mais bagunça. E, perto da mala contra a qual ela dormira na noite anterior, havia outra mala. De Tom. Não havia dúvidas. Essa era uma nova visão do futuro sendo revelada.

— Não, não, não — ofegou Holly. — Isso não pode estar acontecendo. Não estou pronta. Libby precisa de mim. Não tive a chance de me despedir. Tenho que dizer adeus.

As lágrimas escorriam por seus olhos, e Holly ficou grata por nublarem sua visão e suavizarem a imagem de um futuro em que a vida de Libby fora apagada.

— Sinto muito, Libby, sinto tanto! — disse Holly, desesperada, afastando-se de costas para sair do quarto. Quando chegou ao patamar da escada, ela se virou e saiu correndo na escuridão. Enquanto descia as escadas cambaleando, as luzes voltaram a piscar e ela tropeçou no último degrau, caindo de joelhos. A casa mudara de uma visão do futuro para outra, de um lugar escuro e sem vida para um cheio de luz. No quarto do andar de cima, Holly pôde ouvir Libby soluçando e a voz de Tom tentando acalmá-la, mas ele mesmo parecia assustado. Holly ouviu Libby gritar "Mama!", e então o silêncio e a escuridão se abateram com tal força que todo o ar escapou do peito de Holly.

Ela levantou cambaleante, possuída por uma necessidade desesperada de sair correndo. Conseguiu chegar à cozinha, mas então se viu forçada a parar e avaliar, se obrigou a ver a vida que recebera em troca da de Libby. A cozinha, como o resto da casa, estava escura e sem vida. Na penumbra, Holly viu que o cômodo estava limpo e arrumado. Até o cheiro no ar parecia estéril.

— Estéril e vazio, assim como será a minha vida — disse a si mesma.

Holly se obrigou a seguir em frente e correu pelo jardim, só parou quando estava novamente diante do relógio lunar.

— Já vi o bastante, leve-me para casa — exigiu ela.

O relógio piscou ameaçadoramente sob o luar, mas tinha regras a seguir e demorou-se o tempo que precisava, contando os minutos que delimitavam o fim do pesadelo de Holly e o ponto onde começava o resto de sua vida.

A VISÃO DE FUTURO DE HOLLY a deixara vazia e sem esperança, mas, quando os raios de luar a envolveram, mandando-a de volta ao presente, o sentimento que a dominava era uma fúria tão intensa que sacudia todo o seu corpo. A raiva era dirigida ao relógio lunar.

— Não! — gritou ela. — Por que está fazendo isso comigo?

Suas palavras soaram como o rugido de um animal selvagem, apenas para serem varridas com desdém pelas rajadas de vento cruéis que formavam uma tempestade ao seu redor. Somente seus soluços de dor ficaram a ecoar perdidos na noite. Holly não conseguia se afastar do relógio porque estava agarrando-o com tanta força e encarando-o com tanta intensidade que poderia ter transformado a pedra em pó. Queria infligir ao relógio o mesmo tipo de devastação que este causara à vida dela.

— Sei quem eu sou. Sei que sou a filha da minha mãe. Sempre soube que iria falhar com Libby. — Holly ofegava entre as frases, sua voz agora soava mais como um sussurro do que um rugido. — Deveria ter confiado no que dizia meu instinto desde o princípio e dito a Tom que não queria ter filhos. Não mereço ter filhos.

Outro soluço escapou de seus lábios, mas Holly reprimiu as lágrimas, pois ainda não havia terminado de descarregar sua fúria no relógio.

— Eu sabia como estava sendo egoísta. Sabia que estava pronta para entregar a vida de Libby em troca da minha. Por que me deixou vê-la? Por que me deixou segurá-la no colo e amá-la? Por que me deixou fazer tudo isso e então a apagou bem diante dos meus olhos? Acha que está me provando alguma coisa?

Holly respirou fundo e ignorou o calafrio que percorreu seu corpo. Ela soltou o relógio, mas agora seus punhos socavam a superfície de pedra.

— Você não precisava me mostrar a dimensão do meu fracasso, como eu me coloquei à frente da minha filha, exatamente como fez a minha mãe. Não precisava ter me mostrado. Não precisava ter deixado eu ouvir Libby me chamando. O que me deu não foi um presente. Você não salvou a minha vida. O que fez foi me garantir um modo de manter meu corpo vivo, porque levou embora a minha alma.

Os tremores que agitavam o corpo de Holly eram um combustível para a raiva que ela sentia, mas, conforme os minutos passavam, o calor da raiva já não conseguia mais competir com o frio intenso da noite de inverno. Holly sentiu o frio penetrando seus ossos, mas não sabia o que deveria fazer. Não adiantava ficar discutindo com o relógio feito uma louca. O que ela precisava desesperadamente era de algo para ancorá-la.

Holly sentiu como se estivesse se afogando na dor de perder Libby, e esse sofrimento continha também uma imensa carga de culpa. Sacrificar Libby fora uma escolha dela, e agora a filha estava perdida para sempre. Mesmo assim, Holly não conseguia soltar o relógio lunar. Estava prestes a dar o primeiro passo no caminho que fora colocado à sua frente — caminho que lhe custara um preço absurdamente cruel. Essa ideia a aterrorizava, porque ela não achava que sua sanidade conseguiria suportar aquela vida.

Holly fechou os olhos com força e tentou desesperadamente relembrar cada detalhe do rosto de Libby, seu cheiro, o som da sua voz, a sensação da respiração dela contra sua pele, quando Libby deitara a cabeça em seu pescoço. Cercada pela escuridão da noite, Holly se agarrou às lembranças de Libby enquanto mais arrepios subiam por sua espinha. Ela se concentrou apenas nos momentos sagrados que compartilhara com a filha e lutou contra o desespero. Holly respirou fundo o ar congelante, e isso deu o choque de que seu corpo precisava para soltar o relógio.

Era o final da madrugada, e o nascer do sol ainda demoraria. A luz acolhedora vinda da cozinha projetava sombras no jardim, mas não foi para a cozinha que Holly voltou. Ela cambaleou e logo começou a correr na direção do ateliê.

As luzes do ateliê se acenderam, machucando os olhos de Holly. As fotografias penduradas no teto dançavam com a brisa que entrava pela porta aberta, seus rostos sorridentes zombavam dela, ameaçadores, como palhaços de um parque de diversões. Holly teve a sensação de que caçoavam dela, mostrando-lhe um relance da felicidade que perdera para sempre. Ela apagou todas as luzes, até que todas as fotografias voltassem às sombras.

Ignorando os rostos sorridentes que a observavam, Holly foi atraída para o centro do ateliê, na direção de uma imagem indistinta. Era a escultura da mãe com o filho coberta por um lençol. Sentindo-se cada vez mais culpada, Holly foi até a peça e descobriu-a. Os incontáveis rostos na base espiralada olhavam para cima, para o bebê que era erguido pela mãe, e Holly acompanhou seus olhares. Ela caiu de joelhos quando suas últimas forças, que a haviam levado até a escultura, foram arrancadas de seu coração.

Holly ficou ajoelhada diante da escultura, sem conseguir tirar os olhos da imagem do bebê, enquanto se agarrava à base como uma criança perdida. Ela não sabia se seu corpo conseguiria suportar a dor física de seu sofrimento. Não imaginava como conseguiria suportar aquela dor pelo resto da vida — e sabia que seria pelo resto da vida. Só agora havia se dado conta de que carregaria esse fardo sozinha. Tom teria que encarar seu próprio torvelinho de emoções quando Holly finalmente lhe contasse tudo, mas jamais se sentiria como ela estava se sentindo nesse momento. O fardo da culpa seria dela e só dela. Holly não estava certa de que o relacionamento deles sobreviveria ao abismo que inevitavelmente surgiria entre os dois. Talvez fosse isso o que a assustara tanto quando cambaleara pela casa vazia, durante a sua visão. Seria só a filha que iria faltar em suas vidas, ou também um ao outro?

Esses pensamentos e muitos outros se acumulavam na mente de Holly, e ela ansiava para que Tom a pegasse nos braços e lhe dissesse que tudo ficaria bem. Holly sentia-se dominada por uma solidão que não experimentava desde que era criança. Era como se houvesse uma imensa rachadura no fundo de seu peito, e ela quase conseguia acreditar que seu coração estava fisicamente se partindo, sendo esmagado por todas as muralhas que construíra para represar suas emoções. O primeiro soluço saiu como um uivo, e as lágrimas que o seguiram eram como uma inundação. Quando a luz fraca da aurora penetrou timidamente pela claraboia do ateliê, com as lágrimas ainda rolando pelo rosto, Holly caiu em um sono profundo. Por mais que desejasse ver Libby de novo, a filha se perdera até mesmo para os seus sonhos. Em vez disso, Holly sonhou com o tempo passando. Uma centena de relógios a espreitava, os ponteiros compridos e finos girando e virando e rodando, rodando.

HOLLY ACORDOU COM O TAMBORILAR DA CHUVA no teto do ateliê, que parecia acompanhar as batidas do seu coração. Uma sensação crescente de pânico a dominava, e ela não sabia o motivo. Em busca de uma resposta, ela ergueu os olhos para a escultura. A figura da mãe erguia o bebê para o alto, levantando-a em direção a uma vida futura. Holly fora aquela mãe por um breve período — um momento que ficaria congelado no tempo pela arte dela. Mas então Holly escolheu um caminho diferente e sacrificou sua linda garotinha, que sorrira para ela e a chamara de "Mama".

Holly se levantou e deixou os dedos acompanharem a espiral da escultura até em cima, esperando que a qualquer momento aparecesse uma rachadura no lugar onde ela rompera o elo entre uma geração e outra. Com uma clareza nauseante, Holly percebeu que havia feito a escolha errada, e a onda de enjoo foi rapidamente seguida por uma avalanche de culpa e arrependimento. Nesse instante, ela deveria estar desembarcando do avião em Cingapura e encontrando Tom. Então, em algum momento no futuro próximo, eles fariam um bebê do seu amor, um amor que seria perpetuado pelas gerações futuras. Aquela era a decisão que deveria ter tomado, aquele era o caminho certo. Holly desejou desesperadamente voltar no tempo, desejou ter a oportunidade de tomar uma decisão diferente, mas o tempo havia se esgotado. Sua pulsação acelerou quando ela percebeu o quanto amava Libby e quanto estava disposta a sacrificar. Era uma boa mãe, mas percebeu isso tarde demais.

O corpo de Holly pareceu congelar enquanto esses últimos pensamentos ainda giravam em sua cabeça. Ela estaria apenas desembarcando do avião nesse momento, mas o instante em que Libby seria ou não concebida ainda estava no futuro. Ainda não havia alcançado o ponto em que os dois caminhos divergiam. Sua visão lhe mostrara duas realidades ainda vacilantes, mas o futuro ainda não fora reescrito, e poderia nunca vir a ser. O coração de Holly pareceu falhar quando ela percebeu que ainda tinha o tempo de que precisava.

— VOCÊ VAI FAZER O QUÊ? — Foi a vez de Jocelyn parecer chocada.

Assim que Holly voltara correndo para casa e começara a dar telefonemas desesperados, Jocelyn chegara. Ela viera sob o pretexto de que precisava deixar lá alguns ingredientes para prepararem o almoço de Natal — que seria na casa de Holly, mas feito por Jocelyn. Na realidade, Jocelyn estava procurando por uma desculpa para ver se Holly estava bem, e logo ficou claro que suas preocupações eram justificadas.

— Eu vou para Cingapura — retrucou Holly com firmeza. Ela sabia que seria difícil explicar sua decisão para Jocelyn, e tivera a esperança de poder adiar esse momento até ter tomado todas as providências necessárias. Infelizmente, conseguir um voo de última hora para Cingapura, ou mesmo rastrear a localização de Tom, havia se mostrado impossível até ali. Mas Holly ainda não estava disposta a desistir.

— Não compreendo — balbuciou Jocelyn. A cor havia desaparecido completamente de seu rosto. — Você não pode ir, não pode correr o risco de ficar grávida.

— Não, Joss, é exatamente por isso que tenho que ir. Tenho que fazer isso por Libby. Sou a mãe dela, e meu dever é protegê-la. Acima de tudo, até da necessidade de salvar a minha própria vida, ou de proteger Tom, meu dever é manter Libby a salvo. Minha filha vem em primeiro lugar, agora sei disso. Só levei tempo demais para perceber. — Holly sentiu seu coração se aquecer quando disse as palavras em voz alta: — Vou ficar grávida e vou dar à luz Libby.

Jocelyn afundara em uma cadeira, e estava encarando a amiga, boquiaberta.

— Você sabe o que está dizendo, Holly? Está falando sobre morrer. O relógio lunar deveria salvá-la. Ele é um presente que foi dado a você para salvar a sua vida, Holly. Não pode desistir. Não pode! — A voz de Jocelyn vinha entrecortada.

— Sim, é um presente, agora vejo isso. Que não apenas me deu a chance de sentir o que é ser mãe como me deu a oportunidade de ser a melhor mãe possível, provando assim que a história não se repete. Posso ser uma mãe melhor do que a minha mãe foi para mim. Ela não sacrificou nada, absolutamente nada. Estou pronta para sacrificar tudo. É isso o que eu quero, mais do que qualquer coisa. Você precisa me ajudar.

Jocelyn agarrou a mão de Holly e começou a argumentar.

— Mas você ainda não sabe o que o futuro reserva. Viu uma casa vazia, isso não significa nada.

Holly sorriu como se isso fosse o bastante para provar à amiga que não enlouquecera de vez.

— Você não entende. Não tem nada a ver com o que o futuro reserva. Não sei o que o futuro reserva para mim e não me importo mais. Realmente não me importo. Libby é minha filha, minha filha viva, que respira. Talvez não agora, mas eu a vi e a tive em meus braços. Conheço o cheirinho doce de bebê e cada cacho na cabecinha dela. E sei que faria qualquer coisa para protegê-la. Qualquer coisa, Jocelyn.

Jocelyn balançou a cabeça.

— Mas é tarde demais. Você não vai conseguir chegar lá, vai?

— Sinceramente, não sei, mas não vou desistir, ainda não. Você mesma disse como é difícil mudar o destino. Eu estava destinada a ter Libby, e tenho que acreditar que isso ainda pode acontecer, que ainda há tempo.

A dor e o desespero haviam desaparecido do coração de Holly quando ela percebeu que o momento da concepção de Libby ainda não havia chegado. Foi só naquele momento, quando viu a expressão de horror no rosto de Jocelyn, que se lembrou do preço que pagaria se levasse seu plano adiante. Era sua própria vida que estaria sacrificando, mas Tom, Jocelyn, os pais de

Tom; todos também seriam afetados. Eles ainda teriam que sofrer a devastação que a morte de Holly traria às suas vidas, a sensação de perda que ela testemunhara em suas viagens ao futuro. Então Holly se lembrou do modo como se sentira algumas horas antes. Não havia mais dúvidas em sua mente. A dor que sua própria morte causaria não era nada se comparada à dor de perder Libby, e ela faria qualquer coisa para impedir que isso acontecesse.

— Holly, escute-me — disse Jocelyn, aproximando-se mais e apertando as mãos de Holly com tanta força que chegavam a doer. — Pense no que está fazendo, no que está fazendo às pessoas que amam você. E quanto a mim? Não quero perdê-la. — As lágrimas começavam a rolar pelo rosto dela.

Tentáculos gelados de medo envolveram o coração de Holly.

— Se não puder salvar Libby, então estou perdida, de qualquer modo. Se eu sobreviver, e Libby não, então minha vida também estará terminada.

AS HORAS PASSAVAM inclementes, e a esperança a que Holly se apegara no início da manhã estava escorrendo por seus dedos. Em uma atitude otimista, ela fizera as malas e se vestira, enquanto Jocelyn vigiava os dois telefones que estavam usando para tentar conseguir uma passagem de avião. Holly usara cada favor que poderia cobrar, cada contato de que pudera se lembrar, e havia vários agentes de viagem fazendo o melhor possível para encontrar um lugar para ela no próximo voo. Até ali, seus esforços haviam sido em vão.

Holly também ainda não conseguira entrar em contato com Tom. Ela deixara várias mensagens no hotel em que ele estava hospedado, mas o marido não retornara suas ligações. Os colegas dele na emissora, em Londres, não foram de grande ajuda — embora todos fizessem promessas vagas de tentar ajudar, estavam atarefados demais às vésperas do Natal para ajudar Holly a chegar a Cingapura.

Os ouvidos dela estavam vermelhos e inchados por passarem horas colados ao telefone.

— Não vou desistir, tenho que acertar as coisas — não parava de dizer a Jocelyn. Holly chegou a recuperar as peças quebradas e empoeiradas do gato de porcelana que estavam debaixo do sofá e as colou de novo.

— Você acha que eu deveria ligar para Billy e pedir para que viesse até aqui e mudasse as portas do jardim de inverno para a posição em que deveriam estar? — perguntou a Jocelyn, desesperada.

— Você não pode consertar tudo. Talvez agora seja o momento de começar a aceitar que há coisas que não pode mudar.

Holly balançou a cabeça, mas, quando olhou para fora, pela janela, viu que a luz do dia começava a ceder, junto com a esperança dela. Estava sentada com Jocelyn à mesa da cozinha, ambas segurando xícaras quentes de chá entre as mãos. Conforme Holly ficava cada vez mais deprimida, Jocelyn fazia o possível para esconder seu alívio.

— Você tentou o melhor que pôde, Holly. Sei que vai ser difícil e que não vai querer se perdoar, mas ao menos agora você sabe que estava preparada para desistir de tudo por Libby.

— Eu estava tão certa de que ainda tinha tempo — sussurrou Holly. Ela apoiou a xícara na mesa e se levantou, espiando a escuridão do lado de fora, na direção do relógio lunar. — Passei tanto tempo lutando contra isso, e agora, que estou pronta para ceder, essa maldita coisa me decepciona.

— Você vai superar. Vai encontrar um novo caminho.

Holly foi até a porta da cozinha e precisou lutar contra a urgência que sentiu de sair na chuva e sacudir o relógio lunar até que ele voltasse à vida. Em vez disso, olhou pelo painel de vidro da porta e observou as gotas de chuva baterem na vidraça e escorrerem.

— Eu tinha tanta certeza de que conseguiria voltar ao caminho antigo, ao que me levava para Libby. — Holly traçou com os dedos uma única gota que escorria pela janela e que seguia o mesmo caminho da gota de chuva que caíra antes dela. — Desculpe, Libby — sussurrou ela. Um estremecimento percorreu sua espinha e chegou à ponta de seu dedo, que ainda tocava o vidro. Do lado de fora, na escuridão, outro dedo surgiu para tocar o vidro exatamente de encontro à ponta do dedo de Holly. Ela arquejou, mas não retirou a mão. Em vez disso, olhou além do dedo, para uma mão, uma mão forte que poderia segurar a dela e nunca mais soltar. Além da mão havia um braço, um de dois que a abraçariam e a fariam se sentir protegida de tudo. Além dos braços, Holly olhou encantada para o peito, o pescoço, o rosto do homem que amava e que a deixava sem fôlego.

— Vai me deixar entrar? — gritou Tom, tremendo na chuva.

Holly abriu a porta e se jogou nos braços dele. Ela lutou para controlar as lágrimas apenas pelo tempo que levou para cobrir de beijos o rosto do marido.

— Ei, você está pingando — disse ele.

— Não, não estou pingando. Estou chorando — retrucou Holly, com um sorriso triunfante, antes de inclinar o corpo para trás e dar um beijo longo e delicioso em Tom.

— Você ainda tem o hálito fedido — disse ele, com um sorriso travesso.

— Eu? Você é que está fedendo como se não tomasse banho há quinze dias.

— Ora, o que você espera de alguém que passou os últimos dois dias tentando chegar em casa para ver a pobre esposa doente? — falou Tom.

Holly abraçou o marido com força, enquanto a chuva caía sobre eles. Tom estava um pouco mais ansioso para entrar, por isso ergueu a esposa nos braços e a carregou para dentro de casa. Holly olhou por sobre o ombro dele para o relógio lunar e, pela primeira vez, lhe dirigiu um sorriso.

— Bem, parece que recebi meu presente de Natal adiantado — falou Holly, virando-se na direção de Jocelyn. Mas a amiga havia partido.

— Você acha que eu deveria levar Jocelyn para a casa dela? — perguntou Tom.

Holly deixou escapar um suspiro de tristeza.

— Ela vai ficar bem.

Tom parecia cansado, além de encharcado e tremendo, parado no meio da cozinha, ainda com a esposa nos braços.

— Então, há alguma coisa que eu possa fazer por você? — perguntou ele, com um sorriso malicioso.

— Ah, eu tenho planos, não se preocupe — disse ela.

13

O Natal foi perfeito, e Holly não poderia ter desejado nada melhor. Ela passou a data cercada pela família — leia-se como família: Tom, os pais dele, Jocelyn e sua família estendida, que incluía Lisa e a filha dela, Patti, que viera da faculdade passar as festas em casa e aproveitou a oportunidade para cobrar de Tom a ajuda que ele lhe prometera.

Jocelyn se esforçou para parecer bem, mas Holly sabia que o coração da amiga estava partido, e procurou garantir que as duas passariam bastante tempo juntas. Depois da ceia de Natal, Holly insistiu para acompanhar Jocelyn até em casa e aceitou o convite para tomar uma rápida xícara de chá.

Holly nunca estivera no apartamento de Jocelyn e se surpreendeu com o quanto era pequeno e abarrotado de coisas. Havia duas poltronas diante de uma televisão portátil, mas Jocelyn e Holly escolheram se sentar à mesinha de bistrô, que obviamente já pertencera à casa de chá. A mesa ficava em frente à única janela, que suspendia uma jardineira onde os amores-perfeitos oscilavam sob o vento frio do inverno. Além da jardineira, via-se a igreja, e a cor no rosto de Jocelyn combinava com o cinza da fachada de pedra. Essa era a primeira oportunidade que as duas tinham para conversarem sobre o futuro, e Holly aproveitou para dar a Jocelyn um presente de Natal extra: o diário e a caixa de madeira contendo a esfera de vidro e o mecanismo desmontado do relógio lunar.

— Não posso usar isso de novo — explicou Holly. — Não posso correr nenhum risco, não estando grávida. Além do mais, não preciso visitar Libby, afinal tenho ela comigo todos os dias. — Holly deu uma batidinha carinhosa na barriga muito lisa. — Preciso que você tome conta dessas coisas agora porque não quero que o relógio lunar caia em mãos erradas. Tom nunca deve saber sobre o relógio e o que ele pode fazer. A sombra daquele relógio já se abateu sobre nós por tempo demais.

— Se eu soubesse o que você acabaria fazendo, teria tirado essa caixa das suas mãos mais cedo.

— Sei que é difícil para você, mas preciso mais do que nunca da sua ajuda — insistiu Holly. — Durante os últimos oito meses, minhas emoções estavam um caos absoluto, e isso estava afetando não apenas a mim, mas também meu relacionamento com Tom. Tudo estava se tornando tão tenso, havia uma distância enorme entre nós... E não estou falando apenas em quilômetros. Neste momento, sinto-me tão em paz comigo mesma, com Tom... a sensação é maravilhosa. Minha única dor é sentir o coração quase explodindo de amor pelo meu marido e pelo meu bebê. — A voz de Holly ficou entrecortada pela emoção, e ela estava desesperada para que Jocelyn também ficasse em paz.

A xícara de Jocelyn tremia em sua mão, e ela tomou um gole do chá antes de conseguir falar.

— O que está feito está feito. Vou me recuperar e vou ajudar você e Tom e, quando a hora chegar, também vou ajudar Libby. Eu falhei com você, mas prometo que não vou falhar com ela.

— Você não falhou comigo, jamais pense assim. Você deixou que eu tomasse minhas próprias decisões e que escolhesse meu caminho. Essa é uma decisão que minha consciência deve assumir, não a sua, e foi a decisão certa, você não conseguirá me convencer do contrário. — Agora foi a vez de Holly começar a tremer, e sua voz falhou.

Jocelyn apenas assentiu educadamente, e Holly sabia que ela jamais concordaria com isso, ao menos não até que visse Libby.

— Vou deixar tudo planejado e pronto para a chegada de Libby e para o futuro de Tom sem mim, mas vou precisar que você lembre a Tom de meus planos quando eu me for. — Holly ficou surpresa ao ver a facilidade com que as palavras saíram de sua boca. Ela ainda não estava pronta para morrer, mas nove meses era tempo o bastante para deixar tudo preparado. — O trabalho de Tom é o único problema no momento. Ele ainda está decidido a assumir o cargo de âncora, e quando descobrir que estou grávida vai ser ainda mais difícil convencê-lo a rever suas opções. A emissora está furiosa por ele não ter ido para Cingapura e transformará sua vida em um inferno... como se já não estivesse ruim o bastante. Quero convencê-lo a trabalhar como freelancer. Tom fez alguns bons contatos no último ano e pode usá-los. Acho que as viagens dele pelo mundo estão terminadas, mas já que ele está prestes a ser pai, isso não é necessariamente uma coisa ruim. Há um trabalho melhor esperando por ele em algum lugar, e tudo o que tenho que fazer é guiá-lo na direção certa.

Jocelyn segurou o rosto da amiga entre as mãos.

— Respire, Holly. Como você disse, há tempo o bastante para fazer planos.

Holly sorriu, e uma lágrima escorreu por seu rosto.

— Eu sei. E sei que vou fazer as pessoas sofrerem. Só quero atenuar o golpe.

— Você não pode fazer isso, mas eu farei o que estiver ao meu alcance — disse Jocelyn, com um sorriso débil.

Holly franziu o cenho, sem saber muito bem aonde a ideia seguinte a levaria.

— Patti parece uma garota adorável e muito sensata para a idade dela. Você acha que ela poderia ajudar? Quando Libby nascer, Patti já terá se formado. Talvez ela pudesse ajudar Tom, fazer pesquisas para ele ou até mesmo tomar conta de Libby...

Jocelyn ergueu uma sobrancelha.

— Você não está procurando uma substituta para você, está?

Holly deixou escapar uma risada nervosa.

— Santo Deus, não. Quero que Tom seja feliz, mas neste momento ele é meu e não quero nem pensar na possibilidade de outra mulher na vida dele. No entanto... — Ela não conseguiu terminar a frase, deixou as palavras no ar.

— No entanto...? — pressionou Jocelyn.

Holly olhou pela janela e franziu mais o cenho.

— Quando for a hora certa, diga a Tom que eu quero que ele seja feliz. Diga a ele para seguir em frente. — Ela se virou para encarar Jocelyn com um sorriso travesso. — Só se certifique de que, seja quem for, ela seja boa, mas não melhor do que eu.

— Não acredito que isso seja possível. Você é única, Holly Corrigan.

A NOITE DE ANO-NOVO foi um momento agridoce para Holly, mas não houve tempo para cismar sobre o quanto a vida era injusta. Tinha o bastante e estava feliz — feliz porque finalmente aceitara o presente que o relógio lunar lhe dera. O relógio oferecera a ela a chance de ser mãe e de conhecer a própria filha antes de morrer. Sem ele, Holly jamais teria tido a chance de segurar a filha no colo.

— Agora seria um bom momento para eu lhe dizer que acho que estou grávida? — perguntou Holly, quase em um sussurro.

Eles haviam preferido ficar em casa e estavam na cozinha enquanto o momento da contagem regressiva para o ano-novo se aproximava. Tom estava abrindo uma garrafa de champanhe, mas seus dedos ficaram paralisados ao ouvir a novidade.

— É mesmo? Você saberia assim tão rápido? — perguntou, cauteloso.

Holly assentiu.

— Acredite em mim, tenho certeza — disse ela, sorrindo.

Tom continuou paralisado no meio da cozinha, parecendo confuso. Então, um enorme sorriso começou a se esboçar em seu rosto, e ele mal registrou as comemorações que explodiam na TV da sala de estar quando um ano deu lugar a outro. Ele deixou a garrafa de champanhe sobre a mesa e correu para Holly. A rolha estourou, e o champanhe começou a jorrar, mas Tom nem percebeu.

— É mesmo? — repetiu ele.

— Feliz ano-novo — disse Holly ao marido, seu sorriso um reflexo do dele.

— Feliz, sim, muito feliz — concordou ele. — Como eu pude duvidar? Afinal, está nos nossos planos.

O sorriso de Holly não vacilou exatamente, mas ela precisou de um esforço extra para afastar pensamentos desagradáveis sobre o futuro.

— Sim, esse nosso plano... Acho que precisamos revê-lo.

Tom franziu o cenho, desconfiado, mas logo o sorriso dele reapareceu, duas vezes mais largo, e Holly soube que ele concordaria com quase qualquer coisa sem reclamar. Ele limpou obedientemente o champanhe que entornara, enquanto ela pegava o bloco de notas no balcão da cozinha e o colocava com determinação sobre a mesa. Holly folheou o bloco até encontrar o plano de cinco anos que haviam feito juntos. Ela se sentou, e Tom a acompanhou, ambos encarando a página aberta.

— Se incomoda se tivermos um plano adicional? — perguntou ela.

— Um especialmente para mim, por acaso?

Holly se virou para ele, e foi sua vez de parecer desconfiada.

— Um que organize a minha carreira em mais detalhes? — continuou ele. — Não pareça tão surpresa. Acha que não percebi suas insinuações nada sutis sobre eu não pegar o trabalho de âncora?

— Sei que estou me metendo. É só que... — começou ela.

— Já basta. — Tom riu. — Sei o que você pensa e penso exatamente do mesmo modo. Não é o trabalho certo para mim, mas você está prestes a ter nosso bebê e quero fazer o melhor por vocês.

— Mas não há nada que você não consiga prover a sua família sem precisar aceitar um emprego que vai odiar... E você vai odiar, Tom, vai...

Tom pousou os dedos delicadamente sobre os lábios da esposa.

— Vou aceitar o emprego de âncora por seis meses e, enquanto isso, vou preparar o terreno para trabalhar como freelancer. Quando o bebê nascer, terei um novo plano de carreira pronto. Posso até começar a escrever meu primeiro livro. Você quer escrever tudo isso, ou quer que eu escreva?

Holly pegou os dedos que estavam em sua boca e beijou-os inocentemente.

— É o seu plano — disse ela com carinho.

— Fico feliz por você pensar assim. Estava começando a ter dúvidas sobre isso. — O olhar acusador que ele lançou para Holly logo se transformou em um olhar de deslumbramento. — Um bebê. Vamos ter um bebê — sussurrou Tom.

QUANDO HOLLY NÃO ESTAVA se metendo nos planos de Tom, havia várias outras coisas para mantê-la ocupada. Sam Peterson se encarregava disso. Por sorte, a Sra. Bronson não armara mais confusão por causa do desastre com a escultura. Afinal, ela conseguira uma obra original de Holly Corrigan e não queria desvalorizá-la desacreditando a artista, principalmente porque a peça lhe saíra de graça. Mas, apesar de ter conseguido manter sua reputação intacta, Holly se recusou terminantemente a aceitar qualquer outra encomenda. Ela ainda trabalhava em peças pequenas para a galeria, mas não com a mesma intensidade de antes. Agora, Holly queria passar o maior tempo possível aproveitando a vida com Tom.

Quando se aventurava em seu ateliê, Holly se pegava passando mais tempo apreciando a escultura de mãe e filho que trabalhando em outras peças. Um teste de gravidez dera a Tom a confirmação que ele achava que ambos precisavam, e havia pequenas mudanças no corpo de Holly que davam pistas da vida que estava crescendo dentro dela. Mas ainda era o bebê que ela moldara em argila que tornava Libby real. Holly se sentia reconfortada pela presença da escultura, mas sabia que a peça merecia um lar mais relevante e permanente. Ela decidiu aceitar a sugestão de Sam e doar a escultura para a cidade. Escolheu o Primeiro de Maio — dia da celebração da fertilidade — como a data perfeita para tornar a escultura pública, no centro comunitário da cidade, e Sam recebeu um convite que não poderia recusar. Seria uma noite muito emocionante, e Holly sabia que esse era apenas um dos legados que deixaria.

Tom e Holly estavam se preparando para a entrega oficial da escultura, e, como sempre, Tom levara dez minutos para tomar banho e se arrumar e passara o resto do tempo sentado na cama observando Holly. Ela estava correndo de um lado para o outro como uma louca, experimentando centenas de combinações de roupa. Estava com quatro meses de gravidez e desabrochando... mas também não cabendo mais nas próprias roupas.

— Nada cabe — reclamou ela, tentando puxar um de seus vestidos preferidos por cima da barriguinha proeminente. Era um minivestido vintage, dos anos 1960, com uma estampa chamativa preta e laranja, mas a roupa esticou tanto sobre a barriga dela que ficou curta demais, até para a moda dos anos 1960.

— Está reclamando? — perguntou Tom. Ele mantinha um sorriso permanente no rosto desde que soubera que ela estava grávida.

Holly despiu o vestido e subiu na cama perto dele.

— Não, com certeza não estou. — Ela o beijou suavemente e começou a desabotoar a camisa dele.

A delicadeza do beijo da esposa atingiu Tom como um trem em disparada, e ele gemeu de prazer.

— Não vamos sair, não... Vamos ficar aqui... — pediu ele.

— Sem chance — disse Holly, com um sorriso relutante. — Nossos convidados estão esperando e, além do mais, sua mãe e seu pai estão lá embaixo e podem reclamar do barulho.

Holly tirou a camisa de Tom e saiu da cama. Então, vestiu a camisa do marido com um legging preto e um cinto, enquanto Tom procurava outra camisa.

Por fim, com a ajuda dos pais dele, Holly conseguiu arrastar um Tom relutante para fora de casa, embora fosse ela quem estivesse apreensiva com a ocasião. Diferentemente de Tom, Holly não estava acostumada aos holofotes e por isso usara a gravidez para convencer o marido a fazer o discurso cerimonial no lugar dela. Mesmo assim, Holly sabia que não conseguiria evitar ser o centro das atenções.

O centro comunitário estava agradavelmente cheio de moradores da cidade, mais uns seletos convidados de fora. Jocelyn ajudara Tom a preparar as rifas e leilões para arrecadar dinheiro para o fundo comunitário da cidade e, se isso não fosse o bastante, ela e Lisa também haviam preparado comida suficiente para alimentar 5 mil pessoas.

— Você não deveria ter tido todo esse trabalho — exclamou Tom quando viu o bufê montado ao longo de uma das paredes do salão.

— Não foi trabalho algum — mentiu Jocelyn. Lisa fez uma careta por trás dela para deixar que todos soubessem que a tia estava mentindo. — Muito bem, admito que vou ficar feliz quando colocar meus pés para cima esta noite. Minhas pernas estão doendo tanto que você nem acreditaria!

— Pois bem, vá se sentar agora mesmo — ordenou Tom, pegando Jocelyn pelo braço e encontrando um assento para ela. — Não quero vê-la levantando nem mais um dedo esta noite. Se quiser alguma coisa, basta me pedir.

Os olhos de Jocelyn cintilaram de prazer. Era óbvio que estava adorando ser paparicada por um homem jovem e bonito.

— Eu aceitaria um drinque, se não for lhe dar muito trabalho — arrulhou ela.

— Com licença, nem pense em fugir de suas obrigações — interrompeu Holly com um sorriso tenso. — Vamos apresentar logo a escultura e então poderemos festejar pelo resto da noite. Jocelyn pode muito bem cuidar de si mesma por mais algum tempo.

— Posso ajudar? — Sam havia entrado no salão sem que Holly percebesse.

— Bem na hora! — retrucou Holly, maliciosa. — Pessoal, esse

é Sam Peterson, proprietário de uma galeria de arte e especialista em negociações. Sam, conheça a família — disse ela, animada, e fez rapidamente as apresentações, deixando Jocelyn para o fim. — Essa é uma dama muito especial — explicou Holly. — E quero que você tome conta dela. Acho que Jocelyn aceitaria uma bebida refrescante, se você quiser ser gentil.

— Quem morreu e a fez rainha? — perguntou Sam.

— Ninguém, ainda — respondeu Holly, e todos riram, à exceção de Jocelyn.

— Venha, Majestade, vamos ao trabalho. — Foi a vez de Tom tentar tirar Holly dali. — E você não vá a lugar nenhum, não me demorarei — acrescentou ele, piscando para Jocelyn.

No palco, diante da escultura, que ocupava um lugar de honra no salão, Tom divertiu os presentes com várias piadas à custa de Holly. Foi apenas quando chegou a hora de oferecer a escultura à cidade que a voz dele se tornou séria.

— Sei que Holly não vai gostar que eu diga isso, mas, doze meses atrás, ela não acreditava na maternidade, ao menos não para si mesma. Holly achava que jamais conseguiria ser mãe, e, para ser honesto, eu mesmo comecei a ter dúvidas.

Tom olhou cauteloso para a esposa, sem saber se ela se sentiria confortável com essas confissões em público. Holly sorriu hesitante para ele. Ela seria a primeira a concordar que realmente fora uma jornada difícil.

— Pensei que era eu que estava fazendo uma incrível jornada de descobertas, viajando pelo mundo, mas olho para a escultura que está atrás de mim e posso ver a incrível jornada que Holly percorreu. Ela pensou que jamais experimentaria o amor de mãe, mas o amor está ali, esculpido na pedra para o mundo todo ver. Não encontro palavras para dizer o quanto estou orgulhoso dela e mal posso esperar pelo dia em que a imagem que ela criou na pedra se transformará em carne e osso.

Tom olhou para a esposa mais uma vez. Os últimos doze meses também haviam ensinado Holly a chorar, e ela agora chorava como um bebê. Foi arrastada na direção do microfone e fungou ao longo de sua lista de agradecimentos. Holly agradeceu a todos pelo amor, pelo apoio e pela paciência, principalmente a Tom, aos pais dele, a Jocelyn, e também a Billy. A lista de agradecimentos continuou até que ela também tivesse que agradecer a todos os presentes pela paciência em ouvi-la. Apesar de suas reservas quanto a fazer um discurso, Holly estava começando a se sentir confortável diante do microfone, o que fez com que Tom começasse a se arrepender de tê-lo entregado a ela.

— Jamais poderia imaginar como seria transformadora a experiência de me mudar para o campo. Em muito pouco tempo, passei a ver Fincross como meu lar, o lugar onde fui capaz de criar raízes, que espero que se tornem cada vez mais fortes nas gerações que virão. Só lamento nunca ter tido a chance de ver Hardmonton Hall em toda a sua glória. Agora, espero que não me achem muito intrometida, mas estava com a esperança de que, talvez, o dinheiro que foi arrecadado nesta noite pudesse ser usado na restauração dos jardins da mansão. É um lugar tão fantástico, seria uma pena deixá-lo esquecido no passado.

O olhar de Holly pousou em Jocelyn, que a encarava sem compreender. Esse era outro legado que Holly pretendia deixar, para prestar homenagem a Edward e Isabella Hardmonton em particular. O mundo jamais viria a saber os sacrifícios que eles haviam feito, mas Holly sabia muito bem. Também havia outra razão para o que ela sugerira. O projeto ajudaria Jocelyn a olhar para o futuro, em vez de ficar tão presa ao passado, e ainda satisfaria o seu amor pela jardinagem muito mais do que uma única jardineira na janela de seu apartamento minúsculo.

Como já mantivera a audiência cativa por tempo demais, Holly declarou o bufê aberto — o que provocou suspiros de alívio ao redor —, mas avisou às pessoas para que não desaparecessem. Ainda havia várias atividades para arrecadação de fundos sendo oferecidas. Ela não apenas esperava que todos enfiassem as mãos bem fundo nos bolsos como também que dançassem até o dia clarear.

Antes de se juntarem à multidão, Holly se virou para Tom uma última vez.

— Obrigada.

— Acho que você já disse isso. — Tom riu. — E, no caso de eu não haver dito vezes o bastante, obrigado, Holly. Obrigado por me fazer o homem mais feliz e mais sortudo do mundo.

Holly passou os braços pela cintura do marido e descansou a cabeça no ombro dele, para que Tom não visse a expressão de tristeza em seus olhos.

— Ei, lá está Billy — falou Tom, entusiasmado.

— O segundo amor da sua vida. É impressionante que eu ainda possa confiar em deixar vocês dois sozinhos.

— Você? Confiar em mim? — disse Tom, incrédulo, quando pararam diante de Billy. — Foi você que manteve o pobre homem refém no seu ateliê por horas.

— Olá, Senhora C, Senhor C — disse Billy, com uma empolgação que rivalizava apenas com a de Tom, enquanto os dois homens trocavam um aperto de mão. — Gostaria de apresentar a vocês minha esposa, Edna. Edna, esses são Holly e Tom — falou ele, tropeçando nas palavras.

A mulher parada ao lado de Billy tinha uma aparência de matrona, com cabelos grisalhos presos em um coque severo e um rosto redondo que combinava com seu corpo igualmente redondo. Ela parecia ser capaz de manter Billy na linha com facilidade apenas com um olhar, mas o sorriso que dirigiu a Tom e Holly foi aberto e caloroso.

— Ah, que prazer finalmente conhecê-los! Ouvi falar muito de vocês através de Billy e, é claro, vi você na TV — disse ela para Tom.

— Não aparecerei na TV por muito mais tempo, ao menos não no telejornal. Estou pedindo demissão — explicou Tom, com uma óbvia sensação de alívio.

— Isso significa que vai parar o projeto do jardim? — perguntou Billy.

— Sem a menor chance. — Tom sorriu. — Vou trabalhar por conta própria e já tenho alguns projetos engatilhados.

Billy ergueu uma sobrancelha, desconfiado.

— Espero que não vá deixar sua esposa sozinha novamente — advertiu ele.

— Não, é claro que não. Vou ficar quieto, não se preocupe, e ainda terei tempo para colocar em prática o projeto para o jardim. Falando nisso, podemos dar uma palavrinha sobre a próxima semana? — perguntou Tom.

— Você se incomoda, meu amor? — perguntou Billy timidamente, olhando para Edna e esperando a aprovação da esposa.

— Mas seja rápido — avisou ela.

Assim que os dois homens estavam fora de alcance, Holly não conseguiu mais reprimir uma gargalhada.

— Posso ver quem usa calça na sua casa. E Billy fica por aí dando a impressão de que é o mandachuva das redondezas.

Edna acompanhou a gargalhada de Holly.

— É preciso ter mão firme com esse homem ou só Deus sabe o que ele aprontaria. Na verdade, fico feliz por poder falar com você a sós — confessou Edna. — Billy vai insistir em decorar o quarto do bebê para você. Ele quer fazer isso em agradecimento a todo o trabalho que vocês vêm lhe dando.

— É mesmo? Que gentil da parte dele — disse Holly, sinceramente emocionada com a generosidade de Billy.

— Mas você não se incomoda? — perguntou Edna. — É que ele realmente tem uma queda pela casa da guarda e por seus moradores, e passaria o tempo todo lá se vocês deixassem. Por favor, me avise se ele se tornar inconveniente, e eu lhe darei um sermão.

— Billy? Inconveniente? — perguntou Holly. Talvez ela houvesse pensado nele como um aborrecimento em algum momento, mas conhecia Billy melhor agora. — Ele tomava conta de mim quando Tom estava fora, e fico muito grata por isso.

— Nunca tivemos filhos, e juro que ele adotaria você e Tom se pudesse.

— Ah, mas ele está preparado para ser avô? — perguntou Holly, dando um tapinha carinhoso na barriga. As duas mulheres caíram de novo na gargalhada e ainda estavam rindo quando os homens voltaram. Holly insistiu que Billy e Edna se juntassem à sua roda de convidados para que ela pudesse passar o resto da noite com sua família crescente.

A noite foi um enorme sucesso, e Holly nunca havia se sentido tão viva. Ela só lamentava que Jocelyn houvesse partido logo após o bufê ser devorado. A velha senhora seria a última a admitir, mas os preparativos para a noite a haviam deixado exausta, por isso Holly não tentou convencê-la a ficar mais tempo.

Tom e Holly foram os últimos a partir e, embora Jack e Diane houvessem lhes oferecido uma carona, os dois estavam determinados a fazer a noite durar o máximo possível e disseram que voltariam a pé para casa. A lua cheia parecia olhar por cima dos ombros deles e apontava o caminho, enquanto os dois passavam pelos campos. Centenas de narcisos pareciam balançar a cabeça em aprovação sob a brisa suave, e Holly se permitiu um daqueles raros momentos em que se sentia triste e apenas um pouco assustada pelo que estava deixando para trás.

— Não consigo mais continuar — reclamou Tom, e sentou-se na relva. — Dancei até me acabar, e meus pés estão me matando.

— Com licença, eu sou a grávida aqui. Era eu que deveria estar com os pés inchados.

Tom puxou-a para que se sentasse na grama com ele.

— Devem ser sintomas de "gravidez simpática" — concluiu ele.

— Sua única simpatia foi pelo sofrimento de Sam. — Holly riu.

— Bem, alguém tinha que dançar com ele. O homem ficou arrasado quando percebeu que os moradores da cidade não iriam dançar quadrilha.

— Hmmm, você arrasou na pista de dança.

Apesar da estranha imagem que Sam tinha do que seria a vida em uma cidade rural, ele fez sucesso com os moradores, e Holly desconfiava que ele logo estaria de volta. Sam iria passar a noite em um dos pubs, e estava compenetrado em uma conversa com o proprietário de lá na última vez em que Holly o vira.

Tom e Holly deitaram na relva e olharam para a noite estrelada.

— Olhe para aquela lua. Você jamais veria uma lua tão brilhante em Londres.

— Nem tudo é o que parece ser — respondeu Holly. — O brilho da lua é só um reflexo da luz do sol. Não tem nenhum poder próprio.

— Diga isso aos lobisomens e aos lunáticos — disse Tom, em uma voz arrastada de preguiça.

— Acho que ela também me deixou louca por um tempo, mas então percebi que meu destino estava em minhas próprias mãos.

Tom franziu o cenho e olhou para a esposa.

— Você também bebeu?

— Não — disse Holly, com um sorriso triste. — Mas você com certeza bebeu.

— Amo você, Senhora Corrigan — sussurrou ele.

Holly se lembrou do Tom do futuro, devastado pelo luto, que acreditava que não dissera vezes bastantes que a amava.

— Sei que você me ama. Mesmo quando você não diz, sei que me ama. Jamais pense que não me diz isso o bastante, porque não é verdade. Toda vez que você olha para mim ou fala comigo, ou pensa em mim, sei que me ama. Lembre-se disso.

Tom sorriu para ela. Holly esperava que ele fosse capaz de lembrar daquilo depois que passasse o efeito do álcool, mas não podia impedir todo o sofrimento e toda a culpa que esperavam por Tom mais à frente. Ele logo teria que encarar a dor da perda dela, e Holly não tinha como evitar isso. Tudo o que podia fazer era se certificar de que ele teria boas lembranças suficientes para preencher o vazio que ela sabia que deixaria na vida dele.

Holly mordeu o lábio enquanto tentava conter as lágrimas. Não queria abandonar Tom. Queria ficar com ele para sempre e queria ver Libby crescer. Mas ela sufocou as lágrimas, respirou fundo e sentiu um leve ondular na barriga. Holly prendeu a respiração, e seu corpo ficou tenso. Era como o bater suave das asas de uma borboleta.

Tom sentiu que havia alguma coisa acontecendo e se inclinou na direção da esposa.

— Você está bem? — perguntou ele, parecendo mais sóbrio do que estivera a noite toda.

— Acho que acabo de sentir o bebê se mexer — disse ela em um arquejo.

Tom colocou a mão sobre a barriga da esposa, e ela guiou os dedos dele para o ponto onde acabara de sentir Libby se mover dentro dela pela primeira vez.

— Não consigo sentir nada — disse Tom, mal-humorado.

— Você terá o resto de sua vida para conhecê-la, seja paciente. — Tom já estava se acostumando a ouvir Holly sempre se referir ao bebê como menina, mas ainda tinha esperanças de que pudesse ser um menino.

Tom se inclinou e apoiou delicadamente a cabeça sobre a barriga de Holly.

— É isso — disse ele.

— É isso o quê?

— Esse é o momento que você me disse para procurar. O momento em que posso olhar para a minha vida e pensar: é o bastante. Sei exatamente o que tenho e estou feliz. Estou completo e feliz.

O coração de Holly falhou uma batida e uma lágrima escorreu por seu rosto.

— Sim, é isso — concordou ela. Então Holly ergueu os olhos para a lua e percebeu que não precisava desejar mais nada. Tinha o marido e tinha Libby crescendo dentro dela, e teria ambos consigo até o dia em que morresse.

EPÍLOGO

O dia 29 de setembro de 2010 era um bom dia para morrer. O céu da manhã estava limpo e cristalino, com um azul que lembrava o mar. Uma pequena aglomeração se reunira na frente da casa da guarda, todos prontos para desejar sorte aos futuros pais. Billy e seus homens estiveram trabalhando no jardim em etapas e haviam reaparecido naquela semana para completar o trabalho.

— Com alguma sorte, terminaremos o trabalho antes de vocês voltarem do hospital — disse Billy a Holly.

— Não vá desejar que ela tenha um longo trabalho de parto — brincou Tom. Ele estava sorrindo, animado, seu estado de espírito em contraste com o de Holly, que carregava um fardo muito mais pesado do que a filha que ainda não nascera.

— Você vai ficar bem — acalmou-a Jocelyn, dando-lhe um abraço maternal.

— Estou assustada — disse Holly a ela em um sussurro, para que ninguém mais pudesse ouvir. — Não estou pronta para deixá-los.

— Vai ficar tudo bem — insistiu Jocelyn, e Holly não discutiu, embora seus olhos dissessem à amiga que ela sabia que isso era mentira.

Jocelyn não precisara do telefonema urgente de Tom para lhe dizer que Holly estava em trabalho de parto. Ela já sabia a data em que Libby nasceria, e se preparara para esse momento com um plano tão detalhado quanto o da própria Holly.

Holly ficou paralisada de dor quando outra contração atravessou seu ventre.

— Chega de conversa, precisamos levar você para o hospital — insistiu Tom, afastando Holly de todos os que lhe desejavam boa sorte e levando-a na direção do carro.

— Amo você como a mãe que eu nunca tive — disse Holly a Jocelyn, o pânico crescendo em sua voz. — Não sei como começar a agradecer por tudo o que você fez e por tudo o que vai fazer. Não sei como teria conseguido passar por tudo isso sem você.

— Ah, Holly, também amo você. E fico muito feliz por você ter me dado a chance de ser uma mãe decente de novo. — As duas mulheres estavam à beira das lágrimas, mas nenhuma delas queria ser a primeira a chorar.

— Ei, vocês duas, parece que nunca mais vão voltar a se ver. Vamos andando — disse Tom, apressando-as.

Holly continuou a olhar para trás enquanto seguia em seu passo cambaleante de grávida até entrar no carro. Jocelyn ficou observando-a partir, e foi só quando o carro sumiu de vista que ela permitiu que as lágrimas corressem. Mesmo assim, apenas por um breve instante. Havia muito a ser feito.

— Você me faria um favor? — pediu Jocelyn a Billy, erguendo-se de modo a ficar o mais alta que seus ossos doloridos permitissem. — Tenho algumas coisas para fazer aqui, mas depois você seria um amor e me daria uma carona para casa? Acho que hoje não vou conseguir fazer o caminho de volta a pé.

— Você vai querer uma carona? Acho que é a primeira vez, mas fico feliz em servi-la. — Billy sorriu antes que uma ruga de preocupação marcasse seu rosto. — Você está bem, Joss?

— Vou ficar bem — assegurou Jocelyn, com uma piscadela.

— Ótimo, não quero a minha garota favorita com rugas de preocupação.

— Acho que está um pouco tarde para isso — disse ela, antes de voltar sua atenção para a casa da guarda. — Esse lugar viu muita história, não viu?

Ambos ergueram o rosto para a fachada imponente, que escondia seus anos e seus segredos por trás da madeira recém-pintada e de seus canteiros de madressilva.

Billy ergueu uma sobrancelha.

— Algumas coisas é melhor deixar no passado.

— Algumas pessoas também — acrescentou Jocelyn solenemente.

— É por isso que hoje é um dia tão especial. Está na hora de riscar o passado e olhar para o futuro — falou ele com um brilho de empolgação nos olhos.

— Eu não poderia ter dito melhor, Billy. Agora chega de tagarelar, tenho trabalho a fazer, e você também — disse Jocelyn, e o mandou correndo de volta para o jardim.

Holly dera um molho de chaves a Jocelyn e deixara instruções para que a amiga se certificasse de que estaria tudo pronto para quando Tom voltasse para casa com a filha recém-nascida. Holly estocara comida suficiente para alimentar um exército.

Jocelyn entrou pé ante pé na casa vazia, com medo de acordar os fantasmas de seu passado. Ela não conseguiu resistir à vontade de dar uma espiada no quarto do bebê recém-decorado, mas suas juntas estalavam quase tanto quanto as escadas. Quando finalmente chegou ao topo, a dor surda em suas costas havia se transformado em uma dor excruciante, apesar dos analgésicos, e ela precisou parar para recuperar o fôlego antes de entrar no quarto. O berço vazio estava no centro do cômodo, esperando pela chegada de Libby. Quando chegou mais perto, Jocelyn viu que o berço não estava completamente vazio. Dentro dele estava a boneca de pano sobre a qual Holly lhe contara. Holly dormira com a boneca durante a última semana para que ela absorvesse seu cheiro — um último presente, que criaria um vínculo tangível entre mãe e filha.

Enquanto voltava a descer lentamente as escadas, Jocelyn tentava não relembrar a época em que chamara aquela casa de lar. Ela até conseguia afastar os fantasmas, mas a culpa que a seguira porta afora no dia em que abandonara Harry provara ser um pouco mais difícil de se livrar. Apesar do período de luto que a aguardava mais à frente, Jocelyn sentiu que aquela culpa, que a atormentara por décadas, finalmente começava a ceder.

Foi na cozinha que se sentiu mais à vontade. Ali, onde colecionara boas lembranças nos últimos 18 meses. Jocelyn deveria estar começando a fazer um ensopado suculento para a volta de Tom, mas ela não teria tempo para cozinhar nesse dia, o tempo era vital. Jocelyn desembrulhou rapidamente uma variedade de tortas e bolos que pegara na despensa da casa de chá a caminho da casa da guarda, e se permitiu um breve olhar através da janela, para o relógio lunar. Os únicos itens restantes na sua sacola de compras eram um envelope branco, o diário e a caixa de madeira.

Jocelyn pegou a sacola de compras e foi para o ateliê de Holly, que também guardava seus próprios fantasmas. Já fazia muito tempo desde que ali funcionara a oficina do marido dela. Mesmo assim, e apesar da reforma que Holly fizera, Jocelyn sentia a presença de Harry ali mais do que em qualquer outro lugar.

Jocelyn colocou a caixa de madeira e o diário sobre a bancada de trabalho de Holly, onde seriam facilmente encontrados. Olhando pensativamente para a caixa, ela tamborilou na tampa com um dedo que já começava a se tornar retorcido pela artrite.

— Estou pronta para fazer a barganha — disse ela ao mecanismo do relógio lunar.

Com cuidado, Jocelyn colocou o envelope em cima da caixa. A carta era o equivalente a fazer um pacto com o diabo mas, graças às maravilhas do relógio lunar, era o pacto que Jocelyn sabia que já havia sido selado com seu destino.

Ela trancou o ateliê e a casa, antes de convocar Billy para levá-la de volta ao seu apartamento. A sensação de alívio que sentia era quase uma euforia, enquanto se afastava da casa da guarda, deixando para trás o restante de sua culpa. Agora não demoraria muito, pensou consigo mesma enquanto imaginava a cena que a aguardava em casa. A pequena mesa de bistrô estava arrumada, esperando seu retorno. As pílulas, a garrafa de vodca e as fotografias das pessoas que amava. Aqueles seriam os últimos rostos que veria. A conta estava prestes a ser fechada.

Minha querida Holly,

Espero que neste momento você esteja imaginando o que diabos está acontecendo, ou talvez seja mais provável que esteja se perguntando por que a cidade está de luto pela morte de uma velha tola no lugar de uma jovem mãe.

O nascimento de um filho já é um choque para qualquer mulher, mas desconfio que você vá demorar um pouco mais a absorver esse impacto e se acomodar em sua nova vida. Você sentirá uma mistura de raiva e culpa. Vai pensar que roubou o direito de alguém à vida. Gostaria de ter as palavras certas para impedir que se sinta assim, mas tudo o que posso realmente dizer é: não pense assim! Perdi tempo demais da minha vida me sentindo culpada, e não quero isso para você. Ambas sabemos que o relógio lunar exige uma vida pela outra, mas a vida a ser sacrificada não deveria ser a sua, a de Libby ou a de Tom. Então, por que não a minha? Realmente quero passar meus últimos anos acamada enquanto essas minhas juntas se travam? Para mim, isso parece um destino pior do que a morte.

Olho para a lua cheia, e ela me lembra minha própria vida. A lua rouba sua luz do sol de ontem, e foi assim que me senti por muito tempo. Eu roubei a vida de alguém, e minha penitência foi ser deixada com uma vida que não brilhava o bastante, ao menos não até eu conhecer você.

Seu destino vai ser diferente porque este é o meu presente para você, e o estou dando de bom grado. E não deve ser nenhuma surpresa para você que o relógio lunar tenha tido seu papel em minha barganha. Na verdade, estou sentada na mesa da sua cozinha enquanto escrevo esta carta. É a noite da entrega da escultura ao centro comunitário, e você e Tom sem dúvida ainda estão se divertindo na festa. A lua cheia está brilhando através da janela, piscando para mim de vez em quando.

Gostaria que você pudesse me ver, mas lhe asseguro que estou com o maior sorriso no rosto que você puder imaginar. Esta noite usei o relógio lunar uma última vez e também vi o futuro como você já o viu, com Tom sofrendo pela morte da esposa, mas apenas por um momento. Eu já sabia que estava preparada para sacrificar a minha vida pela sua, mas ambas sabemos que o relógio lunar tem suas regras. A vida a ser sacrificada tem que ser parte de um círculo familiar para que a conta feche. Dê outra olhada em sua escultura, Holly. É você segurando Libby, mas a base esculpida no mármore negro, o suporte materno que você nunca teve quando criança, quero que seja eu. Já lhe disse várias vezes que você é como uma filha para mim, e, felizmente, esta noite o relógio lunar também viu isso.

Assim que pousei os olhos em Libby, aquela criança tão doce que perdera a mãe, fiquei ainda mais firme em minha decisão, e o relógio lunar aceitou a minha oferta. Minha vida por sua vida. Uma mãe sacrificando a própria vida pela vida da filha. Isso lhe parece familiar? Assim que soube que poderia fazer a troca e que a faria, um novo futuro se descortinou diante de meus olhos, e pude ver o que ambas pensávamos ser um sonho impossível. Ah, Holly, foi maravilhoso ver vocês três juntos, e estavam tão felizes! É claro que você tentou me dissuadir de colocar meu plano em ação, mas sou uma velha teimosa. Suas palavras, não minhas.

A única coisa em que concordamos é que há algumas informações que você deve saber para ajudá-la a dar os primeiros passos nesse seu novo caminho com mais facilidade. Sei que vai ficar preocupada com os anos que virão — você mesma já me disse isso. De certo modo, você está certa em se preocupar com esse ato de equilíbrio que o relógio exige. Gostaria de suavizar o golpe, mas as circunstâncias não permitem. Não haverá outros filhos para você e Tom. A Holly que encontrei queria que você soubesse disso, nem que fosse para impedir que tivesse falsas esperanças. Você vai aceitar esse fato, mas precisa dividir o fardo dessa informação, mais precisamente com Tom. Não desperdice seus anos se preocupando com a possibilidade de ele ficar tentado a usar o relógio lunar, e que assim o relógio continue a atrapalhar sua vida. Tom não fará isso. Ele irá apoiá-la e ajudá-la, principalmente na parte seguinte do que é evidentemente um plano que seu futuro estabeleceu.

Você ainda vai levar adiante a restauração dos jardins de Hardmonton Hall, e é lá que Tom vai ajudá-la a descobrir o paradeiro de Lucas Hardmonton. Lucas merece saber exatamente o que aconteceu com a família dele e o sacrifício que fizeram. Você não deve hesitar em dar a ele o diário, e devolver o mecanismo do relógio lunar ao seu local original, e também não deve perder tempo debatendo consigo mesma se deve ou não destruir o mecanismo. Você não vai destruí-lo, nenhuma de nós poderia fazer isso, não é? Vai devolver o mecanismo do relógio aos Hardmonton, e essa será a coisa certa a fazer, para você e para Lucas. E lembre-se de manter Billy sempre atento, embora, pelas fotos que eu vi, Billy vá mesmo fazer um excelente trabalho na restauração do jardim. E, quando chegar a hora certa, diga a Billy que eu ficaria satisfeita com o resultado, mas não deixe que o elogio suba à cabeça dele.

Bem, já disse o bastante. Recuso-me a dar mais informações sobre o seu futuro. A vida é para viver, e você deve começar a viver cada dia como se fosse uma página em branco, embora, de vez em quando, talvez perceba um brilho eventual do sol de ontem. Tudo o que eu lhe peço em retribuição é que seja gentil com Paul. Ele estava destinado a lamentar a morte da mãe, esse momento só chegou um pouco mais tarde do que o esperado, só isso.

Poderia ficar sentada aqui escrevendo para sempre, mas realmente preciso parar de divagar. Não se preocupe; na noite do aniversário de cinco anos de Libby, com a lua cheia nos observando, teremos nossa última despedida.

Até lá, então!

Meu amor e gratidão eternos,

Jocelyn

AGRADECIMENTOS

Foi por causa de Nathan Valentine que comecei a escrever. Ele é minha inspiração, e este livro é apenas uma pequena parte do seu legado. Fui abençoada por tê-lo em minha vida, mas três anos e dez meses não são nem de perto o bastante. Meu garotinho me ensinou mais do que eu jamais vou ensinar a ele, e foram algumas lições difíceis de aprender. Primeiro e antes de tudo, ele me ensinou a agarrar a felicidade onde eu puder e a tentar mantê-la comigo, a apreciar o que tenho quando tenho. Por isso espero que ele não se incomode por meu primeiro agradecimento ser para a minha filha, Jessica Valentine. Sem ela eu estaria perdida. Jessica está crescendo e se transformando em uma jovem linda, fantástica, e tem feito de mim uma mãe muito, muito orgulhosa.

Tenho tantas outras pessoas a agradecer, tantos amigos e familiares que me ajudaram e me apoiaram ao longo dos anos. Não tenho como dar o nome de todos, mas, por favor, saibam que ainda estou de pé por causa de vocês. Um agradecimento especial à minha mãe, Mary Hayes, por ser mãe dos meus filhos tanto quanto é minha mãe. Agradeço também a Chris Valentine e Jonathan Hayes, pelo encorajamento a que eu corresse atrás dos meus sonhos. E ainda a Lynn e Mick Jones — algumas pessoas são abençoadas por terem alguém a quem podem chamar sua rocha, e eu tenho duas.

Um agradecimento imenso ao meu agente, Luigi Bonomi, pela visão, pelo encorajamento e, acima de tudo, pela coragem de desconstruir meu original e depois reconstruí-lo. Outro grande agradecimento a todos da HarperCollins, por assumirem meu sonho e darem asas a ele, especialmente Sarah Ritherdon e Hana Osman, por me orientarem com tanto carinho e apoio através desse novo mundo das publicações, onde me encontrei.

E, finalmente, obrigada a vocês, as Rainbow Mums, as mães do arco-íris (vocês sabem quem são), que aprenderam a ser corajosas por seus filhos e fortes para ajudarem umas às outras. Este livro é em memória de nossos pequenos heróis: Conor, Connor, Jordan, James e Nathan.

ENTREVISTA COM A AUTORA

A ESCOLHA DO CORAÇÃO *É SEU PRIMEIRO ROMANCE. SEMPRE QUIS SER ESCRITORA?*

Acho que o desejo de escrever sempre existiu, e eu simplesmente não acreditava em mim mesma o bastante para ir em frente e colocá-lo em prática. Tinha várias ideias de histórias e uma imaginação hiperativa, mas o tempo passou e eu cheguei a um ponto da minha vida em que achei que, se realmente quisesse ser escritora, já teria feito alguma coisa até ali. Perder meu filho, Nathan, mudou tudo. Assim que ele foi diagnosticado com leucemia, descobri que era muito difícil falar a respeito disso, não apenas porque eu não queria falar, mas também porque, fisicamente, as palavras não conseguiam sair, e foi então que comecei a escrever. A poesia, em particular, se tornou um modo de expressar meus sentimentos, e eu também mantinha um diário *on-line*.

Então, quando ele morreu, não apenas continuei como passei a escrever mais. Antes de tudo, queria escrever sobre Nathan, e então, quando estava certa de que havia preservado cada lembrança preciosa, percebi que não queria parar de escrever. Em algum momento ao longo do caminho, descobri o sonho de me tornar escritora e tenho que agradecer a Nathan por isso.

QUANDO FOI A PRIMEIRA VEZ QUE TEVE A IDEIA DO RELÓGIO LUNAR?

Quando estou escrevendo, adoro esses momentos inesperados de inspiração que aparecem do nada e ligam todos os pontos, como em um passe de mágica. O relógio lunar foi um desses casos. Não tinha uma ideia exata de como seria a aparência do relógio lunar ou de como ele funcionaria exatamente, mesmo quando o mencionei no primeiro capítulo. Sabia que precisava de alguma coisa que detivesse um poder místico e que pudesse transportar Holly para o futuro, e me pareceu certo deixar que as cenas de viagem no tempo acontecessem no meio da noite; portanto, a ligação com a lua cheia foi um passo natural. Foi só quando pensei no modo como a luz do Sol é refletida na lua, e consequentemente sobre a superfície do relógio que eu estava tentando criar, que percebi que, se a luz podia ser refletida, por que o tempo também não poderia? Tudo se encaixou, e assim nasceu o relógio lunar.

Demorei muito mais para desenvolver as regras que governam o relógio. Quanto mais eu pensava sobre como Holly deveria ser capaz de influenciar o próprio futuro, mais eu percebia que estava dando oportunidades demais a ela de interferir nesse mesmo futuro. Criei as regras para evitar que a história se transformasse em um caos, e a regra de uma vida só poder ser trocada por outra foi de especial importância, porque garantiu que haveria apenas duas opções para Holly: a sua vida ou a de Libby.

AS IMAGENS CRIADAS AQUI SÃO MUITO VÍVIDAS. VOCÊ SE BASEOU EM UM LUGAR REAL PARA CRIAR A CASA E A CIDADE?

A casa da guarda e a cidade são apenas produto da minha imaginação. A casa da guarda é baseada nas muitas casas espalhadas pela Inglaterra que acabaram, por algum motivo, separadas das grandes propriedades às quais um dia pertenceram. Quanto à cidade rural, acredito que sua inspiração venha dos vários programas sobre casas e decoração a que assisto na TV.

No entanto, a sensação que passa a casa da guarda, ou ao menos seu potencial para ser uma casa perfeita para a família de Holly e Tom, foi baseada em um lugar real, a casa dos meus avós. Cresci em uma casa de condomínio em Liverpool, e, embora meus avós morassem perto de mim, a casa deles parecia outro mundo. Eles moravam em uma casa de dois andares tradicional que tinha algo que a minha casa não tinha: um quintal. Algumas das minhas lembranças de infância favoritas têm aquele jardim como cenário, e as tenho vividamente — entrar sorrateiramente no galpão do meu avô, cheio de ferramentas de carpintaria, colher frutas para a minha avó fazer geleias e tortas, e passar horas intermináveis no balanço que ficava pendurado em uma macieira que cresceu de uma semente que minha mãe plantou quando era criança. Era um lugar idílico que podia ter suas raízes na cidade grande, mas poderia ser facilmente transportado para o campo.

ESCREVER UM LIVRO DEVE ENVOLVER MUITO PLANEJAMENTO E VÁRIAS VERSÕES DA HISTÓRIA. COMO SE ORGANIZOU PARA ESCREVER ***A ESCOLHA DO CORAÇÃO****?*

A premissa para o romance estava clara em minha mente desde o princípio. Eu estava determinada a costurar uma história que levasse o leitor até o momento crucial em que Holly percebe que irá desistir de sua vida pela filha. É claro que, com a viagem no tempo envolvida, tive que planejar tudo com muito cuidado para conseguir manter presente e futuro sincronizados o tempo todo. Mas nem tudo foi planejado desde o início. A personagem de Jocelyn, por exemplo, foi com certeza um aspecto da história que ganhou vida depois que comecei a escrever, e outras ideias apareceram no meio do caminho. O plano que eu criei estabeleceu os principais pontos da história, mas não fiquei escrava dele.

Recebi sugestões e ideias do meu agente e da minha editora quando comecei a reeditar o livro e acatei essas ideias, sabendo que cada vez que reescrevia a história estava tornando-a mais forte, mais caprichada. Não que reescrever seja um processo fácil; longe disso. A pior parte é descosturar tramas diferentes e então torcer para conseguir reatá-las novamente. Foi muito mais estressante do que eu poderia imaginar, e tenho medo de pensar como minha filha, Jess, conseguiu me aguentar durante esse período. Mas então, quando a inspiração apareceu e eu consegui reorganizar a história, senti que sem dúvida estava valendo o sofrimento.

QUAL É A PRIMEIRA COISA QUE SE LEMBRA DE TER ESCRITO?

Como mencionei, não comecei a escrever, ao menos não criativamente, até que Nathan ficasse doente. Antes disso, meus escritos eram limitados a redigir políticas e procedimentos como parte do meu trabalho, ou escrever versinhos engraçados sobre a família para colocarmos dentro de nossos biscoitos caseiros de Natal. Quando meu desejo de escrever um livro ganhou força, depois da morte de Nathan, decidi fazer um curso de escrita criativa, pois queria ter certeza de que faria justiça à história que estava escrevendo sobre a vida dele. Quando terminei o diário, comecei a escrever contos, para não perder a prática. Minha primeira tentativa de um manuscrito mais longo de ficção foi, na verdade, uma história infantil, e era uma dessas ideias que eu mantivera guardadas por anos, mas nunca sentara para escrever. A história deveria ter três volumes, e eu estava trabalhando no segundo livro quando a ideia para *A escolha do coração* começou a criar raízes e eu tive que largar tudo e começar a escrevê-la.

VOCÊ SE IDENTIFICA COM ALGUM DOS PERSONAGENS? CASO A RESPOSTA SEJA POSITIVA, QUAL DELES E POR QUÊ?

De várias maneiras, acho que me identifico mais com Holly. Em particular, com o fato de ser ao mesmo tempo muito organizada, disciplinada e também criativa. Essas características muitas vezes competem entre si, mas, quando se tem um livro para escrever e um prazo para cumprir, isso pode funcionar a seu favor. Assim como Holly, também gosto de arte e, embora não seja nem de perto tão boa quanto outros membros da família, desenho de vez em quando. Uma das ideias iniciais que Holly teve para a encomenda da Sra. Bronson foi baseada em algo que desenhei quando Nathan era bebê, uma forma circular com três figuras que representavam a mim e a meus dois filhos.

No entanto, ao contrário de Holly, não sou de fazer planos e jamais teria a ideia de fazer um plano de cinco anos, não porque eu seja espontânea demais como Tom, mas porque não conto que as coisas vão acontecer até elas realmente terem acontecido, ao menos não as coisas boas... Ainda fico me beliscando para acreditar que consegui publicar meu primeiro romance.

VOCÊ ACREDITA NO DESTINO E QUE TODOS NASCERAM COM O FUTURO TRAÇADO?

Como uma mãe que perdeu um filho, sei que há muitos "e se", e poderia facilmente me torturar a respeito de cada decisão que tomei durante a doença de Nathan. Por isso, seria quase reconfortante acreditar, assim como Jocelyn, que o mundo é menos caótico do que imaginamos, que não há decisões certas ou erradas, apenas diferentes caminhos que levam ao mesmo lugar. Mas, na verdade, acho que a vida é, sim, caótica e com certeza não defenderia a tese de que se deve aceitar o destino e desistir sem lutar. Meu filho não desistiu.

VOCÊ SEMPRE SOUBE COMO TERMINARIA ***A ESCOLHA DO CORAÇÃO****?*

Vou fazer uma confissão. Sim, mas esse final não foi o que acabei escrevendo. *A escolha do coração* começa quase no fim da história, com Holly prestes a entrar em trabalho de parto, sabendo que vai morrer, e aqueles parágrafos de abertura não são muito diferentes do primeiro rascunho do livro. Era daquele jeito que eu pretendia terminar a história quando comecei a escrever o primeiro capítulo. O sacrifício de Holly satisfazia minha própria frustração, e eu não tinha dúvidas acerca de se ela conseguiria fazer o sacrifício que pretendia. Foi só quando comecei a escrever mais sobre Jocelyn, quando a personagem começou a tomar corpo e ganhou vida própria, e então, em um desses momentos mágicos de inspiração, eu percebi subitamente que havia criado um papel crucial para ela na história. Não acho que possa assumir qualquer crédito pela salvação de Holly. Sem dúvida, quem fez isso foi Jocelyn.